D0528096

MOORD

Gemeentelijke Bibliotheek
Beveren
Uitleenpost
Kieldrecht

Tweede druk

Kramat BVBA
Hulshoutsesteenweg 24
2260 Westerlo Belgium
Tel./Fax: +32(0)16 68 05 87
www.kramat.be

ISBN-13: 9789075212730
Wettelijk Depot: D/2007/7085/4
Nur: 330

Omslag: ARTrouvé, Berlaar
Drukwerk: Vestagraphics

MOORD

Rudy Soetewey

UITGEVERIJ
KRAMAT

1. VRIJDAG – BIESBOS

Ze zijn met z'n tweeën, en willen haar grijpen.
Zij herkent beiden. Een leven lang al duiken ze af en toe op: voorzichtig, zacht. Niet altijd even groot of welriekend, maar steeds vriendelijk. Ze is helemaal niet bang.
Handen.
Ze tillen haar op, nemen haar mee. Leuk – ze verveelde zich toch al een tijdje. Het spelletje is echter ongewoon ruw: ze hangt ongemakkelijk, benen zwaaien over en weer, en hoewel ze het eerst plezierig vindt, voelt het na korte tijd koud en onprettig aan. Net wanneer ze wil protesteren, stopt het schokken, en leggen de vrienden haar neer.
Gras. Ze herkent de geur – zon, eten, slapen? Opnieuw is er iets niet in de haak: bij gras hoort geen vocht. Even is ze nieuwsgierig, maar als de handen haar onzacht uitkleden, en de natte koude haar rug beroert, heeft ze er meteen genoeg van.
Ze protesteert. Luidkeels. De handen maken sussende geluiden, maar ze weigert te luisteren. Ze is boos. Ze verzet zich heftig.
De handen grijpen elk een oor. Ze zwijgt verrast.
Verbazing, even. Dan draaien haar vrienden... het licht uit.

2. VRIJDAGNAMIDDAG – BIESBOS

Laat ik het maar meteen bekennen: ik weet niet of het zo gebeurd is. Ik was er niet bij.
Het doet er ook niet toe: zodra de waarheid niet meer te achterhalen is, telt alleen nog wat mensen willen geloven. Ik kan alleen maar reconstrueren. Proberen, tenminste. Tijd genoeg om na te denken. Het begon op een vrijdagnamiddag, dát weet ik zeker. Voor mij althans.
Ik had een rotdag achter de rug. Elke handelsreiziger kent er af en toe zo een: 's morgens van jas veranderd en gsm vergeten, files op álle wegen, een lekke band, verkeerd gesignaleerde wegomleggingen, en als *top of the bill* een afspraak in Wallonië waarop niemand verscheen. Toen ik 's avonds de Krokuslaan inreed, was ik een hele dag niet uit de auto geweest: ik had niet gegeten, geen mens gesproken, en geen cent verdiend.
Ik merkte meteen dat er wat scheelde. 'Biesbos' is een oudere verkaveling: solide rijhuizen, nette tuintjes en boompjes in het voetpad. Bij de bakker en in het wijkcomité bemoeit iedereen zich met andermans zaken. Rond etenstijd zie je er meestal niemand. Nu stond er opmerkelijk veel volk op straat, zwijgend, behoedzaam. Een joelend kind werd prompt naar binnen gedragen. Eduard, onze gepensioneerde overbuur, zat in zijn voortuin op een stoel.
Er stond een politiewagen voor ons huis! Een ongeval? Inbraak? Brand?
Er was Kevin iets overkomen!
Mijn adem stokte. In een reflex trapte ik het gaspedaal in, ik schakelde verkeerd, de motor blokkeerde en viel stil. De hele straat keek meteen in mijn richting. Gegeneerd startte ik opnieuw.
Pas dan realiseerde ik me dat de combi voor de woning van de familie Ruuckven stond, drie huizen voorbij het onze.
Opgelucht zette ik de wagen aan de kant. Renhilde en Kevin stonden op het trottoir, mijn vrouw nog met haar keukenschort om.
Zoals steeds wanneer ik haar zag, voelde ik me even wee worden. We waren veertien jaar getrouwd, en nog steeds begreep ik niet waarom een schoonheid als Renhilde met een onopvallende, twaalf jaar oudere man als ik in zee was gegaan.
Ik stapte uit, gaf haar een zoen, en tikte vriendschappelijk tegen Kevins schouder. Dat was zo ongeveer de enige uiting van genegenheid die hij nog

tolereerde. Een kus ervoer hij al een tijdje als een belediging, en over zijn haardos aaien, was zo mogelijk nóg erger, want dan kon zijn zorgvuldig met haargel gemodelleerd kapsel in de war geraken. Pubers...
"Wat is er aan de hand?"
Kevin haalde de schouders op. Renhilde pulkte aan haar schort.
"Geen idee." Ze gebaarde naar de politiewagen. "Ze kwamen daarnet met loeiende sirenes voorbijgereden. Ze zijn bij Dani binnen."
"Is Peter er?"
"Die draait voor de zoveelste keer een *dubbele shift* op de fabriek," antwoordde ze afkeurend.
Peter Ruuckven, Dani's echtgenoot, werkte bij een autoassemblagebedrijf in de haven. Merkwaardig genoeg was hij enkele maanden na de geboorte van hun dochtertje nóg meer uren beginnen werken.
"Aan het kokerellen?"
"Patricia komt eten," bromde ze.
Patricia was haar beste vriendin: waarom dan die ontevreden toon?
Net toen ik wilde vragen of er wat scheelde, weerklonk in de verte een sirene. Na enkele ogenblikken werd duidelijk dat ze onze kant uitkwam.
"Er kan toch niets aanbranden?" probeerde ik. Zonder resultaat. Renhildes aandacht was ondeelbaar gericht op de hoek van de straat. Eduard slofte tot bij de rand van het trottoir – alsof het een wielerwedstrijd betrof.
Hoewel het geluid snelheid suggereerde, kwam de ziekenwagen op een sukkeldrafje de straat ingereden. Bij de Ruuckvens verscheen een politieman in de deuropening. Hij zwaaide. De chauffeur versnelde, schakelde de sirene uit, en stopte achter de combi.
Toen de twee ambulanciers een brancard uit de ziekenwagen haalden, kwam de hele buurt schijnbaar in beweging: Eduard stak nonchalant de straat over, Maria, onze buurvrouw, slofte tot bij Renhilde, om te melden hoe opgelucht ze was dat het niet om een brandweerwagen ging, en Pol en Tinne, een koppel van middelbare leeftijd dat nog maar net in de wijk woonde en een reputatie van bohémiens cultiveerde, gingen wat verder met een glas wijn op de stoep zitten. Tinne was druk in de weer met haar nieuwste speeltje, een digitaal fototoestel.
"'t Zal wel weer van dát zijn," grinnikte Eduard vals, terwijl hij de ambulanciers nakeek.
"Van wát?"
De ouwe irriteerde me – zoals gewoonlijk. Hij beroemde er zich geregeld op

dat hij als stadsambtenaar een fortuin bij elkaar had gesjoemeld, maar wanneer hij over anderen sprak, gedroeg hij zich steeds als de rechtschapenheid in persoon.
Hij maakte een drinkgebaar.
"Dani?" vroeg Renhilde ongelovig.
"Elke dag gaat ze in alle vroegte naar de winkel," meldde hij. "Tenminste, als Peter niet thuis is."
"En dan?"
"Vodka. Elke dag!" Hij tikte tegen zijn neus. "Ruik je niet, nietwaar..."
Maria schudde het hoofd.
"En Sofietje dan?"
Eduard haalde veelbetekenend de schouders op. Maria's mond vertrok.
"Dat doe je toch niet als moeder!"
Renhilde zuchtte.
"Maria! Dani heeft een depressie! Dat overkomt wel meer vrouwen na 't eerste kind. Ik geef toe, het duurt nogal lang bij haar. Maar dan nog..."
"In mijn tijd bestónd dat niet, een depressie," bromde Maria verongelijkt.
"Gelijk ons maken ze ze tegenwoordig niet meer, Maria," zei Eduard. "Wij zijn nog aan elkaar genaaid. Tegenwoordig hangen ze aaneen met *velcro.*"
Ik keerde me naar Kevin, die ondertussen op het tuinmuurtje was gaan zitten. Mijn geduld was die dag al zwaar genoeg op de proef gesteld – aan een portie bejaardenroddel had ik geen behoefte.
"Hoe ging het op school vandaag?"
"Goed, zeker," antwoordde de jongen, terwijl hij zijn nieuwe Nikes bestudeerde.
"Testen gehad?"
"Neen. Op uitstap geweest."
"Waar naartoe?"
Hij haalde onverschillig de schouders op.
"'t Stad."
"Interessant?"
Hij grinnikte veelbetekenend.
Bij wijze van antwoord gebaarde hij met een middelvinger naar zijn mond.
Zijn antwoord beviel Renhilde allerminst.
"Kevin! Gedraag je!"
Mijn zoon staarde koppig voor zich uit.
"Wel?!"

Na een moment van stilte mompelde hij iets wat met een beetje goede wil kon omschreven worden als "sorry" maar even gemeend klonk als een verkiezingsbelofte.
Hij zou er waarschijnlijk niet zo gemakkelijk van afgekomen zijn, als Eduard de aandacht niet had getrokken.
"Ze komen terug buiten."
Terwijl een agent de deur openhield, manoeuvreerden de ambulanciers de brancard moeizaam door de opening. Het plompe lichaam op de draagberrie maakte het hen niet meteen gemakkelijk.
"Het is Dani," zei Eduard.
"Beweegt ze nog?"
"Moeilijk te zeggen," zei de oude man. Hij schudde het hoofd. "Zo'n pronte vrouw, zich zó laten gaan..."
Ik begreep wat hij bedoelde. Dani was niet langer de slanke, sportieve, opgewekte vrouw die we hadden gekend: na de geboorte van haar dochtertje was ze veranderd in een lusteloze tv-verslaafde, met de figuur van een versleten zitzak. Diep in zijn hart wist elke man in de straat precies waarom Peter extra *shiften* draaide. Of, zoals Eduard zou zeggen, 'op een goeie wei zat'. Je zou voor minder.
Terwijl de ambulanciers de brancard in de ziekenwagen schoven, zei Maria: "Zou ze nog leven? Ik zie niks bewegen."
Renhilde schudde het hoofd.
"Je moet niet altijd meteen het ergste denken, Maria. Misschien is ze gewoon van de trap gevallen..."
"Dat zou me inderdaad niet verbazen," mompelde Eduard. Toen hij Renhildes blik opmerkte, vervolgde hij haastig: "Leven doet ze in elk geval nog: anders bedekken ze het hele lichaam met een laken, ook het hoofd. Dat is nu niet het geval."
Toen de ambulance traag vertrok, zonder sirene, duwde Kevin zich van het muurtje. Hij slenterde naar de voordeur, handen in de zakken van zijn te wijde broek.
"Wat is 't?" vroeg Eduard. "Niet meer geïnteresseerd?"
De jongen wierp hem een geringschattende blik toe, en bromde zijn favoriete woord:
"*Boring*."
Iedereen – de huisdokter, leerkrachten, buren, familieleden, Renhilde – ging er vanuit dat Kevin een moeilijke puberteit doormaakte. Ik wist dat er meer

aan de hand was, alhoewel niemand me wilde geloven. De jongen was verstandiger dan de meeste kinderen. Daardoor verveelde hij zich, vooral op school. Wanneer hij het gevoel kreeg dat hij niet ernstig werd genomen, dat hij werd behandeld als een van zijn dommere leeftijdgenoten, reageerde hij buitensporig opstandig – en wie kon hem dat kwalijk nemen? In dit geval had hij gewoon gelijk: erg boeiend was de vertoning op straat niet.
Renhilde keek de ziekenwagen na.
"Ik ga terug naar de keuken," zei ze. "Patricia komt om zeven uur."
Ze draaide zich net om toen Eduard naar de andere kant van de straat keek en zei: "Dat is vreemd."
Er was een tweede politiewagen verschenen, die opmerkelijk traag door de straat reed. Ter hoogte van ons groepje leek hij een ogenblik te aarzelen. Twee agenten keken ons strak aan, wat iedereen meteen een ongemakkelijk gevoel bezorgde – alsof we op heterdaad betrapt waren. De auto hield uiteindelijk halt bij de Ruuckvens, de agenten liepen haastig naar binnen.
"Misschien heeft ze wel geprobeerd om zichzelf..." begon Maria, maar dan sloeg ze een hand voor de mond, alsof ze iets onzindelijks had willen zeggen.
"Zou kunnen," bromde Eduard.
Maria schudde het hoofd.
"En wie let er nu eigenlijk op de kleine Sofie?"
"Haar schoonouders, zeker," antwoordde Renhilde schouderophalend.
"Moeten we niet helpen?" vroeg ik. "Je kunt die mensen dat toch niet allemaal alleen laten doen?"
"Bemoei je d'r niet mee. Dat is het verstandigste," mompelde mijn vrouw. Toen ze zag dat ik haar raad opvolgde, verdween ze naar de keuken.
"De agenten zullen haar wel in het oog houden," grapte Eduard. "Geef toe: waar kan een kind nu veiliger zijn dan bij de blauwe *babysitters*?"

3. VRIJDAGNAMIDDAG – HAVEN

Kakofonie.
Flarden radio, geroep van een *foreman*, toeslaande autodeuren, een arbeider die luidkeels *O sole mio* parodieert, ratelende tandwielen, gezoem van een hydraulische hefboom, gelach, dichtvallende motorkappen, gesis van perslucht, weerkaatst en vervormd door de wanden van de fabriekshal.
Peter glijdt op de passagierszetel en controleert of de rubberen afdichting van de voorruit volledig in de geleidingsgleuf zit. Een wijsvinger glijdt over de aansluiting met het dak. Perfect.
Hij glimlacht er niet eens meer bij: hij is het gewend. Een vakman. Zijn vrienden noemen het geestdodend werk, maar daar is hij het niet mee eens: je moet alert blijven, je zin voor detail wordt dagelijks op de proef gesteld, en sinds de invoering van het Scandinavisch groepsproductiesysteem kan je als werknemer weer trots zijn op je werk. En wil je het tempo aankunnen, moet je in conditie zijn.
Peter grijnst. Geen van zijn vrienden zou dit werk langer dan een dag volhouden. Het voetbalteam van café De Blaasbalg wordt weleens spottend FC Bierbuik genoemd, en niet geheel ten onrechte: hij is er de enige met buikspieren, zo lijkt het wel.
Johnny, zijn maat aan de overkant, steekt het voorgevormde dashboard van donkere kunststof naar binnen. Samen drukken ze die op zijn plaats.
Als hij het T-shirt van de man ziet, kan Peter een glimlach niet onderdrukken.
Zijn idee. Eerst lachte iedereen hem er mee uit. *Softie*! Maar niet voor lang. Nu zie je het steeds meer opduiken.
Vertederd werpt hij een blik op zijn linkermouw. Omdat de fabriek halskettingen verbiedt, had hij na de geboorte van Sofie een alternatief gezocht. In een computerwinkel vond hij speciaal printpapier, waarmee je een foto met een strijkijzer op textiel kunt aanbrengen. Het had hem vier T-shirts gekost, maar nu siert Sofietjes portret beide mouwen. Hij heeft de foto's ondersteboven aangebracht, zodanig dat zijn kind hem aan twee kanten aankijkt als hij zijn armen kruist. Johnny, vader van een tweeling, heeft net hetzelfde gedaan.
Peter denkt aan Dani, en zijn gezicht verstrakt.

Als hij haar maar eens terug voor de klas kreeg. Tot vlak voor de bevalling gaf ze tot haar tevredenheid les aan een middelbare school, maar sinds de geboorte van hun eerste kind lijkt ze tot niets meer in staat. De dokter zegt dat er voorlopig geen sprake is van weer aan het werk te gaan. Peter denkt de oorzaak te kennen, maar de ene keer dat hij het onderwerp met Dani aansneed, ontkende ze het in alle toonaarden. Hij heeft zelfs een site gemaakt en op het internet gezet, volledig aan haar gewijd.
Hij kan het niet helpen, maar in zijn ogen is Sofietje een perfect normaal kind. Goed, haar linkerhandje telt maar vier vingers – het pinkje ontbreekt. Waarom weet niemand. Het meisje heeft er geen last van, integendeel: ze groeit als kool. Maar Dani...
Hij schudt het hoofd.
"Peter!" Johnny roept hem waarschuwend toe.
"Godv..." Hij vloekt luid. Bijna had hij de sluiting voor het handschoencompartiment gemist. Hij grijpt de klep, en slaagt erin om ze in één beweging op haar plaats te klikken. Verloren seconden meteen weer ingehaald.
"Vroeger gaan slapen in 't vervolg!" schreeuwt zijn maat geamuseerd, terwijl hij aan de chauffeurskant de deurstijl betast. Bij wijze van antwoord maakt Peter een stootgebaar met zijn heupen, wat de ander in lachen doet uitbarsten.
"Beest!" roept hij.
Peter grijnst veelbetekenend, en controleert ondertussen de randen van het dashboard.
Hij wou dat het waar was. Dani en hij, vroeger, jongens toch... Even glijdt zijn geest uit over het verleden: Dani's perfecte lijf, haar gretigheid, haar gebrek aan gêne, haar totale overgave... Allemaal weg. Vollédig weg. En zoals het er nu naar uitziet, voorgoed. Als je daarbij dan ook nog het gevoel van machteloosheid rekent...
Even glijdt zijn geest weg en verschijnt het slanke figuurtje van Yoni voor z'n ogen. De jonge receptioniste heeft hem duidelijk genoeg gemaakt dat ze...
Ineens merkt hij dat het dashboard aan zijn kant niet helemaal vastzit. Hij geeft het een klap, maar veel te heftig, zodat er nog een groter deel weer loskomt.
"Kloteding," mompelt hij nijdig.
Soms wou hij dat hij niet zo had aangedrongen op het hebben van kinderen – niet dat Dani ertegen was, maar het bleef zijn idee. Soms lijkt het alsof die keuze zijn hele leven heeft verpest. Je zou op den duur je kinderen nog

verwensen.
Net wanneer het dashboard weer op z'n plaats zit, hoort hij achter zich zijn naam roepen.
Frans, de *foreman*, met naast zich Geert, een invaller. Frans gebaart dat hij tot bij hem moet komen: Geert zal tijdelijk zijn plaats innemen.
"Wat is er?"
"We hebben net een telefoontje gekregen," zegt de *foreman* ernstig. "Je moet naar huis. Je vrouw is in het ziekenhuis opgenomen."
Peters keel wordt plotseling kurkdroog.
"Wat? Waarom?"
Frans schudt het hoofd.
"Hebben ze er niet bijgezegd. Alleen dat je je geen zorgen moest maken."
"In welk ziekenhuis ligt ze?"
"Weet ik niet."
"Jamaar, Frans. Hoe wil je nu dat ik..."
"Ik weet ook maar wat ze aan de telefoon hebben gezegd," onderbreekt de ander hem geïrriteerd. "Trouwens, je moet naar huis, niet naar het ziekenhuis. De politie wacht daar op je."
Peter wordt bleek.
"De politie?! Wat is er in godsnaam aan de hand, Frans?"
De *foreman* gebaart dat hij het evenmin weet.
Een akelige gedachte flitst Peter door de geest.
"Dani zal toch niet..."
"Wat zeg je?" vraagt Frans.
"Niks," mompelt Peter.

4. VRIJDAGAVOND – BIESBOS

Omdat Patricia pas omstreeks zeven uur zou arriveren, en ze niet meteen de stiptheid in persoon was, besloot ik na een snelle douche mijn mail te checken. Kon ik meteen ook even het wereldnieuws overlopen op de *site* van de BBC.

Mijn werkruimte grensde aan Kevins kamer, en in het voorbijgaan zag ik dat hij zoals gewoonlijk met enkele vrienden *chatte*. Nu ja, dat vermoedde ik toch: zijn internetgebruik controleren had ik allang opgegeven. Hij was met het medium opgegroeid: als er iets misliep, moest *ik* hém raadplegen, en niet omgekeerd – hij kon me om het even wat op de mouw spelden. Op de eerste dag van zijn middelbare schoolcarrière had ik hem een eigen kabelverbinding gegeven: liet hij mijn computer tenminste eindelijk met rust. Sommige van onze vrienden vonden het gevaarlijk, maar ik was ervan overtuigd dat je je kinderen vertrouwen moet schenken. Welke boodschap geef je ze anders mee? Hoe kan een kind opgroeien tot een evenwichtige volwassene, als het van jongsaf aan alleen maar wantrouwen ervaart? Ik had hem de eerste maand wel begeleid, en hem daarna op zijn verantwoordelijkheid gewezen – ik wist dat hij meer dan verstandig genoeg was om de risico's correct in te schatten. Er waren daarna ook nooit problemen geweest. Bovendien legde hij er maandelijks nog steeds een deel van zijn zakgeld voor opzij, zonder morren.

Ik liep tot bij mijn bureau, zette de computer aan, wachtte tot het paswoordvenstertje verscheen, tikte de combinatie in, en haastte me dan naar de wc.

Ik weet niet of het een verschil zou gemaakt hebben als ik toen niét had moeten plassen. Misschien. Ongelukken zitten vaak in een klein hoekje, zegt men.

Toen ik terugkwam, merkte ik onmiddellijk dat er iets mis was: het scherm leek overmeesterd door een ononderbroken stroom lettertjes en tekens, af en toe onderbroken door een flikkerende boodschap: *'Your computer is being checked – please wait...'*. Het bleef net lang genoeg zichtbaar om het te kunnen lezen, en natuurlijk liet ik me erdoor in de luren leggen.

Ik wachtte tot de zogezegde *checkup* afgelopen zou zijn. Pas toen het na vijf minuten nog steeds verscheen, kwam ik op het briljante idee om er mijn zoon bij te halen.

Had ik beter meteen gedaan.

"Wat is dát?!" riep de jongen verbaasd uit, toen hij het gewriemel op het scherm ontdekte. "Dat heb ik nog nooit gezien."
Hij liep naar het klavier, en draaide zich dan naar me toe.
"Mag ik?" vroeg hij.
"Doe maar."
Hij drukte snel op enkele toetsen, zonder resultaat. Hoofdschuddend probeerde hij nog enkele andere combinaties, maar tevergeefs.
"*Shit,*" mompelde hij.
Ik wist dat Renhilde zijn gebruik van het schuttingwoord ten zeerste afkeurde, maar het leek me nu niet meteen een geschikt ogenblik om er een opmerking over te maken. Bovendien gaf het exact weer hoe *ik* me voelde.
"Wat is het, denk je?"
Opnieuw schudde hij het hoofd – een beetje geërgerd, leek me.
"Ik vrees..." begon hij, toen de activiteit op het scherm stopte. "Aha!" Hij toetste enkele woorden in.
"Hoe kan dat nu? Wat is hier aan de hand?"
"Opnieuw schoten zijn vingers over het klavier. Even later vloekte hij binnensmonds.
"*Jesus!*"
"Wat is er?"
"Het spijt me, paps," zei hij even later, met een zorgelijk gezicht, "maar ik vrees dat alles weg is."
"Wég? Hoezo, weg? En wat bedoel je met *alles*?"
"Gewoon. De harddisk is leeg. Er staat niets meer op. Letterlijk, *nada*. Een virus, waarschijnlijk. Heeft de harde schijf geformatteerd."
"Wát?!"
Hij knikte.
"Je hebt toch een backup gemaakt?" vroeg hij superieur.
Ik knikte.
"Vorige week nog."
"Heb ik het niet gezegd?"
Ik slikte. Dankzij Kevin was dit geen catastrofe: hij had me er maandenlang op gewezen, en uiteindelijk een programmaatje *gehackt* dat automatisch een backup genereerde.
Misschien moest ik zijn zakgeld maar eens verhogen.
Op dat ogenblik weerklonk de deurbel. Patricia.
Met een gevoel van weerzin zette ik de computer uit: het vooruitzicht dat ik

alle software opnieuw moest installeren, bezorgde me braakneigingen. Het was gewoon *zo'n* dag.
"Kruip in bed, en trek de lakens over je kop," dacht ik, terwijl ik de trap afliep.
"Dag, Patricia." Ik gaf haar drie kussen, en bekeek haar. Ze was kleiner dan mijn vrouw, met blond, kortgeknipt haar, een sensueel gezicht en een perfect geproportioneerd lichaam.
En dat wist zijzelf ook.
"Heb je het niet koud daarin?" grapte ik.
Zoals steeds was ze opvallend gekleed: een topje, dat van haar borsten een aangeboden geschenk maakte, een soepele rok, met aan weerskanten een heuplange split, en rode schoentjes, met tippen die op steekwapens geleken. Ze glimlachte, terwijl ze me recht in de ogen keek.
"Ik? Ik heb het nooit koud."
Hoewel ze ongegeneerd flirtte, stoorde het Renhilde allerminst. Mijn vrouw wist dat ik mijn hormonen onder controle had. Ik herinnerde me maar al te goed wat ik als kind had moeten ontberen: na Kevins geboorte had ik gezworen dat het *mijn* kind niet zou overkomen, en tot nu toe was ik die belofte nagekomen. Hoewel mijn hormonen het perfecte lijfje natuurlijk wel detecteerden.
"Kijk eens wat we hebben gekregen," zei Renhilde, terwijl we de living inliepen. Ze gaf me drie teatertickets. "Kaarten voor de première van *Het funerarium*."
De stad hing al enkele weken vol met reclame voor deze nieuwste superproductie: de bekende komedie van Benny Baudewyns zou worden opgevoerd in de Arenbergschouwburg, met een *all BV*-bezetting. Patricia speelde erin mee. Sinds haar rolletje in een van de soapseries was ze geleidelijk opgeklommen tot de status van Bekende Vlaming. Nu kreeg ze dus haar eerste grote kans in het teater.
"Bedankt," zei ik. "En proficiat."
"Merci," antwoordde ze weinig enthousiast. Ik ging er niet op in: Patricia zou ons al genoeg vertellen over Patricia, zónder dat we er expliciet moesten om vragen.
"Aperitiefje?"
"Een vingertje sherry, graag."
"Een liggende of een staande vinger?"
"Ik heb een uitgesproken voorkeur voor alles wat stáát." Ik glimlachte en liep

naar de buffetkast.
Nadat ik een glas sherry, een glas rode wijn voor Renhilde en een biertje had uitgeschonken, proostten we. Ik wilde net iets vertellen over de politiewagens in de straat, toen Patricia naar haar glas gebaarde.
"Ik zal vandaag heel voorzichtig moeten zijn," zei ze. "Morgen is een belangrijke dag voor me. Ik moet auditie doen voor een filmrol. In Nederland."
"Het gaat wel hard," zei Renhilde. Patricia knikte.
"Via Jack Coydens, de Nederlandse producent van *Het funerarium*."
"Hoi, Patricia." Kevin stond in de deuropening, en stak even zijn hand op.
"Ah, Kevin." Terwijl de jongen door de living naar de keuken liep, voegde ze eraan toe: "Wow, gast! Keinijg! Elke keer wanneer ik hier kom, zie je er knapper uit."
Als iemand met Patricia's voorkomen zo'n opmerking tegen mij zou gemaakt hebben toen ik jong was, had ik waarschijnlijk de rest van de week met een rode kop rondgelopen. Kevin knikte alleen maar. *Cool* noemde men dat tegenwoordig.
Hij schonk zich een cola in, en kwam erbij zitten. Patricia veranderde haar houding een beetje, zodat haar rok nu 'toevallig' een groter stuk dijbeen liet bewonderen. Het ontging mijn zoon niet.
"Ik heb hem enkele maanden geleden ontmoet op de uitreiking van de Plateauprijzen," vervolgde ze. "Hij nodigde me meteen uit voor een etentje – had me op tv gezien, zei hij. Vond dat ik talent had."
"Het draait allemaal om relaties," concludeerde Renhilde, op een toon die het gesprek in een andere richting probeerde te stuwen. Ze wierp een snelle blik op Kevin.
Patricia glimlachte.
"In zekere zin, ja. Eerst hield ik de boot natuurlijk af – zo slim ben ik ondertussen wel. Tot hij me tijdens een derde etentje over *Het funerarium* vertelde, en me een contract aanbood. Op papier. Zo'n kans kon ik uiteraard niet laten schieten. En daarna, tja... Je moet realistisch blijven, nietwaar. Geven en nemen."
Renhilde tuitte haar lippen.
"Ik geloof niet dat we de details willen horen," zei ze behoedzaam. "Er zijn kinderen bij."
Kevins gezicht betrok.
"Hoe bedoel je, mams?" vroeg hij 'onschuldig'. "Dat ik niet mag weten dat ze daarna geneukt hebben?"

Patricia proestte het uit. Renhilde kon er helemaal niet om lachen.
"Kevin! Hoe dikwijls heb ik je al niet gezegd dat je op je taal moet letten! Zoiets zeg je niet!"
"Sorry, hoor, mams," antwoordde hij, "maar dat is dus wel behoorlijk Nederlands, hè. Het staat in Van Dale."
"Je weet best wat ik bedoel," bromde mijn vrouw.
De jongen was blijkbaar niet zinnens om af te gaan tegenover onze bezoekster.
"Mams, alstublieft! We leven niet meer in de middeleeuwen, hè! Er staan condoomautomaten op school, op vraag van de ouders – maar wij moeten wel blijven geloven in ooievaars en bloemkolen!"
"Daar gaat het niet om. Ik had het over je woordkeuze!"
"Wat is er mis met neuken?"
"Niks," grinnikte Patricia. "Helemaal niks. Integendeel."
Renhilde probeerde wel, maar ze kon een glimlach evenmin onderdrukken.
"Hoe kan je nu in godsnaam een kind serieus opvoeden op deze manier?" kloeg ze. "Jullie zouden het voorbeeld moeten geven!" Dan keek ze naar mij. "Zeg óók eens iets, Bernard. Het is ook joúw zoon!"
"Tja," probeerde ik voorzichtig. "Het stáát natuurlijk wel in Van Dale." Het leverde me prompt een 'boze' blik op. "Daar kan ik toch ook niks aan veranderen?!"
Renhilde stond op en verdween in de keuken. Ze wilde over het onderwerp niets meer horen. Op de een of andere manier slaagde ze erin de boodschap over te brengen zonder een woord te zeggen.
Ik dronk van mijn bier.
"Stond die politiewagen er nog toen je hier aankwam?" vroeg ik. Patricia knikte een beetje afwezig. "Blijkbaar is er bij de buren iets gebeurd. Eerst de politie, dan een ziekenwagen. En als de politie er nog steeds is..."
Patricia glimlachte beleefd, dronk voorzichtig van haar sherry, en herschikte haar rok.
"Weet je voor welke film ik morgen auditie moet doen?" vroeg ze. Ik schudde het hoofd. "Voor *De Zilveren Vloot*. De eerste Nederlandse échte superproductie. En weet je wie dan mijn belangrijkste tegenspeler zou worden? Vinny."
"Echt?"
Ze knikte.
"De wereld is klein, niet?" zei ze.

Hoewel het geamuseerd klonk, wist ik niet zeker of ze het vooruitzicht wel echt zo leuk vond. Aan het begin van haar carrière had ze een avontuurtje gehad met de steracteur. Ze was meteen in verwachting geraakt, tot grote ergernis van de man, die haar prompt in de steek liet. Naar eigen zeggen had ze toen gedreigd met het hele verhaal naar de pers te stappen, waarop de acteur haar een deal had voorgesteld: een rol in een soap, in ruil voor een abortus. Ze had niet geaarzeld – alleen een schriftelijke garantie geëist, en gekregen.
"Heb je daar geen problemen mee?" vroeg ik.
"Waarom? Wat voorbij is, is voorbij. Ik kan hem uiteindelijk weinig verwijten: het heeft me tenslotte ook geen windeieren gelegd."
"De soep is klaar," zei Renhilde, terwijl ze een pot op tafel zette. "Eten."

We waren net toe aan het dessert. Patricia had zo ongeveer de hele maaltijd lang kritiek gespuid op de regisseur van *Het funerarium*, omdat die de vrouwelijke hoofdrol had voorbehouden aan zijn minnares, een zangeres die volgens haar nauwelijks kon acteren. Ik wilde net een tweede fles wijn ontkurken, toen de deurbel weerklonk.
"Kevin, doe eens open," zei Renhilde, terwijl ze de tafel ontruimde. De jongen zuchtte nadrukkelijk en slefte naar de gang. Even later hoorden we een vrouwenstem dichterbij komen.
Maria. Lijkbleek.
"Verschoning dat ik stoor," stotterde ze, terwijl ze moeizaam tot bij de tafel kwam. "Ik ben helemaal van slag."
"Ga zitten, Maria." Ik schoof haar een stoel toe, en ze plofte neer. "Wat is er?"
Ze ademde diep.
"Ze hebben haar gevonden."
"Wie?"
"De politie."
"Jaja, maar wie hebben ze gevonden?"
"Sofietje."
"Sofietje? Was die dan weg?"
Maria knikte.
"Eduard vertelde het daarnet. Hij is blijkbaar buiten blijven zitten. Peter is op een bepaald ogenblik gearriveerd, maar na enkele minuten stormde hij alweer naar buiten. Hij riep haar naam – alsof ze zich verstopt had. De agenten kregen hem na veel palaveren terug mee naar binnen, en toen gebeurde er een

hele tijd schijnbaar niets – twee uur, minstens, volgens Eduard. Tot er ineens drie auto's voor de deur stopten. Mannen in burger. Wat later kwam Peter in alle staten naar buiten gelopen; naar het schijnt heeft hij hun brievenbus, je weet wel, die paddenstoel, aan stukken gestampt. Hij is op het tuinmuurtje gaan zitten, en beginnen huilen."
Onze buurvrouw slikte – de tranen sprongen haar in de ogen. Renhilde zette een glas water op tafel, en legde een hand op haar schouder.
"Rustig maar, Maria. Drink eerst eens."
De oude vrouw bracht het glas naar haar lippen – haar hand beefde, en ze morste water op haar blouse.
"Eduard is tot hij hem gelopen," vervolgde ze. "Heeft hem gevraagd wat er scheelde. Maar er verscheen een agent, die zei dat hij maar beter verdween." Ze slikte opnieuw.
"En?"
"Hij heeft Peter horen schreeuwen." Maria greep naar haar zakdoek, en beet op haar onderlip.
"Wat riep hij dan?"
"Dood! Mijn klein is dood!"

5. ZONDAGOCHTEND – BAKKERIJ VAN DYCK

Jeanine Vandyck, een rondborstige veertiger, haalt het brood uit de snijmachine, en stopt het in een zak.
"Dat is dan een euro tachtig, alstublieft."
Loes Beekman legt enkele muntstukken op de toonbank.
"Bedankt," zegt Jeanine, terwijl ze het geld in de lade van de kassa stopt. "Wie is de volgende?"
"Ajuus," zegt Loes, wanneer ze de winkel verlaat.
"Is dat iemand uit de buurt?" vraagt Tinne, terwijl de wachtenden als eendjes opschuiven.
Eduard, vijfde in de rij, knikt.
"Hollanders. Viooltjeslaan. Wonen er nog niet zo lang. Ze hebben één zoon."
"Onze Kevin kent hem goed," zegt Renhilde. Ze staat net vóór haar overbuur. "Ze gaan naar dezelfde school. We zijn er zelfs al op bezoek geweest. Vriendelijke mensen."
"Een mooie vrouw," zegt Tinne.
Eduard grimast.
"Niet mijn smaak. Te veel pretentie. Heb je hun auto al eens gezien? Een Porsche! Ze kunnen er nauwelijks in!"
"Ik heb ook een Porsche," stelt Tinne uitdagend. Eduard fronst de wenkbrauwen.
"Gij?"
"Ik, ja. Had je niet gedacht, hè... Oké, het is maar een zonnebril, maar toch..."
Klanten glimlachen. Eduard werpt hen een zure blik toe.
"Lach maar," zegt hij. "Maar kom achteraf niet klagen dat je het niet wist. Er is wat mis met die Hollanders."
De eendjes schuifelen. Tinne schudt het hoofd.
"Hoe kun je dat nu weten? Je kent ze niet eens."
"Er zijn hier nooit problemen geweest," bromt Eduard. "Al die jaren dat ik hier woon. En ineens, de laatste vijf maanden: vier pogingen tot inbraak, twee gevallen van vandalisme, een diefstal van een portefeuille, van een bromfiets... Geloof het of niet, maar exact vijf maanden geleden zijn die

Hollanders hier komen wonen. Toeval?"
"En voor madame?" vraagt Jeanine.
"Vier koffiekoeken met rozijnen, en een groot volkoren. Gesneden, alstublieft," antwoordt Tinne.
"Pas maar op met wat je zegt, Eduard," zegt iemand uit de rij. "Voor je het weet, heb je een klacht wegens racisme aan je broek."
De voormalige ambtenaar wil net repliceren, wanneer Maria de winkel binnenkomt.
"Het is zojuist op de radio geweest," zegt ze opgewonden. "Over Sofietje. Naar het schijnt, was het geen ongeval."
De rij wachtenden draait zich naar haar toe. Zelfs Jeanine stopt met het inpakken van de koffiebroodjes.
"Bedoel je dat iemand het kind heeft..."
Maria knikt.
"Er zijn *sporen van geweldpleging aangetroffen*," citeert ze. "Meer hebben ze niet gezegd."
"Ocharme," mompelt Jeanine.
"Het verbaast me niet," zucht Eduard hoofdschuddend. "Ik had zoiets verwacht. De manier waarop ze... Natuurlijk, voordat je zoiets doet, moet het toch wel heel diep zitten..."
Renhilde keert zich naar hem toe.
"Wat suggereer je nu eigenlijk?"
"Komaan, Renhilde. Het is toch wel duidelijk, zeker... We weten allemaal in welke toestand Dani de laatste tijd was."
"Een postnatale depressie kan aanleiding geven tot allerléi storingen, mentale en fysieke – dat weet elke vrouw, Eduard. Maar moordneigingen horen daar niét bij."
Het gebruik van het woord veroorzaakt een drukkende stilte in de winkel. Tinne betaalt, maar blijft met haar bestelling in de hand bij de deur staan.
"Ik ben haar eens tegengekomen, een maand of twee geleden, denk ik, op wandel, met Sofie in de kinderwagen. Ik wilde gewoon goedendag zeggen, het kindje eventjes over het hoofdje aaien, je weet hoe dat gaat. Maar dat mocht niet – dat was 'niet goed voor haar'. Dani herschikte het dekentje van de kinderwagen drie keer, om er toch maar zeker van te zijn dat ik de handjes niet zou kunnen zien."
Renhilde haalt de schouders op.
"Misschien was het te koud."

Yvonne, een parttime verpleegster van middelbare leeftijd, met een voorkomen dat aan een gorilla doet denken, komt de winkel binnen en voegt zich bij de rij.
"Toch niet," vervolgt Tinne. "En weet je wat ze zei toen ze vertrok? 'Ons monsterke moet haar papje nog krijgen.' Wie zegt nu zoiets?!"
"Een koosnaampje?" probeert Renhilde.
"Monsterke?!" vraagt Eduard.
"Zou kunnen," zegt iemand uit de rij bedaard. "Ik ken een koppel dat hun zoon al twintig jaar 'prutske' noemt. De jongen is nu twee meter en speelt basketball in eerste klasse. Thuis zeggen ze nu eindelijk iets anders. Onze 'pruts' is het nu."
Hier en daar wordt geknikt.
"Peter had beter wat meer tijd aan zijn gezin besteed," zegt Maria. "Dani stond er wel altijd alleen voor, hè."
"Iémand moet voor de centen zorgen, hè, Maria," zegt Tinne. "Dani ging al bijna een jaar niet meer werken – van voor de geboorte al."
Een klant verdwijnt met drie pruimentaarten. De eendjes komen weer even in beweging.
Eduard schudt het hoofd.
"Dani staat in het onderwijs. Ze is vastbenoemd, ze krijgt haar loon sowieso. Geld heeft er niks mee te maken."
"Ik weet dat ze ooit een maatschappelijk werker over de vloer hebben gehad," zegt Yvonne. Haar stem klinkt ongewoon hoog en schril. "Dani had een dokter opgebeld, omdat Sofie zogezegd ziek was. Toen de dokter aankwam, vond hij Dani straalbezopen, en ontdekte hij twee beurse plekken op de schouder van het kleintje. Hij verwittigde onmiddellijk de sociale dienst."
"En?"
"Peter kreeg een woedeaanval toen de sociaal-assistent arriveerde. Dani veranderde daarna van huisdokter."
Renhilde is niet overtuigd.
"Allemaal goed en wel, maar tussen dat en je kind vermoorden, ligt nog altijd een groot verschil."
"Misschien heeft ze te hard geslagen," suggereert Eduard. "Bezopen, het kind een klap gegeven, daarna vastgesteld dat ze dood was, ze in paniek gedumpt in het bos achter de tuin, zich bij de ontnuchtering gerealiseerd wat ze gedaan heeft, en flauwgevallen. Iemand heeft haar gevonden, en de ambulance gebeld."

"Ziezo," zegt Tinne, met een stem die aarzelt tussen grimmigheid en ironie. "Applaus voor onze plaatselijke Sherlock Holmes. Weer een zaak opgelost."
"Het kan toch?" mompelt Eduard geïrriteerd.
Renhildes gelaat verstrakt.
"Je vergeet dat je met een moéder te maken hebt, Eduard. Een moeder doét zoiets gewoon niet, zélfs niet als ze gedronken heeft. Vaders wel, soms, maar moeders..."
"Zou Suzanne er niet meer over weten?" vraagt Yvonne. "Die werkt toch in het ziekenhuis waar Dani is opgenomen? Zou die nog niet met haar gepraat hebben?"
Dokter Suzanne Binah werkt als psychiater deeltijds in het U.Z., en heeft ook een privépraktijk, die ze runt vanuit haar villa in de Rozenlaan.
"Ze vertelt toch niets," zegt Tinne. "Beroepsgeheim."
"Vier sandwiches, en een roggebrood. Gesneden, alstublieft," zegt Renhilde, terwijl ze een geldbeugel uit haar zak haalt.
Jeanine stopt een brood in de snijmachine. Terwijl ze wacht, zegt ze:
"Is er eigenlijk iemand die al weet wanneer Sofietje begraven wordt?"

6. ZATERDAGVOORMIDDAG – SINT-JOZEFSKERK

"Laat ons bidden."
In de overvolle kerk klonk voorzichtig gekuch. Een soort geritsel, eerder voelbaar dan hoorbaar, gleed als een doorzichtige vogel over de aanwezigen – een mensenmassa die simultaan het hoofd buigt. Het werd stil.
Ik keek discreet om me heen. Bidden deed ik allang niet meer: de dood van mijn moeder, op mijn tiende, had me voorgoed afgeholpen van het geloof in een rechtvaardige god, en de begrafenisdienst had me een levenslange afkeer bezorgd van de typische kerkgeur.
De kist vooraan was pijnlijk klein. Ze stond op rode velours, en er leunde een bloemenkrans tegenaan, met een met gouden letters bedrukt paars lint. *Van je liefhebbende ouders.* Op de eerste rij, links tegenover het altaar, zaten enkele familieleden, met Peter, wat afgezonderd, eenzaam op de hoek – Dani lag nog steeds in het ziekenhuis. Zijn gezicht leek uit graniet gehouwen: hij staarde al de hele dienst bewegingloos voor zich uit.
Ik wist wat hij nu voelde. Pijn, ongeloof, verbijstering – en de vage hoop elk ogenblik te ontwaken. Ik kende het mengsel allang. Het had me nooit meer echt verlaten. Een begrafenis bijwonen was nog steeds een pijnlijk stukje terugkeren in de tijd.
Voor de zoveelste keer controleerde ik of het papier nog in mijn zak zat. De lijkrede. Waarom Peter mij daarvoor gevraagd had, begreep ik nog steeds niet. We waren weliswaar bijna buren, en we gingen op kameraadschappelijke voet met elkaar om, maar vrienden kon je ons moeilijk noemen. Ik kon het echter niet weigeren: hij zat al genoeg in de miserie. Men had hem ondertussen ook gezegd dat Sofie het slachtoffer was geworden van geweldpleging. Iemand had het kindje gedood, hoogstwaarschijnlijk opzettelijk. Hij was kalm toen hij het me vertelde, maar zijn ogen verrieden hem. 'Als ik 'm vind, maak ik 'm af – het kan me niet schelen hoeveel jaar ik ervoor krijg,' stond er te lezen. Dat zijn vrouw ondertussen werd ondervraagd, maakte het niet gemakkelijker. De angst dat Dani in een vlaag van waanzin de hand aan zijn Sofietje had geslagen, spookte door zijn hoofd, maar hij slaagde er voorlopig in ze te beheersen.
En dan was er de sensatiepers.
Roddelblaadjes hadden hem geld geboden voor het verhaal, en nog meer

voor een foto van Sofie, maar hij had elk aanbod beslist afgewezen. Het resultaat was een artikel waarin Dani en hij werden afgeschilderd als egoïstische materialisten, die een kind van nog geen jaar als zwerfvuil hadden gedumpt in een bos, met foto's van het bos, de wijk, en hun huis. Er was ook een foto van Peter zelf, getrokken met een telelens, op het ogenblik dat hij het huis verliet. Hoewel beledigend van toon, was het artikel ingenieus geschreven: het bevatte geen enkele concrete beschuldiging, alleen subtiele vragen. Het stelde niet dat Dani dronk, neen, alleen dat zoiets in de wijk gefluisterd werd. Ik hoopte maar dat hij het nog niet gelezen had.
De priester kuchte, en richtte zich op.
Ik keek opnieuw naar de eerste rij. Iedereen volgde de beweging van de pastoor, behalve Peter. Kaarsrecht, handen gevouwen in de schoot, hoofd opgericht, met een blik, vastgeklonken aan het oneindige, bleef hij vruchteloos zoeken naar een oplossing voor het onoplosbare.
Het drong plotseling tot me door dat Peter zich weleens schuldig zou kunnen voelen. Wat dacht hij nu? Als ik niet zoveel extra *shiften* had gedraaid... Wat heb ik niet gezien dat ik had moéten zien...? Wat heb ik verkeerd gedaan...?
Ik kreeg een krop in de keel, en tastte opnieuw in mijn zak. Emotionaliteit was nu wel het laatste wat ik me kon veroorloven. Gelukkig legde Renhilde een hand op mijn arm. Ik keek even opzij. Ze glimlachte bemoedigend. Ze wist hoe groot mijn afkeer van dit soort situaties was.
De priester zei iets, en knikte in mijn richting. Ik slikte, ademde diep, stond op, en liep tot achter het spreekgestoelte. Ik haalde het vel papier uit mijn zak, en vouwde het voor me open.
Ik liet mijn blik eerst even over de aanwezigen gaan. Slechts een enkeling keek in mijn richting. Peter bewoog niet.
Mijn hart bonsde in mijn keel. De tekst had me bloed, zweet en tranen gekost, en ik had er geen flauw benul van of hij aan Peters verwachtingen zou voldoen.
Ik keek naar de kist, en sprak:

"Sofie,

Er bestáán geen geschikte woorden, geen uitdrukkingen die juist weergeven wat wij, die hier nu samen zijn om afscheid van je te nemen, voelen.
Verdriet? Natuurlijk. Maar verdriet is een woord dat eerder zegt wat we de rest van ons leven zullen voelen. Over twintig, dertig jaar zullen we nog altijd ver-

drietig worden als we aan deze tragedie denken, aan jouw verdwijnen uit ons leven.
Pijn? Ook. Zóveel pijn zelfs dat we niet weten hoe ze te uiten zonder onszelf te beschadigen. Dat we ze niet dúrven te uiten, uit angst dat we ons verstand verliezen. We kunnen ze alleen lijdzaam ondergaan, want er bestaat geen remedie.
Er is echter meer dan verdriet en pijn: er is ook ongeloof. 'Dit kán gewoon niet waar zijn,' spookt het voortdurend door ons hoofd. We missen het vermogen om te begrijpen, laat staan te aanvaarden. We kúnnen het niet aanvaarden, en we wíllen het ook niet aanvaarden. Zolang we niet weten wat er exact is gebeurd, zullen we mogelijke scenario's bedenken, uitwisselen, afwegen, stiekem geloven. Achterdocht zal regeren. Niet prominent. Op de achtergrond. Maar het zal onze geesten vergiftigen. Daarom is het van levensbelang dat de waarheid ontdekt wordt. Maar zelfs dan zal er, hoe dan ook, elke minuut van de dag, de volgende weken en maanden, ongeloof zijn en blijven.
Verdriet, pijn, ongeloof. En schuld. Er is ook nog dat onontkoombare gevoel van schuld. Wij, Sofie, arrogante volwassenen die zich tot enkele dagen geleden enkel druk maakten over futiliteiten, komen nu tot de ontdekking dat we het leven schromelijk verwaarloosd hebben. Wij zijn allemaal vergeten jou te zeggen dat we je graag zagen. We hadden het te druk. We hebben jou niet laten voelen dat je welkom was, dat we de vreugde van jouw ouders deelden, want we hadden geen tijd. En nu? Nu is *er geen tijd meer. Het is te laat. Voor eeuwig te laat. Dat doet pijn. Het maakt ons beschaamd. We voelen ons schuldig – en we kunnen er niets meer aan veranderen.*
Maar ook al moeten we vandaag afscheid van je nemen, Sofie, toch zal je altijd onder ons blijven. Iedereen hier heeft voor jou al een plaatsje gereserveerd, een ereplaats, tussen zijn dierbare herinneringen. Want we mogen niet vergeten, vandaag minder dan ooit, dat, hoe onsterfelijk wij onszelf ook achten, we uiteindelijk allemáál een herinnering zullen worden. Niet meer dan dat, maar ook niet minder. Daarom is het belangrijk dat onze herinneringen aan jou niet gekleurd worden door onze huidige, negatieve gevoelens. Je moet – en je zult – in ons geheugen blijven leven als het blije kind dat je was, als het meisje dat met één enkel lachje haar ouders gelukkig kon maken, dat de wezenlijke dingen des levens verpersoonlijkte: onschuld, verlangen naar warmte en genegenheid, liefde. Je zult in ons geheugen voortleven als Sofietje.
We nemen nu afscheid van je, meisje, omdat we dat moeten, niet omdat we dat willen. Maar vergeten zullen we je nooit. Dat is beloofd.
Dag Sofie.

Een vochtige waas hinderde me bij het lezen van de laatste zinnetjes, en zorgde ervoor dat ik het papier daarna haast op de tast diende op te plooien. Ik stak het voorzichtig in mijn zak, en keerde terug naar mijn plaats, de ogen op de grond gericht.
Zodra ik weer zat, legde Renhilde een hand op de mijne. Ze kneep zachtjes, en toen ik opkeek, zag ik tranen. Na een flauw glimlachje richtte ze de aandacht op haar handtas, en zocht naar een zakdoek. Een snelle blik over het middenpad verduidelijkte me dat wel meer vrouwen met hun handtas in de weer waren. Heel wat mannen leken dan weer te worden geplaagd door rondvliegend stof: een aantal onder hen verwijderde beheerst, met één vinger, een vuiltje uit een ooghoek. Peter staarde onbeweeglijk voor zich uit.
Terwijl de priester de dienst verder afwerkte, vroeg ik me af of we ooit zouden te weten komen wat er met Sofie was gebeurd. Hoewel rechercheurs de wijk platliepen met de vraag of iemand die bewuste vrijdag iets bijzonders had opgemerkt, leek het erop dat er weinig of geen vooruitgang geboekt werd. Journalisten van hun kant hadden hun creatieve energie een paar dagen lang gewijd aan het zo barok mogelijk melden dat er niets te melden viel, tot er in de loop van de week in Lier een gezinsdrama plaatsvond – een man schoot er zijn vrouw en drie kinderen dood, en pleegde dan zelfmoord. De nieuwsjagers verhuisden, en Sofie viel over de rand van hun vergeetput. Vijf doden tegen één – ze maakte geen enkele kans.
Nadat de priester de dienst had beëindigd, werd de kerkpoort geopend, doodsklokken weerklonken, en de kist begon aan haar laatste tocht.
Terwijl we wachtten om aan te sluiten, viste Renhilde twee kaartjes uit haar portefeuille. Betuigingen van deelneming. Het tweede was in naam van Patricia. Ze had ons getelefoneerd met de vraag of we voor haar geen kaartje konden afgeven, want tot haar grote spijt had ze een repetitie, en kon ze de dienst onmogelijk bijwonen. Toen ik er een opmerking over maakte – Patricia woonde tenslotte ook in de wijk; ze was zelfs lid van het wijkcomité, net als ik – vergoelijkte Renhilde de keuze van haar vriendin met de woorden dat 'één aanwezigheid meer het kind toch niet zou terugbrengen'. Ik ging er maar niet op in.
We voegden ons bij de rouwstoet, die de lijkkist op haar korte weg naar het nabijgelegen kerkhof zou begeleiden. Aan de uitgang van de kerk deponeerde Renhilde de twee kaarten in een schaaltje, haar voorgehouden door een bediende. Buiten stak ze haar arm door de mijne, en zei:

"Misschien had je wel gelijk."
"Hoezo?"
"Eergisteren. Met Kevin."
Ik knikte. We hadden een zware discussie gehad over Kevins aanwezigheid op de begrafenis. Renhilde vond het niet meer dan normaal, een teken van goed fatsoen, dat de jongen zijn rouw zou betuigen. Kevin protesteerde heftig: weken eerder al had hij toestemming gevraagd – en gekregen – om die dag met Rutger, zijn Nederlandse schoolkameraad, naar de stad te gaan. De jongens deden dit wel meer: een bezoekje aan een McDonald's, een film meepikken, wat grasduinen in de grote cd-winkels, ergens een colaatje drinken – niks bijzonders. Renhilde argumenteerde dat dit een geval van heirkracht was, en dat ze hun uitstapje net zo goed een weekje konden uitstellen. Kevin telefoneerde teleurgesteld met Rutger, maar toen bleek dat diens ouders hun zoon niet verplichtten om mee naar de kerk te gaan, begon hij er weer over. Het meningsverschil escaleerde toen Renhilde vroeg of hij dan helemaal niet meevoelde met de getroffen familie, en de jongen koeltjes 'Niet echt, neen,' antwoordde. Mijn vrouw vloog uit, waarop mijn zoon alleen maar olie op het vuur gooide door te vragen 'of dat dan verplicht was, misschien?' Zijn reactie op haar vraag 'of hij dat niet harteloos vond,' verbijsterde haar nog het meest. 'Dus, niks voelen voor een kind dat je niet kent, is harteloos? Dan toch alleen maar als het in je eigen straat woont. Er sterven elk jaar twee miljoen baby's aan diarree alleen. Moet ik daarmee dan ook meevoelen? Doe jij dat misschien? Toch ook niet. Wat is dan het verschil?' Toen Renhilde zei dat hij niet zo onbeschoft moest zijn, haalde hij de schouders op, en verdween mokkend naar zijn kamer.
Ik begreep de oorsprong van Renhildes eis natuurlijk wel. Ze was de dochter van een garagist, die zijn leven lang hard gewerkt had, en niet zoveel tijd aan zijn dochter had kunnen besteden. Haar prille jeugd had ze voornamelijk doorgebracht in het gezelschap van haar grootvader. Ze was dol op hem geweest – haar god. Ik vroeg me weleens af of ze misschien dáárom de voorkeur had gegeven aan een oudere man als ik. Toen de grootvader echter onverwachts stierf, stortte haar wereld in elkaar. Tot overmaat van ramp gaven haar ouders haar niet de kans om afscheid te nemen: ze had het lichaam niet eens mogen groeten, en ze had ook de begrafenis niet mogen bijwonen, uit angst dat de schok voor haar te groot zou zijn. Ze had het haar ouders nooit vergeven – ze klonk nog steeds bitter wanneer ze erover sprak.
We hadden lang over Kevin gepraat. Uiteindelijk vond ze het argument wel

valabel dat iemand verplichten tot iets wat hij helemaal niet ziet zitten, eigenlijk even erg is als iemand iets verbieden dat hij absoluut wel wil doen. Toen Patricia uitgerekend op dat ogenblik telefoneerde met de vraag of we voor haar een kaartje konden maken – ze had geen tijd om het te komen brengen – en ik Renhildes reactie hoorde, was het niet meer zo moeilijk om haar te overtuigen. We sloten een compromis af met Kevin: hij mocht van de begrafenis wegblijven als hij een vorm van vervanging vond – net als Patricia. Hij moest zelf maar uitzoeken wat. Dat Renhilde er nu over begon, maakte duidelijk dat ze had ingezien dat het de juiste oplossing was.
"Het zou hem inderdaad niks hebben bijgebracht," antwoordde ik.
Mijn vrouw knikte.
"Ik moet bekennen dat ik zijn keuze wel klasse vind – voor een kind van zijn leeftijd..."
Voordat hij 's morgens naar Rutger vertrokken was, had hij haar met een uitgestreken gezicht drie rozen gegeven, halverwege samengebonden met wit lint, met daaraan een naamkaartje. Of ze die bij het kistje wilde leggen? Ze had er zowaar een krop van in de keel gekregen.
"In elk geval origineler dan Patricia," voegde ik eraan toe. Renhilde reageerde niet.
Even later liepen we achter de lijkwagen het kerkhof op. De Nederlandse familie Beekmans, Rutgers ouders, was me onderweg komen feliciteren met de lijkrede, net als Eduard eigenlijk, die me in het voorbijgaan vroeg waar ik die tekst had gevonden. Pol, de bohémien met het paardenstaartje, had me zonder een woord maar breed lachend op de schouders geklopt. Ik begreep het gebaar pas toen Tinne verklaarde dat haar man zich altijd achter een lach verschool wanneer zijn emoties hem dreigden te overweldigen, en dat die neiging hen al in vreemde situaties had gebracht. Hij was in staat om Peter bij het graf van zijn dochtertje vrolijk lachend de hand te drukken.
De lijkwagen stopte, de rouwstoet hield halt, dragers haalden het kistje tevoorschijn en droegen het tot bij het open grafje, op een eerbiedige afstand gevolgd door de aanwezige massa.
Renhilde kneep in mijn arm. Ze hield een zakdoek voor de mond. Ik probeerde troostend te glimlachen, en keek naar de lucht. Egaal grijs, zonder een zuchtje wind – één grote grafsteen.
Het kistje werd in het graf gelaten, de priester sprak enkele woorden, groette, en maakte dan plaats voor Peter.
Vermits hij met zijn rug naar ons toe stond, was het onmogelijk om zijn

emoties te lezen. Zijn schouders zakten niet, hij boog het hoofd niet, zijn armen bewogen niet – alsof hij ter plaatse in een zuil veranderde. Na wat een oneindigheid leek, draaide hij zich om. De begrafenisondernemer gebaarde naar de plaats waar hij werd verondersteld zich op te stellen, maar Peter negeerde hem. Hij keek alleen maar. Naar ons. Alsof hij onze gezichten nooit meer wilde vergeten.
Ik werd er ongemakkelijk van. Wat speelde hem in godsnaam door het hoofd? Zijn gelaatsuitdrukking evolueerde van concentratie naar woede: had hij zich de overtuiging aangepraat dat de moordenaar van zijn dochtertje weleens tussen de massa zou kunnen staan, en wilde hij een bekentenis afdwingen, enkel met zijn blik?
De spanning werd ondraaglijk – mensen achteraan vroegen wat er aan de hand was, en er werd gekucht. Net toen we ons begonnen af te vragen of we iets moesten doen, kwam hij in beweging.
Hij deed een stap voorwaarts, wees naar de rouwstoet, brulde met een rauwe, van razernij doordrenkte stem "WIE?!" en zakte dan in elkaar.

7. DINSDAGNAMIDDAG – BIESBOS

Renhilde haalt een pak voorgesneden groenten uit het diepvriesvak. Alhoewel ze een voorkeur heeft voor verse voedingswaren, ontbreekt haar de tijd, want ze is te laat van haar werk vertrokken – het scheelde zelfs maar een haartje of Kevin was eerst thuis geweest. Het vormt echter geen probleem: er ligt een doos vacuümverpakte kippenbillen in de ijskast, en ze heeft nog enkele blikken voorgeschilde aardappelen. Een sausje erover, en iedereen is weer tevreden.
Ze heeft net een brok bevroren groenten losgewrikt wanneer ze Kevin de trap hoort afkomen.
"Mams, is er nog cola?"
"In de ijskast." Renhilde glimlacht zonder dat haar zoon het merkt. Ze weet meteen dat hij iets anders op het oog heeft – als het enkel om de drank ging, zou hij die gewoon genomen hebben.
Kevin trekt het blikje zorgvuldig open boven de spoelbak, en neemt een slok zonder te slurpen.
Renhilde glimlacht opnieuw: als hij zó zijn best doet, gaat het om iets belangrijks.
"Mams?"
"Ja, jongen?"
"Ik heb tien euro nodig."
"Ah ja? Waarvoor?"
"Rutger en ik willen morgennamiddag een dvd-box huren in de videotheek. *Lord of the Rings*. Maar zo'n box is duurder dan een enkele dvd. We hebben afgesproken dat we de prijs delen."
"Je hebt toch zakgeld?"
Kevin zucht nadrukkelijk. Renhilde laat de stilte even doorwegen.
"Heb je niks meer over?"
"Euh... Neen."
"Tja... Je kent de regels, Kevin," zegt ze. Ze keert zich naar hem toe. "Je bent oud genoeg om te weten dat je een planning moet maken. Wie alles uitgeeft, heeft niks meer. Zo gaat dat in de wereld."
Kevin knikt ernstig, alsof hij haar reactie verwachtte.
"Op school hebben we geleerd dat men voor dit soort uitzonderlijke situaties

‘de lening’ heeft uitgevonden.”
Renhilde keert zich weer naar het aanrecht toe, en glimlacht. Niemand kan beweren dat haar zoon zijn verstand niet gebruikt. Ze wou alleen dat hij zijn gevoelens wat meer uitte. Was de puberteit niet dé periode bij uitstek van heftige en wisselende emoties? En waar waren de liefjes? Hij had er nog nooit met een woord over gerept. Hij zou toch niet... Snel drukt ze de gedachte weg.
“Uitzónderlijke situatie? Je wíst toch vooraf dat je naar Antwerpen ging? Je had er rekening moeten mee houden.”
De jongen knikt opnieuw.
“Dat heb ik ook gedaan,” zegt hij. “Alleen... Ik had niet verwacht dat die rozen voor de begrafenis zo duur zouden zijn.”
Renhilde verstrakt. Dit ruikt naar morele chantage. Het stemt haar niet echt vrolijk. Ze schudt het hoofd.
“Luister, Kevin. Je bent zaterdag de hele dag met Rutger naar de stad geweest. Je hebt daar blijkbaar al je geld uitgegeven. Dat was jouw keuze, en jouw goed recht. Maar ook jouw verantwoordelijkheid. Niemand heeft je trouwens verplicht om die rozen te kopen: je had ook mee naar de begrafenis kunnen gaan.”
Kevin geeft geen krimp.
“Een lening?”
“Ik ben geen bank.”
“Een voorschot?”
Ze draait zich met een zucht naar hem toe. Hoewel ze zijn argumentatie wel kan begrijpen, is ze niet zinnens toe te geven. Het is een kwestie van opvoeding: hij moet léren zijn geld te beheren.
“Je wéét wat we hebben afgesproken: geen leningen, geen voorschotten, geen extra’s, één opslag per jaar, maar ook geen controle. Je was het daarmee eens, weet je nog?” Als de jongen bevestigend knikt, vervolgt ze: “Waarom probeer je het dan opnieuw?”
Hij haalt alleen de schouders op.
“Je zult een andere oplossing moeten vinden.”
“Yep,” antwoordt haar zoon. Het klinkt alsof hij al een oplossing in gedachten had voor hij om het geld vroeg.
“Je moet niet proberen geld aan je vader te vragen,” zegt Renhilde streng. “Ik weet dat je hem zó om je vinger windt, maar dit gaat over een principe. Ik bespreek het met hem zodra hij thuiskomt.”

Kevin vertrekt geen spier, wat haar aanspoort om verder te gaan.
"Ik weet ook wel dat je hem goed hebt geholpen vorige week. Als je daarvoor een beloning krijgt, is dat niet meer dan normaal. Maar ook dáárop zul je moeten wachten tot volgende zaterdag."
Kevin tuit de lippen, en knikt.
"Oké," zegt hij vlak. "Geen probleem. Ik los het wel op."
Het feit dat hij niet mokt, prikkelt haar nieuwsgierigheid. Op het moment dat ze de vraag stelt, beseft ze dat hij zelfs dát heeft voorzien.
"Hoe dan?"
Hij haalt de schouders op.
"Ik leen het wel bij Rutger," antwoordt hij. Hij slaagt erin zijn toon iets verwijtends mee te geven, iets dat hem tot het onschuldige slachtoffer van een wreedaardige moeder maakt. "Heb ik al eerder gedaan. Hij vraagt wel een intrest, maar ja: dat moet ik er dan maar voor overhebben..."

8. DONDERDAGAVOND – BIESBOS

We hadden net de tafel afgeruimd, toen er werd aangebeld.
De sfeer was niet zo best. Kevin had zijn schoolrapport meegekregen, en zijn resultaten hadden niet meteen een vreugdedans ontlokt. Niet dat ze slecht waren: wiskunde uitgezonderd, scoorde hij overal tussen zes en acht. Maar die cijfers lagen ver beneden zijn niveau, en dat werd door de commentaren nog maar eens bevestigd. Renhildes diagnose, dat hij niet hard genoeg werkte, vond ik echter simplistisch en naast de kwestie. De school besteedde gewoon onvoldoende aandacht aan de noden van hoogintelligente kinderen. Daar zat 'm evenwel niet het probleem. Het tekort daarentegen...
Een vier, voor wiskunde. Zijn allereerste tekort ooit. Kevins koele reactie bracht Renhilde op de rand van een woedeuitbarsting. Het klopte helemaal niet, verklaarde hij glimlachend. Maar hij had het wel verwacht. De lerares, ene mevrouw Pinck, gaf bij elk rapport aan een kwart van de klas veel lagere cijfers dan wat verdiend werd – waarom wist niemand. Ze was echter wel eerlijk, voegde hij eraan toe, want iedereen van de klas kwam in de loop van het schooljaar aan de beurt. Mijn vrouw bestempelde het nijdig als nonsens. Toen ze evenwel de basisgegevens nakeek, was ze plotseling niet meer zo zeker: de vier testen die we hadden ondertekend, en waarvan de resultaten netjes in zijn schoolagenda genoteerd stonden, leverden een gemiddelde van achtenzestig procent op. Bovendien viel er nergens een negatieve nota te bespeuren. Dit bracht haar in een lastige positie, natuurlijk: ze diende haar reprimande af te breken. Welke student kon op tegen een systeem van volstrekte willekeur? Ze had net grimmig aangekondigd dat ze op de volgende oudercontactavond met deze mevrouw een hartig woordje zou spreken, toen we de deurbel hoorden. *Saved by the bell*, dacht ik. De snelheid waarmee Renhilde opstond, maakte duidelijk dat ze het ook zo ervoer.
Enkele ogenblikken later kwam ze de kamer terug binnen. In de deuropening verscheen een onbekende man, met een rond gezicht, sluik haar, en iets dat je als een gezelligheidsbuikje kon omschrijven. Hij had een vormeloze aktetas onder de arm, en stond lichtjes voorovergebogen, alsof hij een onzichtbare last torste.
"Goedenavond, meneer," zei hij met een vermoeide glimlach. "Excuseer dat ik zomaar onaangekondigd kom binnenvallen. Luukens is de naam. Dirk

Luukens."
"Meneer is inspecteur bij de politie," voegde Renhilde eraan toe. "Gaat u toch zitten," zei ze.
"Dank u wel." Hij ging in de sofa zitten, leunde voorzichtig achterover, en kreunde zachtjes. "Ik ben al de hele dag in de weer," zei hij op verontschuldigende toon. "Als je wat ouder wordt... Kruipt niet in je kouwe kleren, dat kan ik u verzekeren."
Een imitatie van inspecteur Colombo, de held uit een heel oud politiefeuilleton – ik merkte het meteen. Er was zelfs een fysieke gelijkenis tussen de twee, en Luukens had zeker dezelfde, ontwapenende charme. Waren ze dit bij de politie nu nog altijd niet ontgroeid? Of was de man echt zó?
"Koffie?" vroeg Renhilde.
"Heel graag, dank u. Zwart, geen suiker," antwoordde hij, met de gretigheid van een cafeïneverslaafde. Terwijl mijn vrouw in de keuken met de expressomachine in de weer was, haalde hij een blocnote en een pen uit zijn aktetas, en maakte enkele notities bovenaan een blanco vel papier. Hoogstwaarschijnlijk onze naam of adres, of beide.
Hoewel er geen enkele reden voor was, voelde ik me niet op mijn gemak. Al mijn hele leven had de politie dat effect op me: ik kreeg telkens het idee dat politiemensen redeneerden volgens het principe 'je bent schuldig tot het tegendeel bewezen is'.
"U begrijpt ongetwijfeld waarom ik hier ben," zei hij, nadat Renhilde de koffie op de salontafel had gezet. "De moord op Sofie Ruuckven. Smerige zaak. Een baby van zeven maanden – totaal onbegrijpelijk." Hij nipte van zijn koffie.
"U zegt 'moord'. Staat dat dan al vast?" vroeg ik.
Hij knikte.
"Volgens de dokters is het quasi-onmogelijk de nek van een baby onopzettelijk om te wringen."
"Bedoelt u..." mompelde Renhilde. Ze sloeg een hand voor de mond.
"Ik vrees van wel, ja."
"Hoe kan iemand in 's hemelsnaam een onschuldige baby met opzet de nek..."
"Ik begrijp wat u bedoelt, mevrouw. Ik heb zelf vier kinderen. Het ontgaat mij ook volkomen."
"Hebt u al enig idee wie..."
De inspecteur aarzelde even.

"U weet uiteraard dat ik hierop niet mag antwoorden," zei hij, met een gezicht waarop absoluut niets af te lezen viel. "Wij volgen verscheidene sporen."
Ik zuchtte.
"U citeert nu een nietszeggende formule die altijd gebruikt wordt door de officiële instanties," zei ik. "U kunt uiteraard niet anders. Maar hebt u ook al echt een spoor?"
De inspecteur wreef nadenkend iets uit zijn mondhoek.
"U begrijpt dat ik..." Hij aarzelde even. "Natúúrlijk hebben we echt een spoor, meneer Vercammen. Dat hebben we altijd. Het ontbreken van om het even welke aanwijzing is op zichzelf óók een spoor, als u begrijpt wat ik bedoel."
Ik glimlachte ongewild. Deze man was niet dom.
"Bovendien," vervolgde hij, "is het veelzeggend dat we twee weken na de feiten de standaardgegevens van iedereen in de wijk opnieuw nakijken."
Terwijl hij van zijn koffie dronk, schraapte ik mijn keel.
"Als ik u goed begrijp, hebt u dus op het ogenblik niets."
"Dat zijn uw woorden, meneer Vercammen, niet de mijne," antwoordde hij met een neutrale glimlach. "Maar ik denk dat we de dader wel allemaal willen ontmaskeren. Geduld, systematiek en hardnekkigheid – daarmee komen we heel ver, denk u ook niet?"
Ik knikte.
"Ik hoop uit de grond van mijn hart dat u hem vindt," bromde ik. "Nu ja... Waarmee kunnen we u helpen?"
Hij rechtte zijn rug, en schroefde de dop van zijn pen.
"Zoals ik al zei, het is gewoon een kwestie van routine. Enkele standaardvraagjes, meer niet."
Ik begreep het niet goed.
"U hebt die antwoorden toch al? De politie is hier het eerste weekend langsgeweest, toen Sofietje net gevonden was. Bij iedereen, trouwens."
Hij legde zijn pen even neer, en nipte van zijn koffie.
"Systematiek, meneer Vercammen, meer niet."
"Misschien is er iets dat WIJ... Dat niet helemaal duidelijk is..."
Voor de eerste keer leek zijn glimlach meer dan alleen pose of beleefdheid.
"U hoeft zich niet geviseerd te voelen. We stellen dezelfde vragen opnieuw aan iedereen in de wijk. Laten we zeggen dat we met een fijnere kam door dezelfde bos haar willen gaan. Niks meer."
Opnieuw nipte hij van zijn koffie.

"Zal ik met u beginnen, mevrouw?"
Bij wijze van antwoord schoof Renhilde naar het puntje van de zetel.
"Waar was u die vrijdagvoormiddag?"
"Vóórmiddag?" reageerde Renhilde verbaasd. "Ik dacht dat Sofietje pas in de namiddag..."
"Gevónden is, ja," vervolledigde de inspecteur haar zin. "Wáár was u in de voormiddag, zei u?"
Mijn vrouw leek niet de minste spanning te voelen.
"Op mijn werk. Van halfnegen tot kwart over twee. Ik ben hier om kwart voor acht 's morgens vertrokken, en was om drie uur thuis."
"En waar werkt u?"
"Shipmans & Roosenfeldt. Een rederij. Op linkeroever."
De inspecteur noteerde een paar woorden.
"Is er u iets ongewoons opgevallen, 's morgens bij uw vertrek? Of eventueel 's avonds, bij uw thuiskomst?"
Renhilde snoof.
"Goh, inspecteur," zei ze. "Ongewoons... Ik vrees dat ik net als de meeste mensen niet meteen de omgeving scan en vergelijk met de vorige dag als ik buitenkom. Zeker niet 's morgens. ik ben niet echt een ochtendmens."
"Dat laatste is een understatement, inspecteur, neemt u dat maar van me aan," zei ik, in een poging de toon een beetje luchtig te houden. Luukens glimlachte beleefd. Renhilde wierp me een geïrriteerde blik toe: ik vertoonde wel meer de neiging om mijn nervositeit af te reageren door flauwe grapjes te maken.
"Het enige wat me opviel 's ochtends," vervolgde ze, "is dat het mistig was. Niet echt karakteristiek voor de tijd van het jaar. Maar daar hebt u niet veel aan, vrees ik."
De inspecteur gebaarde dat je het nooit zeker wist, en schreef iets op.
"Iets dat u er zelf nog wenst aan toe te voegen? Wat dan ook: een mening, een idee, een veronderstelling? Een suggestie?"
Renhilde schudde het hoofd. Luukens zuchtte.
"Ik vermoed dat de jongeman hier de hele tijd op school zat?" vroeg hij, met een gebaar in Kevins richting.
"Ja, meneer," antwoordde de jongen beleefd.
"En welke school is dat?"
"Sint-Michaels," antwoordde Renhilde in Kevins plaats. "Hij vertrekt hier gewoonlijk om acht uur, en is omstreeks halfvijf terug thuis."

"En dat was ook die vrijdag het geval, veronderstel ik?" De inspecteur richtte de vraag rechtstreeks tot de jongen – waarschijnlijk vond hij Renhildes instinctieve reactie net zo overdreven als ik. Kevin knikte.
"Onderweg niks bijzonders gemerkt?"
"Neen, meneer."
De inspecteur zette een streepje naast iets dat op het woordje 'zoon' geleek, en keek dan naar mij.
"Halfacht vertrokken," zei ik. "Halfzes terug thuis. Niks speciaals gemerkt, buiten het feit dat het inderdaad mistig was – en het feit dat het hele land daardoor vastzat in een gigantische verkeersopstopping. Dat laatste doet er niet veel toe, vrees ik. Ik werk als handelsvertegenwoordiger voor Ralph & Stearns, een firma die landbouwmateriaal verdeelt in de Benelux."
Luukens noteerde de naam.
"U was die dag op de baan?"
"*Op* de baan? Ik ben die dag niet *van* de baan geweest. Ik had een afspraak met een Waals bedrijf. Ik zat de hele voormiddag vast in het verkeer, en tegen de tijd dat ik uiteindelijk op mijn bestemming aankwam, was daar natuurlijk geen mens meer."
"Hebt u hen telefonisch gemeld dat u in de file zat?"
"Neen. Ik was mijn gsm vergeten 's morgens. Stak in een andere jas. Het was een van die rampdagen, inspecteur – ik ben er zeker van dat u die ook weleens kent."
Hij knikte.
"Er zijn weken dat ik me afvraag of er wel andere zijn," mompelde hij. "Bent u onderweg ergens gestopt?"
Ongewild lachte ik. "Dat mag u wel zeggen. Op ongeveer elk stukje van de autoweg ben ik gestopt, van hier tot in Neufchâteau, en terug. Moeten stoppen. Ik kan u vertellen, inspecteur: ik heb in al die jaren een en ander meegemaakt, maar zoals toen..."
"U hebt nergens benzine getankt, of zo?"
"Dat was niet meteen nodig. Als je stilstaat, verbruik je niet zoveel."
Hij schreef iets op.
"U hebt uw kantoor niet getelefoneerd? Ach, neen, natuurlijk niet: u was uw gsm vergeten. Domme vraag."
Ik ben ervan overtuigd dat hij het op een normale manier zei, maar mij klonk het alsof hij me maar een armzalige leugenaar vond. Het gevoel dat hij me verdacht, werd almaar sterker.

"Gelooft u me niet?"
Hij keek me aan met een ironisch lachje om de mond.
"Natuurlijk wel, meneer Vercammen. Tenzij ik iets heb gemist, en er een reden is waarom ik u niet zou mogen geloven. Dat is toch niet zo, of vergis ik me?"
Typisch een politievraag, dacht ik. Zó geformuleerd dat je een halfuur moet nadenken welke consequenties een 'ja' en een 'neen' eigenlijk inhouden.
"Het is nogal moeilijk om te bewijzen waar je was, als je urenlang in een file hebt gestaan."
Opnieuw gleed zijn pen over het vel papier.
"Ik zou me daarover maar geen zorgen maken," zei hij. " Kunt u me de naam van die Waalse firma misschien geven?"
"Les Côteries Vierges, in Wellin."
"Wenst u er nog iets aan toe te voegen?" vroeg hij, nadat hij het adres genoteerd had.
Ik schudde het hoofd. Ik was té ontdaan om iets te kunnen bedenken. Renhilde antwoordde echter in mijn plaats.
"Ik weet niet of u op mijn vraag mág antwoorden, inspecteur," zei ze. "Puur nieuwsgierigheid, meer is het niet. Maar hebt u er enig idee van hoe iemand Sofietje in dat bos gekregen heeft?"
Luukens tuitte bedachtzaam z'n lippen.
"Wat mij betreft, kan ze tot daar gekropen zijn," zei hij na enkele ogenblikken. "We weten dat ze alleen in de tuin zat, in haar box. De tuin van de Ruuckvens heeft achteraan geen afrastering, of toch niets dat die naam waardig is."
"Maar Dani zou dat dan toch gezien hebben!" riep Renhilde uit.
"Tja..." zei de inspecteur, terwijl hij de blocnote in zijn aktetas stopte. "Dáárover kan ik u dan weer niks vertellen."
"Ligt ze nog steeds in het ziekenhuis?"
Luukens knikte alleen.
"Mag ze bezoek krijgen?"
"Liever niet, mevrouw. De toestand van mevrouw Ruuckven is niet van die aard dat een bezoek zinvol is. Haar man maakt het ons overigens niet gemakkelijker. Misschien kunt u hem..."
Peter was na de begrafenis meteen naar het ziekenhuis gebracht, waar men hem na een nachtje observatie weer naar huis had gestuurd. Op zondagavond deed ik een poging om hem thuis op te zoeken: hij opende de voordeur,

bedankte me voor de lijkrede en voor het medeleven, zei dat hij voorlopig met rust wilde gelaten worden, en sloot de deur, zonder op een reactie te wachten.
Luukens kwam moeizaam uit de sofa.
"Als er u iets zou te binnen schieten in de loop van de volgende dagen, waarvan u denkt dat het belangrijk zou kunnen zijn, wat dan ook, aarzel dan alstublieft niet om ons te contacteren. U kunt mijn naam vermelden, indien dat nodig lijkt." Hij imiteerde een Colombolachje. "Ik weet het: ik heb ook het gevoel dat ik uit een Amerikaans feuilleton kom, als ik het zeg. Maar toch is het belangrijk. Veel mensen hebben de neiging om zelf te beoordelen of iets roddel is of informatie. Wat ze als roddel inschatten, wordt zelden doorgegeven. Het is belangrijk dat u beseft dat dit totaal verkeerd is: het is niet omdat iemand ons iets vertelt, dat we er automatisch van uitgaan dat die informatie ook klopt. We controleren álles. Maar u woont hier al jaren. Uw oordeel over de gang van zaken is per definitie gebaseerd op ervaring en kennis van de wijk. Dus, als er u iets te binnen schiet..."
We knikten alledrie even ernstig.
"Dus u denkt dat de dader in de wijk woont?" vroeg ik.
"We hebben geen enkele aanwijzing dat dit niet het geval zou zijn. Maar natuurlijk, als iemand van buitenaf de familie een kwaad hart toedroeg, zou wraak een motief kunnen zijn. En om daarachter te komen, hebben we elke mogelijke snipper informatie broodnodig. Dus als u zich plotseling iets herinnert... Ook over onderweg," voegde hij er als terloops aan toe, terwijl hij naar mij keek. "Het kan belangrijk zijn..."
Hij wachtte even, nam dan afscheid, en liep naar de gang. Een ogenblik lang verwachtte ik dat hij, net als Colombo, met een opgestoken vingertje terug binnen zou komen en diens beroemde zinnetje *Oh, yes, just one more thing,* zou declameren, maar dat gebeurde niet.
Terwijl ik hem naar zijn auto zag lopen, voelde ik ineens hoe mijn handen trilden – ik kon het niet beheersen. Ik verborg ze in mijn broekzakken, want ik wilde niet dat iemand het zag.
Waarom wilde ik dat niet? Ik had toch niks verkeerd gedaan! Ik had niks te verbergen! Wat maakte me dan in 's hemelsnaam zo nerveus? Waarom gedroeg ik me dan als een schuldige? Dit was belachelijk! Er was geen enkele reden waarom ik zo reageerde!
Tenzij natuurlijk de wetenschap dat ik geen alibi had.

9. ZATERDAGOCHTEND – BAKKERIJ VAN DYCK

"Goeiemorgen."
Het gesprek bij het uitstalraam valt stil wanneer de stem van Loes Beekman weerklinkt. Ze is groot, slank, met blond haar, samengebonden en gedrapeerd over een schouder: een Scandinavische godin. Vanop een afstand lijkt ze een twintigjarige schoonheidskoningin, maar eens dichterbij gaat het in het beste geval om een vijfendertigjarige ex-miss. Iets in haar houding suggereert een permanente strijd met machtige demonen – als bij een Vietnamveteraan of een ex-gegijzelde.
"Ah, Rijnhilt. hoe gaat het met jou? Hoe was Kevins schoolrapport?"
Er verschijnt een bedenkelijke grimas op Renhildes gelaat.
"Niet echt schitterend."
Loes knikt.
"Rutgers prestaties konden ons ook niet meteen bekoren. En sommige opmerkingen! Helemaal niet leuk. Nu ja: je mag ook niet te veel van ze verwachten, natuurlijk. Het is niet makkelijk voor ze. Volgende keer beter, zullen we maar hopen. Ajuus."
"Dag, Loes," zegt Renhilde. De andere leden van het groepje mompelen wat, en kijken haar na. De dure jeansbroek, die een perfecte lijn omspant en weinig aan de verbeelding overlaat, het korte, lederen motorjack...
"Money money money," zegt Eduard.
Maria leunt voorover.
"Wil ik jullie 'ns iets vertellen?" zegt ze op samenzweerderige toon. "Ze hebben hém..." Ze gebaart in de richting van Loes. "... gezien in de stad, toen hij uit een vieze winkel kwam. Haar man. Met een pakje onder de arm!"
"Welke vieze winkel?" vraagt Tinne verbaasd.
"Een winkel waar ze..." De oude vrouw is zichtbaar gegeneerd. "Allez, je weet wel..." Als Tinne het hoofd schudt, schakelt Maria over op een fluistertoon. "Waar ze vieze boekjes verkopen."
"Ah," roept Tinne. "Een sexboetiek!"
"Verbaast me niks," snuift Eduard nadrukkelijk.
"Hoezo?"
"Dat was toch te verwachten? Die Hollanders zorgen alleen maar voor ellende in de straat."

Renhildes mond verstrakt. Haar toon is scherp. Eigenlijk heeft ze een hekel aan Eduard. Hij heeft iets gluiperigs over zich, vindt ze, iets dat haar herinnert aan slijm en moerassen.
"Er is helemaal niks mis met de familie Beekman, Eduard, en ik zou het waarderen als je eens eindelijk ophield met dat geroddel. Rutger is een toffe jongen, en Charly en Loes zijn heel gastvrij. Je krijgt er in elk geval meer aangeboden dan thee van een gebruikt theebuiltje!"
Eduard haalt de schouders op. Tinne richt zich opnieuw tot Maria.
"Wat is er verkeerd aan een sexboetiek? Dat zijn perfect wettelijke winkels – ze verkopen er niks dat niet mag verkocht worden. Ik ben er ook al binnen geweest."
Eduard grijpt gretig de kans.
"Ik niet," zegt hij fijntjes. "Ik heb dat nooit nodig gehad."
"Dat kan ik aannemen," glimlacht Tinne. "Wie zijn auto nooit uit de garage laat, heeft geen wielen nodig, hè, Eduard?"
De gepensioneerde ambtenaar haalt alleen de schouders op.
"Ik ben er niet zo zeker van, Tinne," zegt Maria ernstig. "De tijden zijn veranderd, dat weet ik wel, maar je hoort tegenwoordig zoveel over kindermisbruik. Films met kinderen en zo."
"Kinderporno? Dat wordt in die winkels niet verkocht. Dat is verboden."
"Vroeger mochten de cafébazen ook geen jenever verkopen." Maria bijt op een vingernagel. "Maar ze hadden wel allemaal een fles onder de toonbank staan."
Renhilde schudt het hoofd.
"Waarom begin je daar nu ineens over, Maria? Het is toch niet omdat iemand naar een sexboetiek gaat, dat hij plotseling een slecht mens is?"
"Ik moest aan Sofietje denken. Misschien wilde iemand haar meenemen, om... Is er iets misgelopen. Hebben ze haar daarom in het bos achtergelaten."
"Maria, ik denk dat je te veel boekjes leest," zegt Tinne. "Zoiets gebeurt hier niet. Straks ga je nog beweren dat ze haar wilden ontvoeren voor haar organen of zo. Ik denk ook dat het Dani was. Een ongeluk, ongetwijfeld. Maar ja... En dat klopt ook met wat Eduard daarnet begon te vertellen..."
"Van wie heb je eigenlijk gehoord dat men alleen nog wacht tot Dani bekent?" vraagt Renhilde.
Eduard schokschoudert.
"Van Yvonne. Die had het gehoord van iemand in het ziekenhuis. Suzanne had het zich laten ontvallen, zei ze. En die behandelt Dani, naar het schijnt.

Die moet het dan toch kunnen weten?"
Renhilde zucht.
"Ik weet het niet... Psychiaters hebben toch een beroepsgeheim? Volgens mij mág Suzanne zoiets niet zeggen."
"Ik herhaal maar wat Yvonne vertelde."
"Ik begrijp het gewoon niet! Waaróm, in godsnaam?"
"Mij verbaast het niet," mompelt Eduard. "Dani was..." Hij tikt met zijn vinger tegen zijn voorhoofd. "Maar ja, wie ben ik, hè? Een oude zagevent, die alleen maar roddelt."
Renhilde negeert de sneer. Tinne duwt een haarlok achter haar oor.
"Zelfkennis is het begin van de wijsheid, Eduard..." Ze wendt zich tot Renhilde. "Misschien heeft het kind te lang gehuild op het verkeerde moment."
"Kom nu, Tinne. Daarom vermóórd je je kind toch niet!"
"Dat weet ik nog niet zo zeker. Als het leger met babygekrijs tegenstanders uit de loopgraven krijgt... Je zou van minder zot worden..."
Maria bukt zich en tilt haar draagtas op. "Ik moet dringend aan mijn soep beginnen," zegt ze. "Och ja... Ik denk er ineens aan... Hebben jullie dat gisteravond ook gehoord op de radio?"
"Wie luistert er nu nog naar de radio, Maria?"
De oude vrouw snuift.
"Er was een interview, in een of ander cultureel programma. Over toneel en zo. Ik kon mijn oren niet geloven: ze hadden het ineens over Sofietje!"
"Wat?"
"Ja! Dat het zo verschrikkelijk was, en dat ze het van dichtbij had meebeleefd, en dat ze zo verschrikkelijk overstuur was, en dat ze er niet kon van slapen. Weet je wie?"
Tinne fronst ongelovig de wenkbrauwen.
"Neen."
"Hoe heet ze nu weer? Die actrice uit een soapreeks, die hier in de wijk woont... *Allez*... Doornmakers, nu weet ik het weer. Patricia Doornmakers."
Maria kan haar verontwaardiging nauwelijks bedwingen. "Wat weet dié er nu van?"
Eduard glimlacht fijntjes naar Renhilde.
"Is dat geen vriendin van u?"

10. DINSDAGAVOND – BIESBOS

Ik kwam die avond laat thuis, en toen ik Renhilde zwijgend aan de eettafel zag zitten, wist ik het meteen: er was iets mis. Geen licht, geen flikkerende tv, geen muziek, geen zoemende afwasmachine, alleen mijn vrouw, beide ellebogen op de tafel, starend naar een halfvol glas rode wijn.

Opkomende ergenis. Ik hád haar gezegd dat het laat kon worden. Ik hád geprobeerd haar telefonisch te bereiken, toen de mensen van Les Côteries Vierges me meetroonden naar een plaatselijk restaurant – iets wat ik niet kon weigeren, gezien het vorige debacle. Ze nam niet op. Ik hád haar gsm gebeld vanuit het restaurant: mevrouw was niet bereikbaar – zoals gewoonlijk. Ik kende de litanie die op me zou worden afgevuurd: 'Ik heb er niks op tegen dat je later bent, maar ik wéét het wel graag, anders word ik ongerust.'

"Luister," begon ik. "Ik wéét dat het laat is, maar ik héb je gebeld, enkele keren zelfs, en je..."

Renhilde onderbrak me, zonder me aan te kijken.

"Er was een oudercontact op Kevins school vanavond," zei ze strak. "Ik ben nog maar een uurtje terug." De onderdrukte woede kleurde haar stem, en de wijze waarop ze naar haar glas greep, kon niet verkeerd worden begrepen. "Ik heb 'm naar z'n kamer gestuurd."

Ik ademde diep.

"Was het zo ernstig?"

"Het minste wat je kunt zeggen," gromde ze.

"Oké," zei ik. "Doe me dan een plezier: knip een paar lichten aan en schenk me een glas wijn in. Dan trek ik ondertussen mijn jas uit."

Ik zag dat ze het er moeilijk mee had, maar uiteindelijk knikte ze, en schoof ze haar stoel bruusk achteruit.

Een paar minuten later zaten we in de sofa, maar toen ik mijn glas nam om te klinken, maakte ze me met haar blik duidelijk dat ze niet in de stemming was.

"Goed," zei ik. "Wat is aan de hand?"

"Ik ben bij mevrouw Pink geweest. Ik heb me daar serieus belachelijk gemaakt: ik vroeg wat de pedagogische waarde was van het negeren van testgegevens bij het bepalen van een rapportcijfer. Mijn toon was niet meteen de meest vriendelijke, vrees ik."

Even lag de reactie 'dat kan ik me voorstellen' op de lippen, maar het leek me verstandiger me te beperken tot een neutraal knikje.
"Ze bleef heel vriendelijk – de rust in persoon. Vroeg wat ik bedoelde. Liet me haar nota's zien: daarin stonden zéven cijfers, geen vier. Toen ik opmerkte dat er maar vier testen waren geweest, haalde ze de zéven testen prompt uit haar kast. Drie ervan heeft Kevin ons nooit laten zien! 'Toevallig' twee nullen en een twee. Tot daaraan toe. Maar: ze waren gehandtekend! Met jouw handtekening! Dat kan maar één ding betekenen: dat hij jouw handtekening heeft nagemaakt. En verdomd goed ook: ik kon het verschil niet zien. Het was nogal moeilijk om mevrouw Pink te verwijten dat zij het niet had opgemerkt. Ik heb het dus maar niet verteld."
"Wat heb je dan wel gedaan?"
"Me uitgebreid verontschuldigd, gezegd dat het een grote vergissing was, en me uit de voeten gemaakt. De volgende oudercontactavond ga jij maar: ik laat me daar niet meer zien."
"Wat zei Kevin?"
"Er kwam geen woord uit. Trok een gezicht alsof ik hem onrechtvaardig behandelde, alsof hij het grote slachtoffer was."
Haar blik liet aan duidelijkheid niks te wensen over: ik moest het nu maar oplossen. Het was tenslotte mijn handtekening.
Ik leunde achterover in de sofa om tijd te winnen.
Hoe reageerde je als vader op zoiets? Ik kon natuurlijk de harde toer opgaan: Kevin zwaar straffen. Maar wat leverde dat op? Niks – en dat wist ik wel heel zeker. Ik had het zelf aan den lijve ondervonden. Dat maakte het net zo moeilijk.
Ik herkende Kevins methode. Ik had ze zelf ook toegepast, toen ik zo oud was als hij. Telkens wanneer ik na een week kostschoolellende thuiskwam, had mijn vader alleen interesse getoond in mijn testresultaten – al de rest kon hem worst wezen. Eén lager cijfer en het weekend was om zeep. Bijwerken was dan de boodschap. Herhalen, oefenen, nalezen. Na een tijdje verzweeg ik ongeveer alles, zodat alleen de rapportweekends overbleven voor ellende en miserie. Als een of andere leraar dan toch een handtekening eiste onder een slechte overhoring, tja... De reden? Angst. Negatief zelfbeeld. Alles was goed als ontwijkingsstrategie. Die tactiek leverde geen verbetering van het zelfvertrouwen op, wel integendeel, maar dat besef je natuurlijk pas veel later.
Ik was niet zinnens mijn zoon in hetzelfde bad te laten vallen.
"Wel?" vroeg Renhilde.

Ik bracht het glas opnieuw naar de lippen. Nadenken was niet eenvoudig. Renhilde voelde zich bedrogen. Het allerbelangrijkste was het vertrouwen te herstellen. En dat kon maar op één manier.
Ik zuchtte diep, en zette met een bedenkelijk gezicht mijn glas neer.
"Ik vrees dat het mijn schuld is," mompelde ik, zonder haar aan te kijken.
"Jouw schuld?" Het klonk ongelovig. "Hoezo?"
Ik staarde even voor me uit, alsof ik mijn geheugen controleerde, en knikte dan nadrukkelijk. Ja, hoor, ik herinnerde het me weer.
"Hij hééft mijn handtekening niet nagemaakt. Ik heb die testen zelf ondertekend."
"Wát?!"
"Ik was het compleet vergeten. Totaal."
Renhilde keek me achterdochtig aan.
"Je bent 'm toch weer niet aan het indekken?"
"Neen, hoor. Weet je nog, die vrijdagavond dat mijn computer vernield is door dat virus?"
"Toen men Sofietje heeft gevonden. En Patricia hier was..."
"Ja. Ik heb dat halfuur boven zodanig geassocieerd met die crash, dat ik totaal uit het oog verloren ben dat hij me toen in zeven haasten drie papieren heeft laten handtekenen. Tactisch heel clever, natuurlijk: het drong op dat ogenblik nauwelijks tot me door wát ik tekende. Maar nu ik erover nadenk: hij heeft toen zelfs gezégd dat het wiskundetesten waren. Mijn hoofd stond er alleen niet naar – ik zag alleen maar een gecrashte *harddisk*." Ik trok een bedenkelijk gezicht, en keek haar even aan. "Sorry."
Ze sloot even de ogen, als wilde ze haar zelfbeheersing bewaren, en dronk dan in één beweging haar glas leeg. Zuchtend greep ze naar de fles.
"Hoe is het mogelijk?!" mompelde ze. Haar gezicht stond nog steeds op onweer, maar het was niet langer Kevin die door de bliksems werd bedreigd. De woede, die ze de voorbije uren zorgvuldig had onderhouden, kon natuurlijk niet met een enkel gebaar onder de tafel worden geveegd.
"Vergeet niet dat ik een pak ouder ben dan jij," probeerde ik. "Mijn geheugen gaat achteruit." Zonder veel succes echter.
"Ik kan er echt niet om lachen, Bernard," zei ze. "Ik heb me echt belachelijk gemaakt. Wat denken ze daar nu op school over mij? En Kevin zelf: het was niet meteen vertrouwen dat ik vanavond heb getoond. Ik ben zijn moeder: ik word verondersteld *altijd* in hem te geloven! Iemand die zegt dat hij een bedrieger is, geloof ik meteen, hem niet. Leuk!"

Ik knikte alleen maar. Vrouwen wilden niet altijd een wederwoord – dat had ik recent ergens gelezen.
"En nu?" vroeg ze na een ongemakkelijke stilte.
Ik schoof naar het puntje van de sofa, en draaide me naar haar toe.
"IK heb het verknoeid, dus... Om te beginnen ga *ik* de volgende keer naar de school: ik zal het die mevrouw Pink wel uitleggen."
Renhildes gelaatsuitdrukking straalde ongeloof uit. Ze wist hoezeer ik een hekel had aan schoolbezoeken. Ik maakte een capitulatiegebaar.
"Tja... Wie zijn billen verbrandt... Wat Kevin betreft: ik ga nu naar hem toe. Zijn timing was misschien tactisch goed bekeken, maar linke trucs kunnen onvoorziene gevolgen hebben. We delen de verantwoordelijkheid hier, alledrie. Wat denk je?"
Ze haalde diep adem.
"Goed. Maar wacht nog even," zei ze, toen ik wilde opstaan. "Er is nog iets anders."
"Met zijn rapport?"
Ze schudde het hoofd.
"Ik ontmoette zijn leraar Lichamelijke Opvoeding in de gang. Hij wilde me spreken, me waarschuwen. Hij nam me mee naar een apart lokaal – hij wilde niet dat een ander hem kon horen. Het was puur *off the record*, zei hij: als ik hem citeerde, zou hij ontkennen mij ooit te hebben gesproken."
"Waarover dan?"
"Kevin zou slechte vrienden hebben op school. Hij zou voortdurend rondhangen bij een groepje met een kwalijke reputatie. Toen ik hem vroeg wié hij bedoelde, noemde hij onder andere Rutger."
"Beekman?"
Ze knikte.
"Rutger zou *dealen* op school. Iedereen weet het, zei de leraar, maar niemand kan hem ergens op betrappen. Daar is hij veel te leep voor – volgens die man althans. Kevin wordt beschouwd als een van zijn vrienden. Er valt niks op hem aan te merken, maar Rutgers reputatie straalt op hem af. De man zei dat het jammer was dat een aardige jongen als Kevin op die manier zijn toekomst in gevaar bracht. Ik vond dat hij nogal bitter klonk. 'Er wordt op deze school natuurlijk niet *gedeald*, mevrouw,' zei hij. 'Stel u voor: het idee alleen al! Maar IK weiger later *wir haben es nicht gewusst* te moeten spelen.'"
Het verbaasde me niet meer, integendeel. Drie jaar eerder, op de lagere school nota bene, hadden we hetzelfde verhaaltje te horen gekregen – toen met een

Albanese jongen als '*dealer*'. Achteraf bleek het een zuiver geval van racistische vooroordelen en kwaadsprekerij.
"Hoe oud schatte je die leraar?" vroeg ik.
"Midden de vijftig."
"Dat dacht ik al. Uitgeblust, kommer en kwel, *gloom* en *doom*, de wereld gaat ten onder aan drugs en gebrek aan waarden. Dat kennen we ondertussen, niet?"
"Dat mag je wel zeggen," mompelde ze.
"En wie is de *dealer* deze keer? Een Nederlander. Natuurlijk. *Alle* Nederlanders zitten immers aan de dope, dat weet toch iedereen? Je kunt het er gewoon in de winkel kopen, wat wil je dan? In coffeeshops – de naam alleen al! En wat blijkt? Onze Nederlander is toevallig nieuw op school, en niet op z'n mondje gevallen – hij rijdt ongetwijfeld mensen in de wielen. Wat zeg je? Een *dealer*? Natúúrlijk! Komt dat even goed uit, zeg!"
Voor de eerste keer verscheen er een soort glimachje om Renhildes mondhoeken.
"Oké, oké, ik heb het begrepen."
"Alsjeblieft, hè! Ze zijn nog maar dertien jaar! Het zijn nog kinderen, in 's hemelsnaam! We leven hier niet in Amerika, hoor!"
Renhilde legde een hand op mijn arm.
"'t Is al goed, Bernard. Ik wilde je alleen maar vertellen wat die man me zei, meer niet. Ik vond het zelf ook nogal een wild verhaal."
Ik schudde het hoofd, als kon ik daarmee de irritatie verdrijven. Ik ademde diep, dronk mijn glas leeg en stond op.
"Wil je dat ik er iets over zeg?" vroeg ik, met een gebaar naar de eerste verdieping. Ik deed mijn best om het zo rustig mogelijk te laten klinken.
Renhilde haalde de schouders op.
"Laat het maar zo." Ze greep naar de afstandsbediening van de televisie. Blijkbaar had ik haar kunnen overtuigen. Ik kwam moeizaam uit de zetel.
Kevin verwachtte me blijkbaar: hij zat aan z'n bureau, tussen enkele schoolboeken en een open ringmap, en bleef rustig schrijven toen ik zijn kamer binnenkwam. Op z'n computermonitor voerde een of andere fantasyfiguur karatebewegingen uit.
Ik grinnikte, en wachtte tot hij opkeek.
"Wat is dat?"
Hij glimlachte niet, zoals gewoonlijk wanneer zijn ouwe pa hem iets over zijn computer vroeg.

"Een screensaver," antwoordde hij. "Gedownload van het net."
"Hm." Ik nam een stoel en schoof die naast de zijne. "Wij moeten eens praten, makker."
Zijn vermogen tot stoïcijns reageren, verraste me opnieuw. Ik had een zucht verwacht, een teken van irritatie, of van schuld, of van begrip – wat dan ook. Zijn gelaatsuitdrukking veranderde echter niet. Hij wachtte gewoon af. Een groot politicus. Later.
"Je weet toch waarover?"
Hij beperkte zich tot een onverschillig schouderophalen.
Kijk," zei ik ernstig. "Nu moet je eens goed naar me luisteren, Kevin. Ik heb mams gezegd dat *ik* die drie testen heb getekend: je hebt ze me voorgelegd op de avond van het virus, maar door de crash was ik dat helemaal vergeten. Ze geloofde me. Voor haar is het probleem van de baan. Voor jou betekent dat dus: geen straf, geen gevolgen, nada. Maar... Jij en ik wéten wié die handtekening op die papieren heeft gezet. Ja?"
Het duurde even, maar uiteindelijk knikte hij toch.
"Ik ga hierover niet moeilijk doen," vervolgde ik. "Hoewel schriftvervalsing een serieuze zaak is. Ik ben bereid dit als afgesloten te beschouwen, op twee voorwaarden: ten eerste, dat je me belooft, op je erewoord, dat je het nooit meer doet, om geen enkele reden. Denk eraan: áls je je woord geeft, en je zondigt ertegen, geloof ik je nooit meer. En ik bedoel: nóóit nooit meer. En dat meen ik. Dit is onder mannen – geen kinderspelletje. Wel?"
Voor de eerste keer ontsnapte hem een zucht. Na enkele ogenblikken knikte hij.
"Zeg het."
"Wat?"
"Dat je het belooft. Met die woorden. Ik wil het horen."
Het kostte hem zichtbaar moeite, maar uiteindelijk mompelde hij iets dat met een beetje goede wil kon worden bestempeld als 'ik beloof het'. Ik nam er genoegen mee. Het ging om de intentie, niet om de verstaanbaarheid. Tenslotte was hij slechts dertien.
"Je bent nog niet van me af," zei ik. "Er is nog een tweede voorwaarde. We weten allebei dat *jij* die testen hebt getekend. Ik wil weten waarom."
Hij staarde naar de ringmap op zijn bureau, en pulkte aan zijn lippen. Ik probeerde zijn gezicht te lezen, maar zelfs nu was er nauwelijks reactie te bespeuren. Om de druk te vergroten, leunde ik achterover, en kruiste ik de armen.

"Ik ga hier niet weg voor je het hebt uitgelegd, jongen – en ik wil de échte verklaring, géén verhaaltje."
Ik vroeg me af wat hij zou antwoorden. Als puber zou ik vroeger nog in geen honderd jaar de waarheid – angst – hebben verklapt. Bij Kevins geboorte had ik me voorgenomen dat ik *mijn* zoon niet als onderhorige zou behandelen, maar als gelijke – uiteraard met leeftijdgebonden beperkingen. Wat ook zijn motivatie was, 'angst' kon het niet zijn, dat wist ik wel zeker.
Na enkele momenten slikte hij.
"Ik moest wel."
Onwillekeurig lachte ik.
"Je moést mijn handtekening vervalsen? Dát moet je me eens uitleggen."
"Toch is het zo."
"Oké. Vertel."
Hij overwoog of hij meer zou zeggen, maar haalde uiteindelijk de schouders op. De boodschap was duidelijk: 'Je zult me toch niet geloven.'
"Kom op: je moet me geen geloofwaardig verhaaltje vertellen, maar de waarheid. Dat is niet altijd hetzelfde, dat weet ik ook wel."
Hij knikte.
"Pink trekt extra punten af als je haar overhoringen niet ondertekend teruggeeft. We hadden de papieren maar de dag tevoren gekregen: ze staken in mijn map voor Frans. Ik heb er 's avonds niet meer aan gedacht. 's Anderendaags wilde ze ineens alles terug, getekend en al. De testen waren al slecht genoeg: ik had geen zin om nog méér punten te verliezen. Niet voor zo iets onnozels."
"Waarom heb je dan niet om een dag uitstel gevraagd?"
Hij snoof.
"Aan Pink? Dat is totaal zinloos. 'Regels zijn regels!' Trouwens, ik zou mezelf wel megastom in 't zak hebben gezet, niet? Als ze weigerde, kon ik daarna toch moeilijk met testen afkomen die wél getekend waren. Ze zou me *gekilled hebben*!"
"Heb je die testen dan *in* de klas eventjes snel getekend?"
Hij schokschouderde.
"Wat moest ik anders?"
Het bezorgde me een ongemakkelijk gevoel.
"Als je er in die omstandigheden in slaagt een perfecte kopie van mijn handtekening neer te zetten, dan kan dat maar één ding betekenen: dat je vooraf hebt geoefend. Hoelang ben je daar al mee bezig?"

Voor de eerste keer grijnsde hij.
"Oefenen?! Komaan, paps, jouw handtekening is nu niet direct grote kunst, hè? Een liggende B, da's al. Keisimpel. Daar moet je toch niet voor oefenen?"
Ik grinnikte. Hij had natuurlijk gelijk.
"Waarom heb je ons niks gezegd over die slechte resultaten?"
Hij trok een gezicht alsof ik redeneerde als een kip zonder kop.
"Dat kon ik moeilijk, hè, paps. Want dan zouden jullie hebben gevraagd waar die testen waren, om ze te handtekenen."
Ik moet eerlijk bekennen dat er een last van me afviel. Het was helemaal niet zo dramatisch als Renhilde het voorstelde. De jongen had in een opwelling papieren getekend om een slechter resultaat te vermijden, en was achteraf tot de vaststelling gekomen dat hij zichzelf had klemgereden. Het zou een goede les zijn. In zekere zin had ik zelfs bewondering voor de onweerlegbare logica waarmee hij had gehandeld. Hij had een goed verstand – en welke vader was daar niet blij mee?
"Oké," zei ik. "Zaak gesloten. Vergeet alleen je erewoord niet. Dat neem ik echt wel ernstig."
Hij knikte. Heel even overwoog ik nog iets te vragen over dat wilde 'dealersverhaal', maar uiteindelijk leek het me te belachelijk om er woorden aan te verspillen. Ik stond op, en zette de stoel weer op z'n plaats. Bij de deur draaide ik me nog even om.
"Herinner je je nog die avond met dat virus? Ik denk dat we nu wel effen zijn, niet?"

11. WOENSDAGVOORMIDDAG – BRUSSEL

Alhoewel het wettelijk verboden is om te roken in officiële gebouwen, hangt er in kamer 402IE een mist die niet zou misstaan in de Schotse Highlands. Niemand haalt het echter in z'n hoofd om de drie kettingrokende mannen op de vierde verdieping van de politietoren te berispen, integendeel: men begrijpt hun behoefte aan afleiding. Ook de ogenschijnlijke chaos, veroorzaakt door de her en der verspreide, onoverzichtelijke stapels dossiers, foto's en aantekeningen, leidt niet tot commentaar. Dit is geen plek voor gevoelige zielen. Moderne computers, een batterij externe harddisks, twee 21'-schermen en een supersnelle internetverbinding kunnen de onwetende sollicitant misschien in verleiding brengen, maar één dag op de afdeling internetcriminaliteit volstaat meestal om hem het hazenpad te doen kiezen. Kinderporno, *snuffmovies*, vrouwen- en drugshandel, organenroof, foto's van martelingen uit oorlogslanden, mutilatie – je moet stevig op je benen staan om de bestrijding ervan vol te houden. Omwille van hun 'vel' noemt men de leden van de Federal Computer Crime Unit dan ook de 'olifanten'.
De drie mannen zitten met opgerolde hemdsmouwen voor een computerscherm, en kijken naar de introductiepagina van een site. Een van hen, de jongste, heeft het adres net op een klavier ingevoerd.
"Gisteren ontdekt," zegt hij. "Een verzameling *freakshots*. Het gewone werk: verkeersongevallen, foetussen, ingewanden, noem maar op."
Hij klikt met de muis, en onmiddellijk verschijnt een extra venstertje met de vraag naar een identiteit en een paswoord. De man voert enkele gegevens in. Even later wordt hij doorverbonden naar de inhoudspagina van de site.
"Waar staat hun server?" vraagt een van z'n collega's. Hoewel nog maar vierendertig, is hij al zo goed als kaal.
" Hongkong. Ze *switchen* om de week."
"En?" vraagt de oudste.
De jongste knikt. Hij begrijpt de vraag: er zijn zoveel *freaksites*. Waarom wil hij zijn collega's déze tonen?
"Als lid kun je foto's en films *uploaden*," verklaart hij. "Tot daar niks bijzonders. Maar ze beweren dat een team van specialisten – stel je voor! – elke bijdrage op 'kwaliteit en geschiktheid' beoordeelt en rangschikt. Haalt je bijdrage een bepaald 'niveau', dan zouden ze je geld toesturen! Cash, in een

enveloppe, in de door jouw gekozen munteenheid. Hoe hoger het 'niveau', hoe meer geld."
"Enig idee hoeveel ze voor de topcategorie beloven?"
"Het equivalent van vijftienduizend dollar."
De oudste schudt het hoofd. Het is nauwelijks te geloven, maar hij weet ondertussen dat heel wat gebruikers in dit soort onzin geloven.
"Clever, natuurlijk," vervolgt de eerste. "Ze krijgen gratis een hoop materiaal, waarmee ze hun boekjes voor de oosterse markt kunnen drukken. Die zijn overigens ook te koop op de site. Big business. Maar er is meer: je komt als lid pas na enkele dagen te weten welk niveau je bijdrage heeft gehaald. Je moet het op de site checken. Daarna moet je je geld ook nog eens claimen: maar dan vragen ze ineens wel een e-mailadres, én een adres waar de enveloppe naartoe moet. Hier zullen er wel veel afhaken."
De oudste leunt bedachtzaam achterover.
"Degenen die toehappen, komen natuurlijk in een database terecht. Waarschijnlijk wordt hun na enige tijd om een of andere reden ook nog om een bankrekeningnummer gevraagd. Mogelijkheden zat. Zelfs afpersing is mogelijk."
De man achter het klavier knikt. Hij kiest op het scherm het item *new:* na enkele ogenblikken verschijnt een pagina met een vijftiental *thumbnails* – kleine, aanklikbare versies van beschikbare foto's. Zwijgend roept hij ze een na een op in hun originele grootte.
Bij dit deel van het werk haken de meeste nieuwelingen af: het *screenen* van materiaal vraagt soms het uiterste van iemands zelfbeheersing. Gelukkig dient het team het grootste deel van zijn tijd te besteden aan het opsporen van de herkomst van de beelden.
"China," zegt de oudste, als hij het portret ziet van een jongeman wiens neus en oren ogenschijnlijk net voordien zijn afgesneden. De anderen knikken zwijgend. "Beginnen hun achterstand in te halen... En dan zeggen ze iets van het wilde wésten!"
Haast simultaan zuigen ze de sigarettenrook diep in hun longen: als je dagelijks wordt geconfronteerd met de smerigste uitwassen van je soort, wordt het leven sowieso minder aantrekkelijk.
Opnieuw kijken ze naar het scherm. Achtereenvolgens verschijnen een baby zonder ogen, een opgehangen tiener, een lijk met overgesneden keel, een close-up van een onthoofding, een baby met een verwrongen nek, een groepsverkrachting, een in een arm dringende boor, een...

“Wacht eens even,” zegt de oudste plotseling. Hij leunt voorover, tot hij het scherm bijna raakt. De anderen zijn meteen alert: hun collega hoort tot de Europese top binnen hun vakgebied, en heeft een geheugen dat hun bijnaam alle eer aandoet. “Terug.”
Zijn collega aan het klavier gehoorzaamt onmiddellijk.
“Ja. Déze,” zegt de teamleider, wanneer de foto van de baby met de verwrongen nek weer te zien is. Hij bestudeert de afbeelding enkele seconden, en springt dan van z’n stoel.
“Ik herken dat van ergens, “ mompelt hij. Nadat hij een vijftal stapels met dossiers zonder succes heeft doorzocht, zucht hij: “We zouden dit toch eens een beetje ordelijker moeten organiseren.”
“Doe maar,” reageert de kale. “We houden je toch niet tegen?”
“Heel grappig.”
“Wat zoek je eigenlijk?”
“Ik ben er bijna zeker van dat het iets vrij recents is – waar is die map met de laatste toevoegingen?”
De jongste wijst naar het raam.
“Daar, op de vensterbank.”
De oudste neemt de map en loopt ermee tot bij het scherm. Hij bekijkt de foto opnieuw, en bladert door de map. Een paar keer aarzelt hij, maar dan stoot hij plotseling een tevreden grom uit.
“Bingo.” Hij haalt een foto van een baby tevoorschijn.
“Ik weet niet hoe oud ze zijn,” zegt de kale even later, “maar op die leeftijd lijken ze erg op elkaar. Zou kunnen... Wat denk jij?”
Zijn jongere collega aarzelt.
“Allebei duidelijk een gebroken nek. Ze lijken een beetje op elkaar – maar dat doen ze inderdaad allemaal als ze zo oud zijn... Ik vrees dat het moeilijk te bewijzen zal zijn...”
De oudste glimlacht. Hij is nog steeds de beste.
“Eerste regel?” vraagt hij aan z’n collega’s.
“Details!” roepen die in koor.
“Wel dan...”
Na enkele ogenblikken stoot de jongste een kreet uit.
“Wel verdomme!” Hij wijst naar een handje. “Ze missen allebei een vingertje! De linkerpink! Straffe kost, George,” voegt hij er bewonderend aan toe.
De ander knikt, en draait de foto om.
“Ruuckven,” leest hij. “ Sofie Ruuckven. Antwerpen.” Hij grijnst vreugde-

loos. “Vermoord.”
“Zal ik uitzoeken wie het onderzoek leidt?”
George schudt het hoofd.
“Niet nodig. Het staat hier op de kaart. Een zekere Luukens. Dirk Luukens. SBU. Hier in Brussel.”

12. WOENSDAGAVOND – BIESBOS

“Wie wil er nog iets drinken?” vroeg de uitbater. “’t Is wel de laatste bestelling: om elf uur moeten we sluiten. De gemeente, hè.”
We zaten na de maandelijkse vergadering met enkele leden van het wijkcomité in de gelagzaal van het wijkcentrum: Eduard, die zich na het overlijden van zijn vrouw drie jaar eerder kandidaat had gesteld en nu de straatfeesten coördineerde, Maria’s echtgenoot Victor, een robuuste zestiger met een stem die je voortdurend aan ‘de boottrekkers van de Wolga’ herinnerde, Charly Beekman, onze Nederlander, die sedert zijn komst in de wijk trouw elke vergadering bijwoonde, en Olenka, een stijlvolle lerares van middelbare leeftijd, die twee jaar eerder een pak geld met de lotto had gewonnen en prompt uit het onderwijs was gestapt.
Ook Patricia zat erbij. Tot ieders verrassing was ze bij het begin van de vergadering binnengevallen met de vraag of ze mocht toekijken: *research* voor een filmrol, had ze gezegd. De meeste leden waren zichtbaar gecharmeerd. Tot mijn grote verbazing was ze daarna ook nog blijven zitten: zich bewust mengen met het ‘gewone volk’ leek me niks voor haar, maar ze gaf geen krimp. Waarschijnlijk ook een deel van haar *research.*
“Geef me nog maar een wit wijntje,” zei ze.
“Een Hoegaerden.” Ik had meer dan genoeg van al het water dat ik de voorbije twee uur had gedronken – één glas bier kon geen kwaad.
“Dank u,” zei Charly. “Ik moet naar huis toe. Maar breng me wel de rekening, ja? Ik betaal vanavond. Ik was vorige week jarig,” verklaarde hij, toen we flauw protesteerden. Hij grinnikte. “Niet echt Hollands, nietwaar, meneer De Koeckeleire?”
Iedereen lachte, behalve Eduard.
“Dat weet u dan toch, meneer Beekman?” antwoordde hij, zonder een spatje humor in zijn stem. “Neen, dank u,” zei hij tegen de uitbater, terwijl hij opstond en zijn jas aantrok. “Ik moet naar huis. Ik ga morgen met mijn dochter en mijn schoonzoon een dagje naar zee. Ze komen me om zeven uur oppikken, en ik moet de batterijen van mijn fototoestel nog opladen.”
“Een prettige dag morgen, meneer De Koeckeleire,” zei Charly, terwijl Eduard zich omdraaide en vertrok. Bij wijze van antwoord stak die zonder omkijken zijn arm even omhoog.

“Neen, dank je,” zei Victor. Hij keek me aan en grijnsde. “Jij kent ons Maria, hè: als ik om elf uur niet thuis ben... Er *zijn* gezinnen waar ze nog een deegrol gebruiken, geloof me.”
Olenka schudde alleen het hoofd, en gebaarde dat ze ook wilde vertrekken.
“Weet je dat ik enkele dagen geleden Peter ben tegengekomen?” vroeg ze, nadat de uitbater verdwenen was. “Hij was woest – ik kreeg er geen woord tussen. Hij zou Suzanne in elkaar timmeren, zei hij, als ze niet stopte met Dani te *brainwashen*.” Victor schudde het hoofd.
“*Hij* zou beter in behandeling gaan,” zei hij, terwijl hij zijn jas dichtknoopte. “Een kind op die manier verliezen, is natuurlijk erg, dat weet ik ook wel. Net als kinderen willen en ze niet kunnen krijgen... Maar Sofietje komt niet terug door op iemands gezicht te kloppen.” Hij stak z’n hand op. “Ik ben weg...”
Olenka wierp een blik door het raam, en stond op.
“Kan ik met je mee?” vroeg ze. “Het regent pijpenstelen, en ik ben te voet.”
“Geen probleem.”
“Tof.” Ze gaf Patricia een hand. “Aangenaam kennis met u te maken,” zei ze. “Bedankt voor de tractatie, meneer Beekman. Heel vriendelijk van u. En let maar niet te veel op Eduard: sinds de dood van zijn vrouw...”
“Maakt u zich maar geen zorgen, mevrouw. Ik ben meer gewend.”
“Komaan, Olenka,” zei Victor, terwijl hij zich omdraaide. “Als ik door jouw schuld te laat ben, krijg jij Maria op je dak. Je bent gewaarschuwd.”
De uitbater bracht onze bestelling, en Charly betaalde. Zoals gewoonlijk nam hij afscheid met de opmerking dat het leuk wonen was in deze buurt. Ik knikte zogezegd gevleid, en zweeg maar over de roddels die de ronde deden, en waarover Renhilde me steeds trouw berichtte als ze van de bakker kwam.
“Vriendelijke man,” zei Patricia, nadat Charly ons van in de deuropening nog een laatste keer had toegezwaaid. “Wat doet hij eigenlijk?”
“Geen idee. Veel geld verdiend in Nederland, denk ik, en daarna om fiscale redenen naar België verhuisd. Zo zijn er wel meer. Om te rentenieren kan je toch nergens beter zijn?”
Patricia lachte flauw, greep haar glas, en dronk het in één keer halfleeg. Gewoonlijk bleef ze heel sober: nu was ze al aan haar derde glas toe – en dat merkte je.
“Wat is er?” vroeg ik, nadat ze een paar keer nadrukkelijk had gezucht.
“Ach, Bernard...” Ze schokschouderde, en staarde in haar glas. “Niks bijzonders. Een beetje depri.”
“Waarom?”

Ze glimlachte vreugdeloos.
"Die filmrol in Nederland? Vergeet dat maar."
"Hoezo? En die *research* dan?"
"Een uitvlucht. Geen zin om thuis te zitten kniezen, en zo."
"Is er een bepaalde reden waarom je die rol niet..."
Ze snoof.
"Ik kreeg daarstraks een telefoontje met de mededeling dat de scenaristen er mijn rol hebben uitgeschreven. Nu ja, rol: het was maar een bijrolletje. Maar dan nog..."
"Zoiets zal nog gebeuren, hoor, Patricia: als je in die wereld wil overleven, moet je zoiets kunnen incasseren."
"Dat weet ik, maar... Herinner je je Jack Coydens nog? De Nederlander die me de rol had bezorgd?" Ik knikte. "Hij vroeg me enkele dagen geleden voor een privéfilm die hijzelf wilde draaien. Nu ja, vroég: hij zei eigenlijk dat het om een wederdienst ging, die ik hem nog verschuldigd was. Ik wist natuurlijk meteen wat hij bedoelde met privéfilm. Ik bedankte ervoor: niet omdat ik te preuts ben of zo, maar ik ben niet op mijn achterhoofd gevallen: als je één zo'n film draait, kunnen ze je voor de rest van je leven chanteren, zeker als je daarna een publieke figuur wordt. En wat gebeurt er? Twee dagen later is mijn rolletje ineens geschrapt. Zal wel toeval zijn, zeker..."
Ze greep opnieuw naar haar glas, en dronk het in één teug leeg. Ik had mijn bier nog niet aangeraakt.
"Gebruiken en gebruikt worden," mompelde ze. Ze schudde bruusk het hoofd, als wilde ze de muizenissen verjagen. "Bernard, wil je me een plezier doen?"
"Je kent het gezegde: *friends of friends...*"
"Zou je me naar huis willen brengen? Het is rotweer, en ik ben te voet."
Ik wist dat ze loog. Ze was met de auto. Ik begreep echter waarom ze niet meer wilde rijden – en het was ook helemaal Patricia om niet te willen toegeven dat ze wat te veel ophad.
"Nu meteen?" Ik gebaarde naar mijn onaangeroerd glas.
"Laat maar staan. Drink een glas bij mij thuis." Toen ze mijn aanzet tot afwijzen zag, zuchtte ze. "Toe, Bernard: ik heb echt even behoefte aan gezelschap. Niet lang, dat beloof ik je: één glas, meer niet. Renhilde zal het je niet kwalijk nemen, dat weet je ook wel. En zo laat is het toch nog niet."
Het waren haar ogen. De immer aanwezige branie en sensualiteit ontbraken volledig: het veranderde Patricia van een blitse brok in een kleine luciferver-

koopster. Ik kreeg het niet over mijn hart om haar verzoek af te wijzen: ik had zelf te vaak in dat drijfzand rondgeploeterd.
Ik knikte.
"Oké. Eentje dan. Maar niet méér: ik moet morgen vroeg op."
Bij wijze van antwoord stond ze op. Ze nam haar jas, en wachtte tot ik terug was van het toilet, waarna we naar de uitbater zwaaiden en zwijgend door de pletsende regen naar mijn wagen liepen.
Ze woonde slechts een paar straten verder, en dus stonden we na tien minuten al in de hal van haar appartement. Ik kreeg prompt twee lege wijnglazen in de handen geduwd, waarna ze in de keuken verdween, op zoek naar een fles.
Terwijl ik wachtte in de witte sofa, bedacht ik dat het interieur niet echt veel nestwarmte genereerde: kale muren, veel metaal en glas, blinkende parketvloer, een superdure computer met alle mogelijke gadgets, videocamera, fototoestel, verzameling dvd's. Een uit een folder geplukte living, die weliswaar perfect overeenkwam met haar imago, maar niet meteen bij haar paste.
"Proost," zei ze. Ze ging in een zilvergrijze zitzak tegenover me zitten. "En bedankt."
Ik glimlachte, en dronk.
"Vertel eens," vroeg ik. "Wat zit je nu eigenlijk dwars? Je weet dat afwijzingen bij het spel horen, en je zult al wel meer pogingen tot misbruik hebben meegemaakt."
Ze schokschouderde.
"Ach... Vergeet het... Zo belangrijk is het allemaal niet..."
"Kom op, Patricia. Niet flauw doen."
Ze aarzelde even.
"Ik voel me soms wat eenzaam, dat is alles," mompelde ze, na een moment stilte. Ze ontweek mijn blik. "Alleen thuiskomen is niet zo erg. Daaraan ben ik gewend. Maar je kunt met niemand praten. Niet écht. Ook niet als je je eens een beetje minder voelt. Je moet voortdurend op je hoede zijn. Altìjd álles alleen moeten doen, is soms zwaar."
"Patricia! Jij hebt aan elke vinger toch vijf aanbidders? Vertel me nu niet dat je er niet voor kiest om alleen te blijven!"
Ze glimlachte bitter.
"Dat denkt iedereen. Maar het is verdomd moeilijk om nog iemand te vertrouwen als het halve land je gezicht kent. Vijf aan elke vinger? Tuurlijk! Tién als het moet. Jammer genoeg willen ze allemaal maar één ding: me op hun

palmares schrijven. Ze zijn niet geïnteresseerd in Patricia Doornmakers, alleen maar in vlees."
"Lok je dat niet af en toe een beetje uit?" vroeg ik plagerig, met een gebaar in de richting van haar nauwsluitend, leren pakje. Ze merkte niet dat ik het ironisch bedoelde.
"Uitlokken? Hoe bedoel je? Mijn kledij? Dat is een seksistische opmerking, Bernard."
"Misschien. Maar ook een realistische."
Ze zette haar glas neer.
"Mag ik misschien niet gekleed lopen zoals ik wil? En ja, ik vind mijn carrière belangrijk – mag dat even? Als dat betekent dat ik met iemand in de koffer moet duiken, heb ik daar geen problemen mee. Iedereen vecht met de wapens die hij heeft." Ze wond zich op. "Het is verdomme altijd hetzelfde: als een man over lijken gaat om de top te bereiken, vindt iedereen dat normaal. Als een vrouw al haar middelen aanwendt, is ze een hoer."
Ik besefte dat ik dringend een andere richting moest inslaan, wilde ik een confrontatie vermijden. Ze had duidelijk te veel op, en was niet in de stemming voor een compromis.
"Zo bedoelde ik het niet," suste ik. "Integendeel. Ik heb mensen die alles doen om hun doel te bereiken, altijd al bewonderd: ik mis dat vermogen. Maar je kunt van mensen niet verwachten dat ze je gevoelige kant waarderen, als je die kant nooit toont."
Ze zuchtte diep. Blijkbaar raakte ik een gevoelige snaar.
"Neem nu mezelf, bijvoorbeeld," vervolgde ik. "Tot vijf minuten geleden kende ik alleen de kant waar jij altijd mee uitpakt: de opgewekte, uitdagende, mooie vrouw, die weet wat ze wil. Natuurlijk heeft élke mens een binnenkant, maar als je die nooit te zien krijgt, dan... tja, dan denk je daar op den duur niet meer aan. Zo gaat het nu eenmaal."
Ze kreeg het moeilijk: ze slikte, knipperde met de ogen en keek naar het plafond. Als ik niet snel iets bedacht om haar terug op de rails te krijgen, kwamen er tranen.
"Ik ben in elk geval wel blij dat je me hebt uitgenodigd," zei ik. "Geloof me, ik heb echt geen idee waarom je altijd die act van de blitse showgirl wilt opvoeren. Dat hoeft helemaal niet: de echte Patricia daarbinnen is mooi genoeg. Op lange termijn is inhoud altijd belangrijker dan de verpakking, vergeet dat niet. Ook in jouw beroep. Laat je alsjeblieft niet misleiden door je eigen imago."

Een ogenblik lang dacht ik dat ze met haar middelvinger naar haar open mond zou gebaren – ik vond zelf ook dat ik klonk als een held uit een stationsromannetje. Maar ze wreef alleen iets weg uit haar mondhoek. Ze dronk opnieuw, en keek me aan.
Er was iets veranderd in haar blik – ik kon alleen niet duiden wat. Maar de dreiging van een tranenvloed was weg. Een hele opluchting.
"Sorry," zei ze na een moment stilte, terwijl ze moeizaam uit de zitzak kwam. "Al die drank. Ik moet even naar het toilet." De wijze waarop ze naar de hal liep, verried dat er alcohol achter het stuur zat.
Ik keek dan op mijn horloge. Halftwaalf. Ik wilde in elk geval om twaalf uur thuis zijn. Niet dat Renhilde problemen zou maken, maar de volgende ochtend had ik een afspraak in Oostende om negen uur – vroeg uit de veren dus. En ik sliep al zo weinig.
Ik dronk van mijn bier, en dacht aan Patricia's woorden. Ik begreep perfect wat ze bedoelde: ik had zelf jarenlang alleen gewoond – de kostschool had me achtergelaten als een kleine, bange jongen. Renhilde had ik pas ontmoet nadat ik mijn permanente zoektocht had opgegeven en mijn status van eenzame emotioneel had aanvaard. En zodra je niet meer zoekt, vind je natuurlijk. Patricia was gewoon bang – ik herkende de symptomen. Waarschijnlijk ervoer ze haar schoonheid al jarenlang als een vloek: het kon niet makkelijk zijn om te leven met de wetenschap dat haast iedere man die je ontmoette, onmiddellijk focuste op je lijf, en niets liever wilde dan je letterlijk bezitten – net als een flink deel van de vrouwen, waarschijnlijk. Een mens zou van minder in de war raken.
Ze kuchte, en ik keek op.
Natuurlijk had ze gedronken – maar ze wist perfect wat ze deed.
Ze stond in de deuropening in iets dat op een lange onderjurk leek: laag uitgesneden, twee dunne bandjes over de schouders, net niet tot aan de enkels. Alleen wás het geen onderjurk. Het had iets Arabisch: onwillekeurig riep het beelden op van harems en weelderige vrouwenverblijven. De flinterdunne gordijnstof verhulde nauwelijks iets.
Eronder droeg ze... niets. Dat prachtige lijfje negeren was onmogelijk, *alles* stond in de etalage. Hoe ik ook mijn best deed om mijn gezichtsveld te beperken tot haar hoofd, onbewust registreerde ik toch de meisjesachtige borstjes, het strakke buikje, en het feit dat haar kapper zich blijkbaar niet enkel over haar hoofd ontfermde.
Ze keek alleen maar. Wachtte. Wist ondanks de alcohol perfect welke bood-

schap ze uitzond. Het ergst van al was dat er helemaal geen wulpse uitdrukking op haar gezicht lag. Ze was een grote actrice, besefte ik plotseling. Ze zou het nog ver brengen.
"Berna-ard," tsjirpte ze na een moment, terwijl haar bekken er subtiel een accentje aan toevoegde. Het klonk als een smeekbede – een verzoek om een gunst.
Ik vloekte binnensmonds. De helft van het land droomde hiervan, maar uitgerekend mij overkwam het. En uitgerekend nu. Niet vijftien jaar geleden, toen ik er heftiger naar verlangde dan wie ook. Neen. Nú. Hoewel mijn hele lijf eiste dat ik aan mijn oerinstinct zou gehoorzamen, wist ik dat het niet kon.
"Toe, Bernard," zei ze. Het klonk ineens verdrietig.
Ik slikte. Ik kon het risico niet nemen: Renhilde zou het me nooit vergeven als ze het te weten kwam. Op zichzelf een hypocriet argument, dat wist ik wel: hoewel ik van Renhilde hield, lag ik nu waarschijnlijk al in Patricia's bed als het alleen om haar zou gaan – ik was ook maar een man. Maar er was ook nog Kevin. Bij zijn geboorte had ik gezworen dat hij in zijn jeugd niet zou moeten meemaken wat ik had meegemaakt, en die eed zou ik gestand doen – koste wat het kost. Als Renhilde me omwille van een misstap verliet, zou ze de jongen meenemen, en was er van evenwichtig opgroeien geen sprake meer. Dat wilde ik niet op mijn geweten hebben; ik zou er niet kunnen mee leven.
"Bernard?"
Ze gleed de kamer binnen, en vlijde zich met opgetrokken benen naast me in de sofa. Ze rook naar lavendel. Ze was op dat ogenblik de aantrekkelijkste vrouw die ik ooit had gezien. En óf ik zin had.
"Patricia," stamelde ik, maar ze onderbrak me.
"Bernard," zei ze, terwijl ze haar hoofd op mijn schouder legde. "Begrijp me niet verkeerd. Ik wil geen relatie met je beginnen. Ik heb alleen nood aan iemand die me even vasthoudt, nú, alleen vandaag. Iemand die me streelt, die teder is. Die met me vrijt, ongecompliceerd, zonder bijbedoelingen. Eén keer maar. Alsjeblieft?"
"Patricia..." Ik schudde het hoofd. "Renhilde..."
"Renhilde hoeft het niet te weten," onderbrak ze me, en drukte haar lippen zacht op mijn nek. Ik kreeg er kippenvel van.
Er was maar één ding dat ik kón doen.
"Het spijt me, Patricia – en geloof me, je hebt er geen idee van hoé erg. Maar

het kan niet."
Ze legde haar hand op mijn dij, liet ze naar mijn rits glijden, en kneep zachtjes.
"Je kunt anders best," fluisterde ze ondeugend tegen mijn nek.
Natuurlijk had ik een erectie. Wat had ze verdomme gedacht?
"Patricia!" Ik maakte me los, en stond op. "Het kan écht niet. Ik denk dat ik nu beter naar huis kan gaan."
"Waarom?" Ze keek gekwetst. "Ben ik niet aantrekkelijk genoeg?"
"God, Patricia. Als ik ooit in iemand zin heb gehad, is het in jou, nú. Maar het kán niet! Je mag niet verlangen dat ik een heel leven in de weegschaal leg, omwille van..." Ik aarzelde. Het was niet eenvoudig om een formulering te vinden die haar niet kwetste.
"Van wat?"
"Omwille van... van wat jij van me vraagt."
"Omwille van wat jij ook wel wilt, dus."
"Ja, dat geef ik toe. Maar er zijn te veel risico's aan verbonden – risico's die ik niet wil nemen."
Ze schudde niet-begrijpend het hoofd.
"Wélke risico's dan?" Even verscheen er een boze blik in haar ogen. "Je bedoelt toch niet... Toch niet aids? Je denk toch niet dat ik met iedereen..."
"Wel, neen. Doe niet zo dom."
"Waar heb je het dan wél over?"
"Dat is te moeilijk om uit te leggen. Het is trouwens al laat: ik moet naar huis."
"Ik begrijp het," zei ze eensklaps op spottende toon. Ze veerde uit de zetel, en posteerde zich vlak voor me. "Renhilde. Je bent bang dat jouw jonger vrouwtje je zal verlaten als ze hiervan zou horen. En vermits ik haar beste vriendin ben, is dat risico nogal groot."
Ik haalde de schouders op.
"Je denkt ervan wat je wilt, Patricia. Ik weet wel dat begrippen als loyauteit en trouw in de oren van jonge mensen belachelijk klinken. Het zij zo."
Ze snoof.
"Toch niet, Bernard. Integendeel," zei ze cynisch. "Het siert je. Alleen jammer dat Renhilde er niet zo over denkt."
"Hoezo?"
"*Jezus,* Bernard! Ben je nu echt zo naïef? Denk eens na. Geloof je echt dat een vrouw van zesendertig niet méér wil dan wat haar vijftigjarige man haar nog

kan geven? Dat ze niet af en toe eens toegeeft aan de verleiding? En ze heeft nog gelijk ook. Renhilde is op het hoogtepunt van haar kunnen, Bernard, en jij bent daar allang voorbij." Ze grijnsde. "*Zij* zal niet snel gefrustreerd geraken, wees daar maar van overtuigd."
Ik voelde een zekere grimmigheid in me opkomen. Typisch Patricia: het doel heiligde de middelen. Ze walste over alles en iedereen heen om haar zin te krijgen. Natuurlijk raakte haar suggestie me – vooral omdat er een zekere logica inzat. Ik hield me echter voor dat ze me alleen maar probeerde te kwetsen.
"Dat zal je dan toch eerst moeten bewijzen," zei ik strak, en kruiste de armen.
"Neen, Bernard. Dat moet ik helemaal niet." Ze draaide zich om, liep tot bij het raam. "Ga naar huis," zei ze, met haar rug naar me toe. "Naar je trouwe huissloofje."
De irritatie sloop ongewild in mijn stem.
"Dat is wel heel gemakkelijk, Patricia, om nu..."
"Bernard, ga naar huis!" onderbrak ze me. "Laat me met rust. Val me niet langer lastig."
"Ik jou lastigvallen?!"
"Ga weg."
Ik voelde me plotseling weer vijfentwintig, en gekwetst tot in het diepst van mijn ziel. Ik draaide me boos om, raakte met mijn hiel het salontafeltje, en hoorde hoe mijn glas bier omviel en brak. Ik keek niet eens: ze mocht haar rommel zelf opkuisen. Met een klap trok ik de voordeur achter me dicht, en liep naar mijn auto. Ik wist dat ze nog voor het raam stond en me nakeek: ik negeerde het bewust, en hoopte dat het ook zo overkwam.
Onderweg naar huis vloekte ik een paar keer, vroeg me af of ik misschien niet beter had toegehapt, maar kwam snel tot het besluit dat ik misschien wel een nare ervaring achter de rug had, maar me nu tenminste niks te verwijten had. Mijn geweten was zuiver.
Er brandde nog licht in de slaapkamer toen ik thuiskwam. Ik kleedde me zwijgend uit, antwoordde 'goed', op Renhildes vraag hoe de vergadering was geweest, nam het boek dat ze vasthad uit haar handen, en legde het op het nachtkastje. Ik knipte het licht uit, trok de lakens weg, en greep haar met een heftigheid die haar eerst volkomen verraste, maar haar daarna hoorbaar beviel.

13. DONDERDAGVOORMIDDAG ST.- MICHAELSCOLLEGE

"Wát zeg je, lul?!" Rutger loopt vastberaden naar het groepje jongeren bij de deur. De twee toezichthoudende leerkrachten aan de andere kant van de speelplaats zijn in een druk gesprek gewikkeld.
"Moet ik nu bang zijn, kaaskop?" De leider van het groepje voelt zich onaantastbaar. Hij is de zoon van een diamantair: zijn vader dreigt sneller met de rechtbank dan dat hij zijn schoenen kan aantrekken, en letterlijk iedereen loopt met een grote boog om hem heen. Bovendien is hij drie jaar ouder en een kop groter dan Rutger, wat hem niet meteen tot voorzichtigheid aanmaant. Dat Kevin de Nederlander rugdekking geeft, zorgt voor nog meer hilariteit.
"Neen, hoor. Herhaal het gewoon."
Het groepje lacht. Moet je die Hollandse snotaap zien!
"Leuk, hoor." De leider imiteert Rutgers accent, en zijn kameraden proesten het uit. "Ga toch terug naar je zandbak, kaaskop!"
Rutger beweegt niet.
"Herhaal het dan."
"Geef dat ventje een relatinneke, dat 'm wat kalmeert," zegt iemand uit het groepje. De leider grijnst.
"Ongelooflijk toch, die kaaskoppen. Denken echt dat alles kan. Geef nu toe: deze vraagt er toch om." Opnieuw het accent. "Vind je het dan zo geinig, man? Of moet je een dreun op je neus?"
De anderen barsten opnieuw in lachen uit.
"Herhaal het dan." Rutger blijft onverstoorbaar. "Of durf je niet?"
De leider grijnst.
"Bangelijk, gast."
"Herhaal het."
"Nou... Goed, kerel, als je d'r absoluut op staat... Hier komt ie." De leider buigt zich voorover, tot z'n gezicht dat van Rutger bijna raakt. "Jouw moeder is een hoer," zegt hij dan luid. "En dat weet ondertussen iedereen. Nou goed?"
Rutger reageert zó snel dat het groepje de tijd niet krijgt om in te grijpen. Hij schopt keihard tegen het scheenbeen van de leider, en terwijl die verrast

een kreet van pijn slaakt, haalt hij uit: z'n gebalde vuist belandt precies op het linkeroog van de ander, die tot verbijstering van z'n vrienden niet terugslaat, maar naar z'n hoofd grijpt en begint te gillen.
"M'n oog! M'N OOG! AAAAA....!"

14. DONDERDAGAVOND – BIESBOS

Voor ik goed en wel uit de wagen was, opende ze de voordeur al; ze posteerde zich in de living met gekruiste armen voor het raam; ze zei geen woord terwijl ik mijn jas aan de kapstok hing; er hing geen etensgeur in huis.
Crisis.
Patricia? Had ze Renhilde gebeld? In stilte dankte ik de goden dat ik me die avond had kunnen beheersen. Natuurlijk bleef er het probleem van de bewijslast. En als Renhilde haar vriendin geloofde, zat ik pas echt in de problemen – of zoals mijn zoon het zou formuleren: in de *shit*.
Terwijl ik mijn jas weghing, werkte mijn onderbewustzijn aan een verdedigingsstrategie. Patricia's vraag 'Denk je nu echt dat Renhilde niet af en toe eens toegeeft aan de verleiding?' kwam me opnieuw voor de geest.
Als je alles gelooft wat die vriendin van je vertelt, schatje, mag ik dat dan ook met wat ze over jou zegt?
Gespannen bleef ik in de deuropening staan.
"Oké. Wat is er?"
Ze zuchtte zelfs niet. Ze draaide zich om en riep vanwaar ze stond: "Kevin! Naar beneden komen. Nú!" Ze ademde diep, en zei dan: "Ik heb hem daarnet naar z'n kamer gestuurd. Er is iets mis, Bernard. En geen klein beetje."
Even voelde ik me opgelucht, maar dat duurde niet lang.
Kevin kwam de trap af als een prototype van zijn generatie: wiegende gang, een blik van jullie-kunnen-me-wat, een en al *cool, man*, ondersteund door piekjeshaar, een te wijde broek en hagelwitte Nikes. Hij wurmde zich zwijgend langs me heen, en liet zich met een norse uitdrukking op het gezicht in de sofa vallen.
"Er is gevochten op school," zei Renhilde strak.
"Heeft *hij*... "
"Rutger. Heeft een andere leerling aangevallen. Maar *hij* steunde hem wel. Ik heb net een telefoontje gekregen van de directeur: het slachtoffer zal waarschijnlijk een oog kwijt zijn."
"Wát?"
"Ja. De jongen heeft in het ziekenhuis het hele verhaal gedaan. De vader overweegt een rechtszaak tegen de Beekmansen."
Ik richtte me tot Kevin.

"Vertel eens."
Hij haalde de schouders op.
"Er zijn ergere dingen," mompelde hij onverschillig.
Ik begreep nu waarom Renhilde zo overstuur was.
"Godverdomme, Kevin! Die jongen is een oog kwijt. Besef je wel wat dat betekent? Dat is voor het leven, hè!"
"Rutger had geen keuze."
"Je hebt altijd een keuze! Vechten is geen oplossing!"
"Nathan heeft een mes, paps. Het had veel erger kunnen aflopen. Rutger had dood kunnen zijn."
Ik kreeg plotseling het gevoel dat ik in een Amerikaanse B-film was verzeild geraakt.
"Een mes? Op school? Dat kan toch niet? Dat *mag* toch niet?"
Kevin trok een gezicht alsof ik de uitvinding van het wiel aankondigde.
"Hij heeft schriftelijke toestemming van zijn vader. Veiligheidoverwegingen," zei hij cynisch. "'t Schijnt dat zijn pa geld geeft. Nathan is god op school."
"Heeft die dat mes dan getrokken?"
"Neen. Maar iedereen weet dat hij het bij zich heeft, en het durft te gebruiken ook."
Hoewel het duidelijk was dat onze zoon op school met maffiatoestanden werd geconfronteerd, bleef Renhilde rustig. Ineens besefte ik dat we nog niet toe waren aan de ware oorzaak van haar woede.
"Vertel eens waarom Rutger die Nathan heeft aangevallen," zei ze 'poeslief'.
Kevin keek strak voor zich uit. Pas na enig aandringen antwoordde hij.
"Hij noemde zijn stiefmoeder een hoer," zei hij grimmig.
Ik kon mijn oren niet geloven.
"Bedoel je nu dat iemand een oog is kwijtgeraakt omwille van zoiets onnozels? Iederéén heeft dat op school toch weleens tegen een ander gezegd?"
Renhilde knikte.
"Dat was ook *mijn* eerste reactie," zei ze, nog steeds minzaam. "En waarschijnlijk ook die van Nathans vader." Ze richtte zich tot Kevin, wachtte tot die opkeek, en veranderde dan van toon. "In het ziekenhuis heeft Nathan opgebiecht waaróm Rutger zo heftig reageerde," zei ze scherp. "Hij was de waarheid over jullie woensdagnamiddagen te weten gekomen, niet?"
Kevins gezicht verstrakte.
"Dat heeft er niks mee te maken," mompelde hij. "Als iemand morgen *mijn* moeder een hoer noemt, sla ik hem ook op zijn 'bakkes'."

Ik verwachtte een reactie van Renhilde op zijn taalgebruik – net als Kevin, waarschijnlijk – maar ze glimlachte alleen even.
"Wat bedoel je met die 'woensdagnamiddagen'?" vroeg ik.
De vage glimlach verdween prompt.
"Meneer hier heeft met zijn Hollands vriendje een manier uitgedokterd om bij te verdienen," zei ze scherp. Haar woede was echt, en Kevin wist het. "Woensdagnamiddag spelen ze bioscoopje bij Rutger thuis: tegen de ronde prijs van tien euro per persoon kan iedereen komen kijken naar de vertoning van die dag. Ze draaien dan harde porno."
"Wát?"
"Jawel. Zijn ouders zijn de hele dag weg, dus kan Rutger het super-de-luxe *home movie theatre system* van zijn pa gebruiken. Oorspronkelijk zorgde Rutger voor de film, ze financierden samen de aankoop en deelden daarna de winst."
Verbijsterd keek ik naar onze zoon, die onverstoord voor zich uitkeek, zonder enig teken van schuldgevoel of schaamte.
"Toen deed Rutger de vondst van de dag," vervolgde Renhilde grimmig. "Hij ontdekte de verzameling porno van zijn vader. Kassa kassa, natuurlijk: geen kosten meer. Hoelang dat al aan de gang was, en wat er nog meer gebeurd is, weet niemand. Er kwamen op den duur ook oudere 'bioscoopgangers' naar de vertoningen, zestien jaar en meer. Op het laatst ook meisjes. Het was één grote, vieze bedoening!"
Kevin schudde het hoofd.
"Mams, je overdrijft," zei hij. "Er zijn..."
"Zwijg," beet Renhilde hem toe. "Je zou door de grond moeten zakken van schaamte, in plaats van te willen argumenteren!"
"Wacht even," zei ik. "Laat hem uitspreken. Wat wilde je zeggen?"
Renhilde keek me nijdig aan, alsof ik zijn kant koos. Ik wilde echter vermijden dat hij zou dichtklappen.
"Wel?"
Het duurde even: hij tuitte de lippen, keek naar de trap in de gang, overwoog of hij al dan niet open kaart zou spelen, en besloot uiteindelijk om te praten.
"Oké, we hebben die filmpjes vertoond," zei hij rustig. "Maar er waren nooit oudere gasten bij. En zeker geen meisjes. Nu moet je toch eventjes serieus blijven, hè, mams: een groepje jongens in het midden van hun puberteit kijkt samen naar een sexfilm. Wat is daar nu..."

"Gebruik geen woorden die je niet begrijpt," onderbrak Renhilde hem neerbuigend. Ze had zichzelf nog steeds niet onder controle. "Wat weet jij nu af van puberteit?!"
"We leren daar al twee jaar over op school. Het was een examenvraag vorig jaar."
"Natúúrlijk," antwoordde ze cynisch, maar ik hoorde de twijfel in haar stem.
"In de puberteit ontdekken wij de seksualiteit," vervolgde hij op een wat belerende toon. Blijkbaar had het onderwerp hem danig geïnteresseerd. Hij richtte zich tot mij. "Vroeger kochten de jongens toch ook sexboekjes?"
Tot mijn afgrijzen voelde ik hoe ik een kleur kreeg – ze maken de kinderen tegenwoordig veel te verstandig. Natuurlijk had ik in mijn tijd de boekjes ook bekeken. Maar als ik dit nu toegaf, zou dat overkomen alsof ik ook vond dat er geen vuiltje aan de lucht was.
"Dat is geen argument," zei ik bitsig. "Er is een hemelsbreed verschil tussen sexboekjes bekijken en vertoningen van pornofilms organiseren voor geld."
"Vroeger bestonden er gewoon geen videospelers, dat is het enige verschil," mompelde hij. "Anders hadden..."
"Het gaat over er géld voor vragen, manneke," onderbrak ik hem scherp. "Er handel in drijven! Dát is het verschil. En dat verschil heeft niks met tijd te maken!"
Hij zweeg – zoals gewoonlijk onbewogen. Voor de eerste keer moest ik als vader vaststellen dat ik geen flauw idee had van wat mijn zoon nu dacht. Ik vond geen enkel raakpunt, geen enkele affiniteit met zijn leefwereld. Het maakte me danig ongemakkelijk.
"Was het dan daarom dat Rutger zo reageerde?" vroeg Renhilde minzaam, maar de dreiging in haar stem was onmiskenbaar. De jongen bleef zwijgen.
"Neen, hè? Natuurlijk niet. Er was nog wat anders aan de hand. Nietwaar, Kevin?"
Roerloos. Geen spoor van een reactie.
Renhilde richtte zich tot mij.
"Op een namiddag draaiden ze zo'n film van Rutgers vader," zei ze ernstig. "Zonder dat die het wist, natuurlijk. Na enkele minuten bleek dat ze de hoofdrolspeelster herkenden. Weet je wie? Rutgers stiefmoeder! In een scène, hoe moet ik het zeggen..." Haar gezicht vertrok, alsof ze rotte eieren rook. "Een groepsgebeuren. Meer dan een uur lang. Gewoon walgelijk. Eén grote, misselijke, gore..." Enkele ogenblikken lang vond ze geen woorden meer. "En

dát was Nathan te weten gekomen. Niet?"
Kevin pulkte wat vuil van onder zijn vingernagels, peuterde met zijn pink in zijn oor, en staarde enige tijd naar een puntje op de salontafel. Dan zuchtte hij.
"Ik heb Rutger nooit eerder zien huilen," zei hij zacht.
Ik slikte. Zelden had ik hem zo emotioneel geweten, maar je moest hem kennen om dat te zien. Tegelijk kon ik me best voorstellen wat zijn vriend nu op school doormaakte. En dat op die leeftijd – dat de jongen flipte, mocht eigenlijk niemand verbazen.
"Doe nu alsjeblieft niet alsof Rutger een slachtoffer is," zei Renhilde scherp. Even had ik het gevoel dat ze gedachten kon lezen. "Als je op jouw leeftijd weet waar je voor een prikje porno op de kop kunt tikken, dan ben je geen onschuldig jongetje, maar een crimineel in spe. De feiten, manneke, daar gaat het om: papa bezit een hele collectie vunzigheid, mama treedt erin op, en het zoontje slaat er geld uit – van een aanwinst voor de wijk gesproken! En jij..." Ze wees naar Kevin. "...hebt dat spelletje meegespeeld! En dát, mijn beste vriend, is vanaf vandaag afgelopen!"
"Maar..."
"Niks te maren! Ik wil niet dat je Rutger nog ziet, heb je dat begrepen?! Desnoods sturen we je naar een andere school. *Mijn* zoon wordt geen crimineel – niet als ik het kan verhelpen! Vanaf nu blijf je op woensdagnamiddag thuis. Als je absoluut wilt bijverdienen, was je maar auto's!"
Kevin zuchtte opnieuw.
"We zijn er na die keer toch mee gestopt," mompelde hij.
"Dat interesseert me niet," beet Renhilde hem toe.
"En u weet ook niet alles van Nathan," vervolgde Kevin zacht, alsof hij haar niet had gehoord. Zoals altijd wanneer hij zich onrechtvaardig behandeld voelde, schakelde hij over op de beleefdheidsvorm. Tegelijk klonk het alsof hij tegen zichzelf praatte. "Hij perste Rutger geld af, in ruil voor zijn stilzwijgen. Niet echt ongewoon, natuurlijk: Nathan en zijn bende perst zowat de helft van alle eerstejaars af. Als u spreekt over slachtoffers die er eigenlijk geen zijn..."
"Laat die brutale toon maar achterwege," snauwde Renhilde. "Je praat nog steeds tegen je moeder!"
Kevin bestudeerde enige tijd zijn handpalmen en kruiste dan de armen. Er verscheen een uitdrukking van berusting op zijn gezicht: blijkbaar was hij van oordeel dat hij beter kon zwijgen.

Ik kon hem best begrijpen. Jaren geleden hadden Renhilde en ik afgesproken dat we elkaar nooit zouden tegenspreken in aanwezigheid van onze zoon – aan één zeel trekken, en zo. Renhilde kondigde hier echter ineens beslissingen aan, zonder voorafgaand overleg. Ik kon moeilijk nú met haar in discussie treden, maar aan de andere kant wilde ik de schade zoveel mogelijk beperken. Ik probeerde haar aandacht te trekken, maar dat mislukte.
"En nog iets," zei ze. Er was nog geen sprake van herwonnen zelfbeheersing. "Ik weet uit goede bron dat jouw Hollands vriendje *dealt* op school. Trek niet zo'n gezicht," blafte ze, toen hij verbaasd de wenkbrauwen fronste. "Je weet best dat het klopt. Natuurlijk doet de school of haar neus bloedt – dat soort publiciteit kan ze missen als de pest. In hoeverre ben jij daar óók bij betrokken? Want natuurlijk, omdat je Rutgers vriendje bent, wordt jouw naam ook meteen genoemd als het over *dealen* gaat."
Ongelovig schudde hij het hoofd.
"Dus, Rutger *dealt* ineens, en Náthan is het slachtoffer? *Fuck*," mompelde hij bitter. Zijn gezicht zakte uit, en alle emotie verdween. Op een of andere manier, bewust of onbewust, was een deel van hem uitgeschakeld. We waren hem kwijt.
Ik voelde me plotseling kregelig worden. Dit was helemaal niet nodig geweest, als Renhilde de moeite had gedaan om eerst te overleggen. Maar neen, ineens met de hakbijl erin. Elke poging om nu het vertrouwen te herstellen, was zinloos. Hoe sneller ik aan deze misselijke vertoning een einde maakte, hoe beter.
"Ik heb nog één vraagje," zei ik, zo vriendelijk als ik maar kon. Ik was al blij dat Kevin tenminste de moeite deed om me aan te kijken. "Heb jijzelf ooit al drugs genomen?"
Hij aarzelde, maar antwoordde dan toch.
"Ja," zei hij provocerend. Zijn gelaatsuitdrukking bleef neutraal. "XTC. Eén pilletje. Ik heb daarna het halve toilet ondergekotst. Niet mijn ding."
"Wat zeg..."
"Goed," onderbrak ik Renhilde rustig, hoewel de beklemming mijn keel dichtschroefde. "Ga dan nu maar naar je kamer. We vertellen je morgen wel wat we hebben besloten."
Tot mijn grote opluchting herriep Renhilde mijn besluit niet: ze draaide zich alleen bruusk om. Terwijl Kevin traag opstond en zonder bravoure de gang inliep, staarde ze met gekruiste armen door het raam.
Ik wachtte tot ik de deur van z'n kamer hoorde, en nam dan plaats in de sofa.

Mijn vrouw reageerde niet.
"Renhilde..."
Het duurde enkele ogenblikken, maar dan zakten haar schouders, ze keek me even aan en ging tegenover me in een zetel zitten. Ik wachtte. Haar woede had plaatsgemaakt voor vermoeidheid.
"Ik vraag me af of Eduard geen gelijk heeft," mompelde ze na een moment stilte. "Het is hier altijd heel rustig geweest in de wijk, maar sinds die Hollanders hier zijn komen wonen, hebben we nog niks anders dan problemen gehad. Tot en met een moord op een baby! D'r klopt iets niet met die familie. Ik wil niet dat Kevin er nog langer contact mee heeft."
"Je weet toch dat zoiets onmogelijk te controleren is," zei ik voorzichtig. "Je kunt hem moeilijk de rest van zijn leven binnenskamers houden."
"Wat moeten we dan wél doen?" Het klonk bitter. "Laten betijen? Aan de kant blijven en toekijken hoe zoontjelief het verkeerde pad opgaat?"
"Natuurlijk niet. Maar we mogen de zaak ook niet dramatiseren: dan maken we het alleen maar erger."
"Erger dan wát?! Op z'n dertiende al betrokken bij het organiseren van pornovoorstellingen en het *dealen* van drugs op school. Is dat dan nog niet erg genoeg misschien?"
Ik zuchtte. Ik zou moeten wachten tot er een nachtje slaap overheen was gegaan, en ze de situatie wat meer van op een afstand kon bekijken. Maar ik wilde haar niet de indruk geven dat ik het met haar eens was.
"Je overdrijft. Zijn argumentatie in verband met de puberteit is correct, dat kan je niet ontkennen. Ik denk trouwens dat ze nu hun lesje wel geleerd hebben – ik zie hen niet meteen opnieuw beginnen. En wat dat *dealen* betreft: het enige wat je daarover aan feiten hebt, zijn de woorden van één verzuurde leraar. Wie zegt dat zijn inschatting klopt? Kevins reactie leek me eerder te wijzen in de richting van die fameuze Nathan. Laten we van een muis alsjeblieft geen olifant maken."
Er verscheen een uitdrukking van ergenis op haar gezicht, en ze stond op.
"Ik had kunnen verwachten dat je zijn kant zou kiezen," zei ze zuur. "In jouw ogen is hij een halve heilige. Ik weet niet wat er nog moet gebeuren voordat je jouw zoon zult zien zoals hij écht is."
"*Mijn* zoon? Waarom nu ineens *mijn* zoon, en niet *onze* zoon?" vroeg ik.
Ze was echter al in de keuken verdwenen.

15. ZATERDAGOCHTEND – BAKKERIJ VAN DYCK

"Hoe gaat het eigenlijk met Dani?" vraagt Maria aan de vrouw achter haar. Vooraan bestelt Renhilde een volkorenbrood. Twee kinderen selecteren snoep uit een metalen rek met witplastieken dozen.
Suzanne Binah schudt het hoofd. De psychiater draagt zoals steeds een jurk van een ondefinieerbare kleur, besmeurde sportpantoffels en een Tirolerhoedje. Onbekenden catalogiseren haar meestal meteen als 'mentaal niet helemaal in orde' en 'vierde wereld'. Haar omgeving weet dat ze in haar vakgebied tot de internationale top behoort.
"Slecht," antwoordt ze. "Ze moet non-stop onder surveillance blijven."
"Waarom laat je haar niet gewoon begaan?" vraagt Eduard, terwijl Renhilde naar pasmunt zoekt. "Dan moet het gerecht het niet meer doen. Iemand die z'n eigen kind op zo'n manier..." Hij schudt het hoofd.
"Dat staat nog niet vast," antwoordt Suzanne. Maria onderbreekt haar.
"Van een toeval gesproken," zegt ze. "Daar. Peter."
Aan de overkant van de straat loopt Peter Ruuckven met een norse trek om de mond in de richting van zijn wat verder geparkeerde wagen. Alsof hij Maria heeft gehoord, kijkt hij even opzij: hij zet nog twee stappen, realiseert zich dan wie of wat hij heeft gezien, stopt, en steekt met grote passen de straat over.
Met een verbeten uitdrukking op het gezicht verschijnt hij in de bakkerswinkel.
"Nu moet jij eens goed naar me luisteren, madammeke Binah," schreeuwt hij, terwijl zijn uitgestrekte vinger haar gezicht net niet raakt. Hij trilt van woede. "Dani is vanmorgen opgenomen op *intensive care*: ze heeft vannacht geprobeerd zich van kant te maken. Nu, onthou goed wat ik zeg, hè: áls er iets met Dani gebeurt, dan ga jij daarvoor boeten! Begrijp je wat ik zeg?! *Jij* gaat de moord niét in onze schoenen schuiven! Heb je dat goed begrepen?!"
Een ogenblik lang lijkt hij op het punt te staan om haar een dreun te verkopen, maar dan draait hij zich eensklaps om, beent de winkel uit en trekt de deur woest achter zich dicht.
Eén van de kinderen laat zijn papieren zakje met snoepgoed vallen, en begint te huilen.

16. ZATERDAGAVOND – CAFE DE DUIFKES

We hadden met enkele wijkbewoners een voorstelling van 'Het funerarium' bijgewoond, en zaten aan een tafeltje in café 'De Duifkes' te genieten van een glas, toen Patricia binnenkwam.
Ik moet bekennen dat het vooruitzicht dat ik haar zou ontmoeten, me al de hele avond ongemakkelijk maakte. Renhilde had met haar telefonisch afgesproken, dus ik wist dat ze ons achteraf zou komen opzoeken. Ik had haar na die bewuste avond niet meer gesproken, en wist dus ook niet of ze zich nog steeds beledigd voelde. Ze was tot alles in staat.
Ik maakte me echter ongerust om niks: ik kon uit haar gedrag niet eens opmaken of ze zich nog iets herinnerde. Ze omhelsde iedereen breed glimlachend, ook mij, stelde Jakke Schevers voor, een jonge, hippe collega-acteur, nam de complimenten met welwillende superioriteit in ontvangst, en paradeerde dan even 'onschuldig' door het café, zodat elke aanwezige de kans kreeg om haar in zwart leer gestoken kontje te bewonderen. Of het een bewust manoeuvre was, weet ik niet, maar ze nam daarna wel plaats op de houten zitbank naast mij; en dat haar been zich meteen tegen het mijne drukte, zal ik dan ook maar als toeval beschouwen. Schevers, zó weggelopen uit een modeblad, ging tegenover haar zitten.
Kevin was er niet bij – hoewel we ook voor hem een toegangskaart hadden gekregen. Renhilde was echter onvermurwbaar geweest. 'Hij moet beseffen dat hij zich niet alles kan veroorloven,' had ze gezegd. Om het hem helemaal in te peperen, had ze dan ook nog een babysit geëngageerd, wat door de jongen als de ultieme vernedering werd aangevoeld. Toen de oppas, een achttienjarig meisje, aanbelde, weigerde hij om uit zijn kamer te komen. De spanning tussen Renhilde en mij was er niet meteen door verminderd.
Uiteraard volstond één proficiat niet voor Patricia. Nadat de dienster haar bestelling had gebracht, vroeg ze meteen wat we nu eigenlijk écht van de voorstelling vonden. Om beurten loofde iedereen haar prestatie opnieuw, gekruid met een verwijzing naar een of andere scène uit de opvoering. Beleefdheidshalve werd ook telkens Jakke vermeld, die op het allerlaatste ogenblik een zieke acteur had moeten vervangen. De jongen had zeker geen last van valse bescheidenheid, maar schoof alle lof tactisch door naar Patricia. Blijkbaar had hij plannen voor later op de avond.

"En, Bernard?" vroeg ze, terwijl ze haar been boosaardig tegen het mijne aanwreef. Ik hoopte maar dat Renhilde het niet zag. "Je bent zo stil. Wat vond jij er eigenlijk van? Kon ik je deze avond wél bekoren?"
Ik slaagde erin een glimlach te produceren.
"Zeker. Dit was meer dan het showen van een bekend smoeltje: dit was acteren. Je hebt présence, Patricia – dat wisten we natuurlijk wel, maar toch... Je zult het nog ver brengen."
Ze trok haar been langzaam terug.
"Je vond het toch niet te gewaagd? Of te choquerend? Ik weet dat je niet van risico's houdt – in het theater, bedoel ik."
Ik wist dat ik het spel moest meespelen, maar het kostte me wel moeite.
"Gewaagd? Jij? Toch nooit. Jij hebt iets... Jij zou zelfs niet choqueren als je hier poedelnaakt de kamer binnenkwam."
Het gezelschap proestte het uit, en blijkbaar besloot ze dat het tijd werd voor een voorlopig wapenbestand.
"Waar is Kevin eigenlijk? Ik had jullie toch drié kaarten gegeven?"
Renhilde verstrakte.
"Hij is gestraft," antwoordde ze stroef. De buren keken op.
"Wat heeft hij nu weer uitgestoken?" vroeg Patricia lacherig.
Ik hoopte dat mijn vrouw voldoende alert zou zijn om niet het hele verhaal te vertellen – dan kon ze het in de wijk net zo goed door een radiowagen laten aankondigen.
Renhilde aarzelde.
"Hij heeft slechte vrienden," zei ze na een ogenblik. Ze liet een stilte vallen, in de ijdele hoop dat men zou aanvoelen dat ze er niet over wilde praten.
"Hoezo? Wie dan wel?"
"Rutger, de zoon van de Beekmans. Die nieuwe Hollanders in de wijk. Ik wil niet dat Kevin er nog langer mee omgaat."
"Dat is toch een beleefde jongen?" zei Maria, op een toon die suggereerde dat Renhilde niet met kinderen kon omgaan.
"Beleefd? Misschien," zei Renhilde verbeten. "Maar hij heeft op school wel iemand een oog uitgemept. En hij wordt verdacht van *dealen*. En hij organiseert pornofuiven. Niet slecht voor een dertienjarige, wel?"
Het ongeloof aan het tafeltje was overduidelijk.
"Bedoel je nu dat... Dertien jaar en... Ben je daar zeker van?"
Patricia fronste de wenkbrauwen.
"Kevin is er toch niet bij betrokken?"

"Nóg niet. En hij zál er ook niet bij betrokken raken, niet als het van mij afhangt!"
"De jeugd van tegenwoordig," mompelde Maria hoofdschuddend. Ze dronk haar jenever in één keer uit.
"Zo vreemd is dat toch niet?" zei Tinne. "Wie vertelde er nu weer onlangs bij de bakker dat ze meneer Beekman uit een sexboetiek had zien komen, met een pakje onder de arm? Zo vader, zo zoon – dat is toch normaal?"
Patricia keek naar mij.
"En wat zegt de vader hiervan? Ik vind dat je merkwaardig stil blijft, Bernard."
Ik zuchtte.
"Ik zie niet in hoe je kunt beletten dat de twee jongens elkaar zien. We moeten allebei werken: wie gaat dat controleren? En wanneer? Maar ik vind dit geen onderwerp voor nu. Kom, we drinken nog iets. Ik tracteer."
Het was een verdienstelijke poging om uit het moeras te geraken, maar ze mislukte, omdat Jakke Schevers zonodig ook een bijdrage wilde leveren.
"Beekman, zeg je? Toch niet Pieter Beekman?"
"Zou kunnen," antwoordde ik verveeld, in de hoop hem te ontmoedigen.
"Zwemt in het geld? Grote man, joviaal? Jongere vrouw, dure auto?"
De buren roken sensatie.
"Dat is hem," zei Maria. "Zijn vrouw is nogal pretentieus."
Renhilde en ik keken elkaar even aan. Ze dacht net hetzelfde als ik: ze moesten eens weten...
"Ken jij die dan?" vroeg Patricia.
Jakke knikte.
"Half Nederland kent hem. Hij heeft een fortuin verdiend met het internet. Hij heeft het in Nederland min of meer gelanceerd: zijn bedrijf was een van de allereerste providers in Europa. Op het hoogtepunt van de *boom* heeft hij het aan de Amerikanen verkocht, zogezegd omdat allerlei veiligheidsdiensten explosieve dossiers tegen hem hadden. Het veroorzaakte behoorlijk wat commotie in Nederland: iedereen dacht aan een complot van de Amerikaanse industrie. Een halfjaar later was het bedrijf echter nog maar een tiende waard van wat de Amerikanen betaald hadden – het zou me niet verbazen als hij die geruchten over aangebrande dossiers zelf heeft verspreid. Achteraf niets meer over gehoord... Dus, hij woont nu in jouw buurt?" vroeg hij aan Patricia.
"Natuurlijk," antwoordde Renhildes vriendin vrolijk. "Het stikt bij ons van de interessante mensen. Er zijn er zelfs die mij niét aantrekkelijk vinden."

"Dan wonen er ook idioten?" repliceerde Jakke grijnzend, tot groot jolijt van de buurtbewoners.
Mijn vrouw lachte echter niet.
"Aangebrande dossiers," zei ze ernstig. "Heb je enig idee waarover..."
De acteur haalde de schouders op.
"Altijd hetzelfde. Porno. Al sinds het bestaan van het internet gaat elke klacht daarover..."
Het werd stil aan het tafeltje. Patricia keek haar vriendin aan.
"*Shit*," zei ze.
Renhilde knikte alleen maar.
"Weet de politie ervan?"
"Geen idee."
"Zou je ze dan niet bellen? *Just in case*?"
"Op basis waarvan?" vroeg ik, terwijl ik de dienster wenkte. "Roddels? De politie is bij iedereen al twee keer over de vloer geweest; die mensen weten heus wel wie er in de wijk woont."
"Ik denk niet dat ze álles weten," zei Renhilde nadenkend. "En herinner je je nog wat die inspecteur zei over roddels? Jij bent gewoon bang dat Kevin erbij zou betrokken raken."
"Onzin!" gromde ik. "Hij is er al bij betrokken! Dat uitgeslagen oog krijgt heus nog een staartje, dat besef je toch ook wel. Hij was een ooggetuige: hij zal hoe dan ook een verklaring moeten afleggen. Als we nu anderen beschuldigen op basis van niks, geloven ze misschien dat we de aandacht willen afleiden."
"Bernard denkt weer alleen aan zichzelf," grijnsde Patricia, waarbij ze perfect in het midden liet of ze het nu meende of niet. Ik beet op mijn tong – ik wist waar we zouden eindigen als ik erop durfde in te pikken.
"Ik weiger alleen maar om me te laten ophitsen als een simpele boer. Heksenjacht is niets voor mij," repliceerde ik bedaard. "Maar ik hou niemand tegen. Iedereen doet maar waar hij zin in heeft." Ik draaide me naar de dienster, die zich door de massa tot bij ons tafeltje had gewerkt. "Voor mij nog een Hoegaerden," zei ik. "En deze ronde is voor mij."

17. MAANDAGOCHTEND – KERKSTRAAT

Tussen winkelende huisvrouwen, wandelende hondenliefhebbers, jonge moeders en windowshoppende leden van de *beau monde* sleept een leverancier goederen uit z'n dubbelgeparkeerde bestelwagen naar een magazijn; een gemeentewerker prikt papierafval met een stok uit de goot; mannen in oranje pakken gooien grijze vuilniszakken in een blauwwitte vuilniswagen; een automobilist steekt dreigend een vuist op naar een roekeloze fietser en claxonneert.

Renhilde merkt er niets van. Ze is té zeer in beslag genomen door haar gedachten. De beslissing is hoe dan ook genomen, maar ze heeft nog steeds de juiste woorden niet gevonden voor haar verhaal: hoe vraag je in 's hemelsnaam naar feiten zonder te beschuldigen? Ze is zó in zichzelf gekeerd dat ze de oudere man niet ziet, die wat verder met een grote kartonnen doos uit een winkel komt.

"Oeps," zegt ze, wanneer ze tegen de doos aanloopt. Terwijl de man wanhopig probeert de doos in evenwicht te houden, zet ze een stap achteruit, grijpt in een reflex naar het karton, en samen slagen ze er net in om de verpakking onbeschadigd op de grond te zetten. 'Dell-computers' leest ze.

"Kun je verdomme niet uitkijken, stomme trut!" roept de man, terwijl hij zich moeizaam opricht. "Ah, ben jij het, Renhilde?" Moeizaam slikt Eduard zijn boosheid in. "Sorry... Ik schrok... De reactie... Het is ook niet direct het goedkoopste wat erin zit. 't Is daarom..."

"Mijn fout, Eduard," sust Renhilde. "Ik liep te dromen." Ze betast zo onopvallend mogelijk de plek waar de doos haar ribben heeft geraakt. "Een nieuwe computer?" vraagt ze.

Eduard knikt.

"De andere werd echt te oud. En ik kon een zaakje doen." Hij gebaart naar de winkel, en knipoogt. "Ik ken de eigenaar nog van vroeger. Heeft een paar keer mogen leveren aan *'t stad*." Hij wil de computer oppakken, maar bedenkt zich dan. "Zeg, à *propos*, nu ik u toch zie... Wat was dat allemaal over die Hollander? Maria heeft er mij gisteren iets over verteld. Is het waar dat hij een gezochte gangster is?"

Renhilde aarzelt. Wat weet Eduard? Ze kan hem niet het hele verhaal vertellen, anders weet Beekman zelf het ook nog vóór vanmiddag – en hoe zou die

dan reageren? Of zijn zoon?
"Geen idee, Eduard," antwoordt ze naar waarheid. "Een gezochte gangster lijkt me overdreven. Maar hij zou zijn fortuin niet hebben verdiend op een propere manier."
Eduard buigt zich naar haar toe.
"Seksfilms, zei Maria," zegt hij samenzweerderig.
Renhilde schudt het hoofd.
"Er wordt de laatste tijd zoveel verteld... Ik word dat eerlijk gezegd beu. Al die onzekerheid..."
"Tja... En uw kleine die dan goed bevriend is met de zoon van die Hollandse crimineel..."
"Eduard, dat heb ik niet gezegd, hé! Ik wéét niet of het een crimineel is. Maar lang zal dat niet meer duren..."
"Hoezo?"
"Ik ga naar de politie. Vragen of..."
"Daar zie," onderbreekt Eduard haar. Hij knikt tegen iemand, en steekt zijn hand uit. Een moment later verschijnt een rijzige figuur naast haar.
"Dag, Peter. Hoe gaat het?"
Peter Ruuckven lijkt tien jaar ouder: zijn gezicht is fel vermagerd, zijn haar is onverzorgd, en zijn grauwe gelaatskleur suggereert een slepende ziekte. Fonkelende ogen maken duidelijk dat hij over zijn toeren is, maar hij probeert zich te beheersen en drukt Eduard de hand.
"Wat wil je..."
"Hoe gaat het met Dani?" vraagt Renhilde.
Peter slikt.
"Beter. Ze is toch al uit *intensive care*. Maar het scheelde weinig..." Hij schudt het hoofd. "Om de een of andere reden voelt ze zich schuldig. Het blijkt dat ze een alcoholprobleem heeft," zegt hij grimmig. "Al een hele tijd... Dat ik dat niet gezien heb..."
Eduard heeft het gevoel dat hij iets moet compenseren, en verandert bruusk van onderwerp.
"Renhilde is op weg naar de politie," zegt hij. "In verband met Beekman – je weet wel, die rijke Hollander."
"Waarom?"
"Hij zou zijn geld verdiend hebben met seksfilms op internet."
"Wat?" Peter verstrakt.
""Eduard, je klutst alles door mekaar," zegt Renhilde. "Hij is in Nederland

heel vroeg begonnen met een internetbedrijf, en heeft dat op het juiste ogenblik kunnen verkopen. Al de rest is speculatie."
"Ah ja? Ze hebben hem toch uit een seksboetiek zien komen, mét een pakje?"
En zijn dertienjarige zoon organiseert seksfuiven met video's van zijn stiefmoeder, denkt Renhilde.
"Ik zeg ook niet dat er niéts mis is, hè. Maar ik heb een hekel aan roddel. Dus ga ik het eerst controleren."
Eduard kijkt haar onderzoekend aan.
"Jij weet meer, hè?"
Peter neemt haar bij de schouders, en draait haar naar zich toe.
"Renhilde, wat is er aan de hand?"
"Peter..." zucht ze hoofdschuddend. "Ik weiger dingen te vertellen waarvan ik niet zeker weet of ze wel waar zijn. Anders..."
"Dat vraag ik ook niet," onderbreekt hij haar. "Maar ik zie aan je gezicht dat je iets wél zeker weet. Wat?"
"Peter..."
"Renhilde, ALSTUBLIEFT!"
Is het zijn getormenteerde blik die haar net lang genoeg van de wijs brengt, of de manier waarop hij haar in de schouders knijpt, of zijn ontredderde toon?
"Zijn zoon heeft video's gevonden," mompelt ze. "Wat erop te zien was, suggereert dat de vader er iets mee te maken heeft gehad – en méér zeg ik echt niet, Peter. Ik wil eerst..."
"En nu ben je dus op weg naar de politie," onderbreekt hij haar. Ze knikt. "Ik kom er net vandaan," vervolgt hij beslist. "Ze hadden nieuws over Sofie. Ze wilden weten of ik er misschien iets kon uit opmaken."
"Goed nieuws?" Eduard beseft meteen hoe afschuwelijk zijn vraag klinkt, en haast zich om ze te corrigeren. "Dat kan natuurlijk niet, dat weet ik ook wel, maar... Nu ja, je weet wat ik bedoel..."
Peter staart in de verte, en knikt dan plotseling, alsof hij voor zichzelf een besluit heeft genomen.
"Ze hebben een foto van haar gevonden," zegt hij zacht. Hij kijkt Renhilde recht in de ogen. "Op internet. Iémand heeft die er dus opgezet. En niet zomaar een foto. Een foto die gemaakt is toen ze al dood was."
"Godver..." zegt Eduard.
"En ik heb zo'n flauw vermoeden van wié dat gedaan heeft," gromt Peter, terwijl hij zich omdraait en wegloopt.

"Peter!" roept Renhilde. "Doe in godsnaam geen domme dingen!" Peter reageert niet, maar verdwijnt achter een hoek. "Ik kan maar beter meteen naar de politie gaan, Eduard," zegt ze gehaast. "Tot nog eens."
Eduard kijkt haar na. Enkele ogenblikken later richt hij zijn blik terug op de kartonnen doos, en wrijft nadenkend over zijn kin.

18. DINSDAGAVOND – BIESBOS

We hadden net gegeten, en keken in de living samen naar een aflevering van 'Familie', toen Kevin eensklaps naar buiten gebaarde en zei: "De flikken." Meteen daarna weerklonk de deurbel.
Terwijl Renhilde naar de voordeur liep, wierp ik een blik door het raam. Een combi en een witte Volvo. Twee agenten en een man in burger.
Luukens.
"Kom binnen, inspecteur," hoorde ik Renhilde zeggen. Ik zette de televisie in *stand by* en stond op.
"Goedenavond, meneer," zei Luukens, met een kort hoofdknikje. De twee agenten bleven in de gang staan. "Sorry voor de storing. We komen iets halen. Of misschien is 'lenen' een beter woord."
"Koffie, inspecteur?" vroeg Renhilde.
"Neen, dank u, mevrouw. We hebben nog te veel te doen vandaag." Strak en afstandelijk – veel minder gemoedelijk dan de vorige keer.
"En waarmee kunnen we u van dienst zijn, inspecteur?" Ik slaagde erin om mijn stem te beheersen.
"Maakt u zich maar niet ongerust, meneer," antwoordde Luukens met een flauw glimlachje. Blijkbaar klonk ik niet echt kalm." Routine. Eliminatie van mogelijkheden. We hebben uw computer nodig. Over enkele dagen krijgt u hem terug."
"Mijn computer? Waarom in 's hemelsnaam?"
Luukens zuchtte.
"Zoals ik al zei, meneer: eliminatie. Het gaat niet specifiek om úw computer. Alle computers uit de buurt worden gecontroleerd. Nu ja, alle: bijna alle. We hebben een lijst gekregen van de specialisten: iets met IP-adressen of zo – maar vraag me niet wat dat betekent." Hij keek op een papier. "U bent handelsreiziger, zie ik?" Ik knikte. "Ik vermoed dat u uw computer nodig hebt voor uw werk?" Opnieuw knikte ik. Hij maakte een aantekening. "Dan zal ik ervoor zorgen dat uw toestel voorrang krijgt; dan hebt u het gegarandeerd overmorgen terug."
Ik aarzelde.
"Het spijt me, inspecteur, maar op mijn computer staan gegevens die voor ons bedrijf nogal gevoelig liggen. Ik..."

Luukens onderbrak me.
"Maakt u zich maar geen zorgen, meneer Vercammen. Men heeft mij verzekerd dat er geen kopies of aantekeningen worden gemaakt van wat er op de harde schijven staat. En misschien maakt ook de wetenschap dat we hiervoor een officiële machtiging hebben, het voor u gemakkelijker: uw werkgever kan u onmogelijk iets aanwrijven."
Renhilde kwam terug uit de keuken.
"Dit staat uiteraard in verband met Sofietje, inspecteur?"
"Inderdaad."
"Kunt u al iets meer zeggen over het onderzoek?"
Luukens schudde het hoofd.
"Het spijt me, meneer. Procedurefouten, weet u wel."
"Procedurefouten?"
Luukens snoof.
"Onze grootste tegenstander, tegenwoordig," zei hij, eensklaps bitter. Zijn woede was echt. "Procedurefouten en verjaring. De procedure gaat voor alles – is veel belangrijker dan gerechtigheid of rechtvaardigheid of wat dan ook. Zelfs als er kinderen bij betrokken zijn. Zéker als er kinderen bij betrokken zijn: dan is er altijd wel ergens een of andere mediageile advocaat die zijn kans op onsterfelijke roem ziet, en er probeert munt uit te slaan. Als *ik* een probleem heb met mijn buurman, kost me dat een fortuin aan advocaten; maar als ik tien kinderen ontvoer, verkracht en vermoord, dán staan diezelfde advocaten aan te schuiven om grátis te mogen werken – zogezegd in naam van de rechtvaardigheid..." Hij zuchtte. Blijkbaar realiseerde hij zich plotseling hoezeer hij zich liet gaan. "Ach, ik zou me er niet zo mogen over opwinden... Slecht voor mijn 'tikker', vrees ik."
Renhilde knikte.
"Die foto van Sofie die jullie... Is het daarom..."
Luukens was meteen alert.
"Wélke foto? Wat weet u daarover, mevrouw?"
"Niet veel," antwoordde Renhilde haastig. "Ik ben Peter gisteren tegen het lijf gelopen, Sofie's vader. Hij zei dat er een foto gevonden was op het internet – een foto die blijkbaar getrokken was ná haar dood."
Luukens zuchtte opnieuw.
"Ik kan en mag u daarover niks vertellen," zei de politieman na een ogenblik stilte. "Hoe schatte u meneer Ruuckvens gedrag in, als ik u vragen mag? U kent hem tenslotte al langer. Hij lijkt me nog steeds over zijn toeren."

"Klopt," antwoordde Renhilde. "Ik heb het gevoel dat hij nog steeds niet heeft aanvaard wat er is gebeurd. Soms lijkt hij te denken dat hij Sofietje gewoon ergens kwijtgespeeld is, en dat hij haar kan terugvinden, als hij maar goed genoeg zoekt."
Luukens schudde het hoofd en zuchtte opnieuw.
"Ik moet er niet aan denken..." Hij richtte zich tot mij. "Als we uw toestel misschien nú... Anders raken we helemaal niet meer rond."
"Geen probleem," zei ik. "Integendeel. Eerlijk gezegd, inspecteur: het doet me plezier om vast te stellen dat u echt álles probeert om de moordenaar te vinden. Komt u mee?"
"Moet u alleen de computer hebben van mijn man?" vroeg Renhilde.
Luukens stopte zijn aanloop naar de hal, en draaide zich om. Colombo op zijn best.
"Héél goeie vraag, mevrouw. Had ik zelf moeten aan denken. Ik word oud. Het gaat de laatste tijd allemaal een beetje te snel voor mij: ik kan niet eens wennen aan het idee dat elk huishouden tegenwoordig een computer heeft – laat staan méér dan één toestel... Allemaal, graag."
"Kom je dan even mee, Kevin?" vroeg ik. "Jij weet wat er allemaal moet worden losgemaakt, en hoe... Hij is de specialist hier in huis," voegde ik er met een knipoog naar de inspecteur aan toe. De jongen sprong meteen op, en ging ons voor op de trap.
Enkele minuten later droegen de agenten beide toestellen naar de combi.
"Bedankt, meneer," zei Luukens bij de voordeur. "Ik zou willen dat het overal zo vlot ging. Maar ja..."
"Ik reken er wel op dat we de toestellen over twee dagen terughebben, inspecteur."
"Beloofd." De man zwaaide, draaide zich om en liep naar de Volvo. Even later reed het konvooi de straat uit.
Ik maakte me de bedenking dat er in onze straat blijkbaar heel weinig computers waren – ik had ze nergens anders zien aanbellen; maar misschien hadden ze dat al eerder gedaan – toen Kevin plotseling achter me opdook.
"Paps?"
"Ja, jongen?"
"Ik heb een probleem. Mijn huistaak voor wiskunde staat op mijn computer, maar ik had ze nog niet afgedrukt. Zou je een briefje willen schrijven voor Pink?"

19. DINSDAGAVOND – BEGONIAWEG

Moderne burchten, omwald door buxus en draad, elektronisch verdedigd, met vaag licht, ver weg, achter gesloten gordijnen. Bladeren zingen krassend, op aangeven van de wind. Een eenzame hond blaft.
Nacht, Begoniaweg, Biesbos.
Zijn wagen staat geparkeerd achter een nieuw model Mercedes. Al een halfuur zit hij hier. Roerloos. Als je niet beweegt, is het onderscheid tussen een menselijk silhouet en dat van een hoofdsteun nauwelijks te maken – de man die een kwartiertje geleden z'n poedel uitliet, merkte dan ook niets.
Veel langer zal De Moordenaar niet meer op zich laten wachten.
Zijn tanden knarsen. Hij is hem gisteren de hele dag gevolgd. Heeft zich een massa vragen gesteld. Gehuild. Sofie's mening gevraagd. Hem godverdomme een sexshop zien binnengaan! Gods mening gevraagd. Een kans laten voorbijgaan. Zijn onderlip stukgebeten, toen hij hem in de stad het hoofd van een kleuter zag aaien. Een meisje.
Toen wist hij het.
Er rest hem niets meer. Alles is stuk. Vermorzeld, vertrappeld, vergruisd. Onherstelbaar. Schroot. Gelukkig heeft hij maar één leven – hij hoeft geen tweede.
Even heeft hij overwogen om in te breken. Er brandt licht, dus is zij thuis. Zij is ongetwijfeld op de hoogte, misschien wel medeplichtig – waarom haar niet overmeesteren? Waarom haar niet ophangen in de hal, en wachten tot Hij arriveert? Hem de kans geven om te voelen wat échte pijn is.
Te veel onzekere factoren. Te veel ontsnappingsmogelijkheden. Hij moét worden gestopt, voor hij nog andere slachtoffers maakt. Hij moet worden gestraft.
Een haag, wat verder in de bocht, licht op. Wagen in aantocht. Hij start z'n motor. Als het De Moordenaar niét is, zet hij hem wel terug af.
Een Porsche. Een heel herkenbaar model. Dé Porsche. Zijn Porsche.
Hij weet wat er nu zal gebeuren. Hij heeft Hem gisteren bestudeerd, kent de procedure die De Moordenaar hanteert om het hek van de oprijlaan te openen. Hij weet exact hoe en wanneer hij moet toeslaan.
De Porsche glijdt tot voor het hek, en stopt. Enkele seconden later: doven van de lichten. Dan: motor uit.

Natuurlijk. Hij heeft zijn sleutel nodig om het hek te openen.
De Moordenaar stapt uit. Heeft niks in de gaten. Loopt tot bij het hek, ontgrendelt het, duwt het open, en draait zich om.
Zijn wagen glijdt geruisloos de weg op, lichten gedoofd.
De Moordenaar loopt terug naar zijn auto. Heeft niks in de gaten. Loopt de straat op.
Nú.

20. WOENSDAGAVOND – BIESBOS

"Probeert u zich uw woorden alstublieft correct te herinneren," zei Luukens ernstig. Hij zat aan tafel, tegenover Renhilde. "Volgens meneer De Koeckeleire zei u tegen Ruuckven 'dat meneer Beekman er iets mee te maken had,' zonder te verduidelijken wáármee."
Renhilde schudde het hoofd.
"Dát heb ik zeker niet gezegd. De exacte woorden weet ik niet meer: wel dat ik bewust vaag bleef."
"Waarom?"
Ze haalde de schouders op.
"Hij leek me over z'n toeren. Gespannen. Toen hij hoorde dat ik op weg was naar het politiekantoor, reageerde hij nogal heftig. Hij wilde absoluut weten waarvoor."
"Ben jij naar de politie gegaan?" vroeg ik verbaasd. Ze had me er niks van gezegd. "Wanneer dan?"
"Eergisteren."
Waarom?"
Haar mond kreeg een koppig trekje.
"Ik vond dat ze het moesten weten."
"Toch niet die roddels van zaterdagavond?"
"Dat zijn geen roddels. Dat is wat men in Nederland over Beekman weet."
De inspecteur knikte ernstig.
"We waren al op de hoogte, mevrouw," zei hij. "Toen Beekman naar België verhuisde, hebben we een en ander onderzocht. Meneer was in Nederland een bekend man, en er waren geruchten. Maar uiteindelijk bleek dat hij niks illegaals had gedaan, niet in Nederland, en niet hier. Natuurlijk waren wel een hoop mensen afgunstig. Nog, trouwens."
Renhildes gelaat betrok. De suggestie dat ze jaloers was, stak haar.
"Het is toch wel merkwaardig dat er vóór hun komst geen problemen waren in de wijk, en daarna ineens wel," mompelde ze.
Luukens' gezicht bleef een masker, maar er sprak ongeduld en irritatie uit zijn toon.
"Dat zei meneer De Koeckeleire ook al."
Renhilde tuitte haar lippen. Ze pikte het niet dat de inspecteur haar onrecht-

streeks als roddeltante bestempelde, en ze stond op het punt een aanval te lanceren. Ik voelde waarmee ze wilde toeslaan: ze had de pornovoorstellingen van de jongens verzwegen, besefte ik ineens. Ze realiseerde zich niet welke schade ze kon aanrichten: Kevin zou prompt als jeugdige delinquent geboekstaafd worden, misschien kwam er wel een arrestatie aan te pas, hij kon in een gesloten instelling terechtkomen, opgesloten tussen junkies en dealers, er zou een dossier worden geopend, hij zou gebrandmerkt zijn voor de rest van zijn leven.
"Hoe gaat het nu met meneer Beekman?" vroeg ik snel.
"Stabiel, en buiten levensgevaar," antwoordde Luukens strak, terwijl Renhilde me een boze blik toewierp. "Hij heeft geluk gehad: hij is op het dak van een geparkeerde wagen terechtgekomen. Dat heeft zijn val min of meer gebroken. Maar of hij ooit volledig zal herstellen, is twijfelachtig."
Over Peter vroeg ik maar niks. Van Eduard wisten we dat die in de gevangenis zat. Nadat Loes in paniek de politie had opgeroepen, vond een patrouille enkele straten verder een volwassen man, huilend tegen een lantaarnpaal, bij een wagen die vooraan ernstig beschadigd was.
Renhilde slikte.
"Denkt u dat Peter... omdat ik... om wat ik hem gezegd heb?"
De politieman zuchtte geërgerd.
"Dat hangt af van wát u hem juist hebt gezegd, mevrouw. Daarom ben ik hier. Onder andere."
"Het spijt me, inspecteur, maar ik herinner het me écht niet meer."
"Tja..."
De suggestieve toon van Luukens – *tja, dan zullen wij u moeten arresteren, mevrouw* – irriteerde me plotseling. Waar hield hij zich eigenlijk mee bezig? Zou hij niet beter Péter ondervragen? Straks was het nog Renhildes schuld dat Beekman was aangereden!
"Vindt u dat er niet een beetje óver, inspecteur? Uiteindelijk waren de woorden van mijn vrouw niet meer dan een *trigger*: om het even wie of wat zou Peter over de rand hebben geduwd. Waarom besteedt u niet wat meer tijd aan belángrijke dingen?"
Het klonk agressief, dat wist ik, maar ik had ineens genoeg van al dat oostblokgedoe – reageren tegenover de politie alsof het een of andere folterende geheime dienst is. Als burger betaalde ik hun loon. Ik had recht op een behoorlijke werking. Wat hadden ze tot nu toe gedaan? Onschuldige mensen met de vinger gewezen. Maar verder...

Blijkbaar had Luukens een slechte dag. Mijn woorden raakten een gevoelige snaar, en zijn gezicht betrok.
"U bedoelt de moord op Sofie Ruuckven? Daar *zijn* we mee bezig, meneer Vercammen," zei hij bits. "Op dit eigenste ogenblik zelfs. En ik betwijfel of ú het zult kunnen appreciëren."
"Inspecteur..."
"Neen, menéér Vercammen!" Zijn woede leek toe te nemen met elk woord dat hij sprak. "We zijn er niet alleen intensief mee bezig – we maken ook vorderingen! We hebben concrete aanwijzingen. *U* zou beter wat minder hoog van de toren blazen!"
"Ik? Wat heb ik er in godsnaam mee te maken?"
Luukens keek me aan – ingehouden woede, jager ziet prooi.
"Ik heb een mededeling voor u, meneer Vercammen, én een vraag. En niet in verband met wat meneer Beekman is overkomen."
Ik wierp een blik op Renhilde. Ze begreep het evenmin, zoveel was duidelijk. Nog voor ik iets kon zeggen, leunde hij voorover.
"Ik kan u tot mijn grote spijt uw computer nog niet terugbezorgen. We zullen hem nog een tijdje bij ons moeten houden."
Ongewild ontsnapte me een lachje. Ik had hem op de tenen getrapt, en hij sloeg meteen terug. Rancune van het zuiverste gehalte. Hij wilde me gewoon het leven zuur maken, omdat ik hem er met zijn neus had ingeduwd. En dát noemde zich inspecteur?
"*Mijn computerr*?" vroeg ik geamuseerd. "U doet maar. Ik hoop dat u er plezier aan beleeft."
Luukens leunde voorover, en keek me strak aan.
"Dat hoop ik ook. En eerlijk gezegd: ik ben er vrij zeker van. De kans dat we iets vinden, is groter dan ú waarschijnlijk denkt."
"Iets vinden? Wat vinden? Ik begrijp absoluut niet waarover u het hebt, inspecteur."
"Natuurlijk niet," mompelde hij cynisch. Hij richtte zich tot Renhilde. "Meneer Ruuckven heeft u iets over de foto verteld, nietwaar, mevrouw?"
Ze knikte.
"Welke foto?" vroeg ik. Ik herinnerde me vaag dat Renhilde iets dergelijks had gezegd – dat ze ook niet méér wist dan dat, of zoiets.
Luukens bleef me recht in de ogen kijken. Een tactiek die ik kende van vroeger: testen of je wel sterk genoeg bent om zo'n blik te weerstaan. Wie de blik afwendt, is schuldig. Ik keek terug, en focuste op de haartjes tussen zijn

wenkbrauwen.

"Het meisje is na de moord gefotografeerd," zei hij. "De foto is op het internet terechtgekomen. De dader wilde er geld mee verdienen."

"Hoezo?"

"Er *zijn* sites die betalen voor..." mompelde Luukens. "Blijkbaar wist de dader dat."

"Hoe kunt u zo zeker weten dat de dáder die foto heeft genomen? Voorzover ik weet, worden lijken áltijd gefotografeerd – door de politiediensten! Misschien houdt een van úw mensen er wel een bizarre hobby op na."

"Hebben we gecontroleerd," gromde Luukens. "Wat de *dader* zich blijkbaar niet heeft gerealiseerd, is dat we onze achterstand op het vlak van informatica hebben ingehaald. Hij heeft zelfs geen moeite gedaan om zijn sporen uit te wissen. We zijn erin geslaagd het tracé van de foto op het net te reconstrueren. We weten ondertussen met relatieve zekerheid vanwaar hij vertrokken is."

"Relatiéve zekerheid? Dat is even goed als niks," zei ik, op dezelfde strakke toon. "En áls u uw achterstand ook maar een béétje hebt ingehaald, weet u ook dat er honderden manieren zijn om valse sporen na te laten."

De inspecteur zweeg. Keek alleen maar. Blééf kijken. Ik moest terugdenken aan een voormalig leraar van me: die paste die truc ook altijd toe, en had ons daardoor ongewild getrained in het doorstaan van onderzoekende blikken.

Luukens had gevoel voor dramatiek: hij wachtte exact lang genoeg.

"Waarom hebt u de harde schijf van uw computer geherformatteerd, meneer Vercammen? Uitgerekend op de avond van de moord?"

Op dat ogenblik *wist* ik dat ik de tweestrijd had gewonnen. Ik beken dat het niet mooi van me was, maar ik kon de drang om met een superieure glimlach achterover te leunen, niet weerstaan.

"Ten eerste, inspecteur, weet ik niet eens hoé ik een harde schijf zou moeten formatteren, ook al kreeg ik er een miljoen voor. Mijn zoon is de computerspecialist in huis. Ten tweede: mijn computer raakte beschadigd door een virus. Toen ik het toestel die avond opstartte, verschenen er boodschappen waarvan ik dacht dat ze normaal waren, en toen ik na een tijdje achterdochtig werd en er mijn zoon bijhaalde, was het al te laat. En ten derde: van dát alles heb ik een getuige, meneer de inspecteur. Dus voordat u mij van iets beschuldigt..."

Tot mijn verbazing leunde Luukens op zijn beurt breed glimlachend achterover.

"Merkwaardig," zei hij. "Dat is haast woord voor woord het antwoord dat de specialisten me hadden voorspeld."
"De waarheid is inderdaad vaak voorspelbaar, inspecteur."
Renhilde schudde het hoofd.
"Eigenaardig," mompelde ze.
"Wat, mevrouw?"
"Eduard kwam eergisteren met een nieuwe computer uit de winkel – ik liep hem bijna omver. Hij zei dat zijn oud toestel versleten was. Op dat ogenblik vond ik het helemaal niet eigenaardig, maar achteraf bekeken... Ik wist niet eens dat hij een computer hád. En u zegt 'internet'. Als er in de wijk nu iémand is die daar alles over weet, is het Beekman wel. Met *zijn* verleden... Hij heeft het internet haast mee opgericht. En dan komen ze..."
Luukens schoof zijn stoel achteruit, en stond op.
"Meneer Beekman heeft een sluitend alibi," bromde hij.
Ik volgde meteen zijn voorbeeld. Regel één in dit soort situaties: zorg dat je altijd op dezelfde ooghoogte bent als de ander.
"Volgens mij, inspecteur, mag u ons dat niet eens zeggen. Procedurefouten."
"Het is geen geheim. Zoals het ook geen geheim is dat niet iédere wijkbewoner een alibi heeft."
Ik voelde de woede in me opwellen.
"Ik begin te begrijpen waarom er zoveel onderzoeken door de rechtbanken worden teruggefloten," sneerde ik. "U bent gewoon bevooroordeeld. U zoékt niet eens naar een dader."
Een ogenblik lang dacht ik dat hij zijn zelfbeheersing zou verliezen: hij balde zijn vuisten, ademde diep in, en slikte een paar keer. Hij kwam naar me toe, de ogen op de grond gericht, tot hij ongemakkelijk dicht voor me stond. Dan pas keek hij me aan.
"Luister goed, Vercammen: ik heb zelf vier kinderen," zei hij hees. "Een zoon, en drie dochters. Mijn jongste is toevallig op dezelfde dag geboren als Sofietje. Laten we zeggen dat ik een emotionele band heb met deze zaak. In zekere zin kan ik de reactie van Ruuckven zelfs begrijpen: ik weet niet hoe *ik* in zijn plaats zou reageren. Laat er dus geen twijfel over bestaan: ik zal de smeerlap vinden die hiervoor verantwoordelijk is."
"Ik hoop het, inspecteur," zei ik.
Hij keek me aan, wendde zich na enkele ogenblikken af, en liep de gang in, Renhilde en ik achter hem aan. Hij opende de voordeur, en draaide zich om.

"Dat betwijfel ik, Vercammen," zei hij. "Dát betwijfel ik."

Ik sliep slecht die nacht. Luukens' insinuaties bleven me door het hoofd spoken. Speelde hij blufpoker? Waarom dan wel? Kans was klein. Wie had die foto op het net gezet? Had die ook sporen in mijn richting uitgezet? En waaróm? Beekman? Té voor de hand liggend. Of speculeerde de Nederlander daar net op? Maar opnieuw, waarom dan wel? Eduard? Kende zogezegd niks van computers, en kwam dan 'toevallig' met een nieuw toestel uit een winkel. Waarom had hij ineens een ander nodig? En hij bezát een digitaal fototoestel. Net als Beekman. Maar zo waren er natuurlijk wel meer: wijzelf hadden er tenslotte ook een. En dat koppel bohémiens van enkele huizen verder.
Was dat misschien Luukens' bedoeling? Iedereen in de wijk mobiliseren, mee laten denken, zoeken? De boel door elkaar schudden, aan de kook brengen, tot er iets boven water kwam dat licht in de zaak zou brengen?
De ellende was dat ik inderdaad geen sluitend alibi had.

21. DONDERDAGVOORMIDDAG ST.-MICHAELSCOLLEGE

Rutger leunt met een colablikje in de hand tegen de muur van een paviljoen. Een vijftal medescholieren houden hem gezelschap, terwijl een zichtbaar versleten leerkracht nadrukkelijk in hun buurt patrouilleert. Opdracht van de directie. Bij het lerarenkorps is Rutgers populariteit onder het nulpunt gedaald, maar bij de leerlingen is zijn aantrekkingskracht nooit zo groot geweest. Hij is de held die de bende van Nathan heeft durven weerstaan. Dat zijn vader nu het slachtoffer is geweest van een moordpoging, maakt het alleen maar spannender – er wordt zelfs gefluisterd dat Nathans kompanen erachter zitten.

"Daar," zegt hij plotseling, met een gebaar in de richting van de toiletten. "*Smeagel* komt uit zijn hol."

Aan de overkant laat Kevin een toiletdeur zonder omkijken achter zich dichtvallen, zodat een surveillerende leerkracht ze bijna tegen het gezicht krijgt. Uitdrukkingsloos aanhoort hij de reprimande, handen in de zakken, waarna hij verveeld naar het midden van de speelplaats slentert. Wanneer hij het groepje bij het paviljoen opmerkt, aarzelt hij zichtbaar.

"De zeik loopt 'm langs de benen," sneert Rutger. "Mijn 'beste vriend'! Hij weet het maar al te goed."

"Wat?" vraagt een van zijn kompanen.

Rutger antwoordt niet, maar kijkt grimmig toe hoe Kevin naar een bank bij een muur loopt.

"Kom," zegt hij. "Ik zal jullie tonen wát... Danny?"

"Ja, Rutger?"

Rutger knikt in de richting van de versleten leerkracht. De aangesprokene draait zich om, loopt tot achter de man, en vraagt hem beleefd wat ze nu juist moeten studeren voor die test van aardrijkskunde. De docent, gevleid door die onverhoopte aandacht voor zijn vak, draait zich naar de kleine Danny toe en vertelt omstandig wat belangrijk is, en merkt zodoende niet dat Rutger en zijn volgelingen naar de overkant van de speelplaats drentelen.

Kevin reageert niet. Hij mag dan wel geen contact zoeken met Rutger, maar als dit omgekeerd gebeurt, kan *hij* daar toch niks aan verhelpen?

Het groepje stelt zich op in een halve cirkel voor de bank.

"Je mond niet kunnen houden, *Smeagel*?"
Gelach. Enkelen stoten elkaar aan. Kevin staart voor zich uit.
"Wel?"
"Heb je het tegen mij?"
"Tegen wie anders? Ik zei het toch? *Smeagel*." Opnieuw gelach.
"Laat me met rust."
"Zou je wel willen, ja. Eerst de boel naar de pietjes helpen, en daarna rustig op een bankje van het zonnetje genieten."
"Ik weet niet waar je het over hebt."
"Natúúrlijk niet! Alles aan mammie verraden?"
"Wát dan?"
Rutger doet geen moeite om zijn minachting te verbergen.
"Als er winst te verdelen was, speelde je altijd mee. Maar als het over risico's ging... Wordt het één keertje warm, en wham, meneer holt meteen naar mammie... Wat heb je met de knaken gedaan die je eraan hebt overgehouden? Ook aan mammie gegeven? Of in je zak gestoken?"
"Ik heb helemaal..."
"Hou toch je bek, beschuitlul," onderbreekt Rutger zijn voormalige vriend brutaal. "Mammie wilde wraak, niet? Daarom jutte ze die autofreak op om mijn pa te pakken. Die stomme boerenkut wist natuurlijk niet beter. Maar *Smeagel*, dié wist wel beter... En die deed z'n bek niet open."
Kevins gezicht betrekt. Hij kijkt Rutger een moment lang strak in de ogen, en zegt dan haast toonloos:"Misschien is mijn moeder niet de verstandigste, kan best. Maar ze laat zich tenminste niet voor geld in haar blote kont filmen, terwijl ze door drie gasten tegelijk gepakt wordt. Dat soort mensen heeft een naam, weet je. Maar ik zal beleefd blijven."
Het gelach verstomt. *Smeagel* heeft wel lef: de vorige die zoiets zei, heeft ervoor betaald met een oog.
Rutger slikt.
"Niemand heeft dat op deze school ooit ongestraft kunnen zeggen," fluistert hij. "En jij zult daarop geen uitzondering zijn."
"Is het niet waar soms?"
Rutger zet een stap in Kevins richting, die opveert. Het groepje vergroot de halve cirkel, zodat er ruimte voor een gevecht ontstaat, terwijl de geïmproviseerde arena toch aan het oog van buitenstaanders onttrokken blijft.
De Nederlander gaat echter niet door. Hij beseft dat er van een verrassingsaanval geen sprake meer is, en dat zijn kansen op succes daarvoor fel ver-

kleind zijn. Hij kijkt de ander strak aan, en richt zijn wijsvinger als de loop van een geweer.
"Als ik jou was, *loser*, zou ik vanaf vandaag héél goed uitkijken," sist hij. "Zorg voor rugdekking als je naar huis gaat. Pas op voor stille straatjes: je weet nooit wie er op de loer ligt. Of wat er kan gebeuren... Je hebt me geflikt, *Smeagel.* Daarvoor ga je betalen. En je zult pas weten hoe als het te laat is."
Kevin steekt op zijn beurt zijn wijsvinger uit.
"Verdomme, Rutger, ik heb helemaal niemand..."
Opnieuw wordt hij onderbroken, dit keer door de versleten surveillant, die achterdochtig is geworden omdat *de bende van de Hollander* zich plotseling op een andere plaats bevindt.
"Wat is dat hier allemaal?" vraagt hij streng, terwijl hij twee scholieren opzijduwt. Rutger draait zich meteen om.
"Kevin wilde me iets vragen, meneer," antwoordt hij op schuldbewuste toon. "Ik weet ook wel dat wij elkaar niet meer mogen... maar... Nu ja, het is mijn fout: ik had niet mogen toegeven..."
De leraar knikt.
"Maak dat jullie wegkomen," bromt hij. Het groepje draait zich met tegenzin om en sleft naar de andere kant van de speelplaats. "Vercammen, Vercammen..." vervolgt hij hoofdschuddend. "Wat is er de laatste tijd toch met jou aan de hand? Vroeger was jij... En nu... Enfin, het is je eigen schuld: vooruit, naar de directeur."

22. MAANDAGAVOND – BIESBOS

"Weet je waar ik deze broek gevonden heb?" vroeg Renhilde nijdig. "*Onder* zijn bed! Eén groot stofnest. Het wordt verdomme erger met de dag!" Ze had net de wasmand op tafel leeggemaakt, en gooide nu elk kledingstuk afzonderlijk terug, waarbij ze telkens eerst de broekzakken onderzocht. "Jullie zijn allebei gelijk: als ik niet eerst jullie zakken leegmaak, raakt de wasmachine gewoon verstopt door al het papier! Maar dat kan jullie natuurlijk niks schelen!"
Ik zweeg. We hadden niet meteen het aangenaamste weekend van het jaar achter de rug, en we bevonden ons nog steeds in een toestand van gewapende vrede, waarin elk woord de vijandelijkheden opnieuw kon doen losbranden. Als ik durfde zeggen dat geen enkele van mijn broeken op dit ogenblik in de wasmand lag, zou dat waarschijnlijk geïnterpreteerd worden als een regelrechte oorlogsverklaring.
Eén enkel telefoontje had het weekend om zeep geholpen. De directeur van het college had gemeld dat Kevin nog steeds contact zocht met Rutger, in tegenstelling tot de afspraken. Goed, Renhilde hád de man inderdaad gevraagd haar te waarschuwen indien onze zoon zich niet aan de regels hield, maar ik kon nauwelijks geloven dat een school zich wel concentreerde op twee jongens die niet met elkaar mochten práten, maar futiliteiten als drugsdealen, verboden wapendracht en *stalking* ongemoeid liet. Alleen... Dat had ik natuurlijk niet mogen zeggen.
Toen Kevin thuiskwam en vertelde – bewéérde, volgens Renhilde – dat Rutger het initiatief had genomen, was het hek helemaal van de dam. Ze schold hem uit voor leugenaar, en joeg hem naar zijn kamer, met de mededeling dat ze hem naar een andere school zou sturen.
Waar ik het natuurlijk niet mee eens was.
Het hele weekend lang discussieerden we erover. Nu ja...
Ze kon toch niet bewijzen dat Kevin loog? En hoe dacht ze te beletten dat de twee elkaar nog zagen? Door hem de hele tijd in zijn kamer op te sluiten? En wat zou een andere school veranderen? Rutger wóónde nu eenmaal in dezelfde wijk als wij. Wilde ze misschien verhuizen? Wélke school trouwens? Een stáátsschool misschien? Dan was het hek helemaal van de dam! Bovendien kon je een kind toch niet eeuwig onderdompelen in de sfeer van wantrou-

wen, die er nu heerste? Welke soort opvoeding gaf je dán? Wilde ze dát? Natuurlijk wilde ze dat niet. Het was alleen allemaal *mijn* schuld: ik was veel te goedgelovig, had hem tot op het bot verwend, verdedigde hem altijd, ook wanneer hij overduidelijk in de fout ging. Daardoor was hij er nu van overtuigd dat hij zich álles kon veroorloven. Ik weigerde de realiteit onder ogen te zien, ik was een slappeling, ik was ook nooit thuis, zij moest altijd alle problemen oplossen – en zo bleven we het hele weekend bezig. Kevin kwam niet van zijn kamer. Wat hij er al die tijd deed, bleef me een raadsel. De computers hadden we overigens nog steeds niet terug, en van de inspecteur zelf hadden we evenmin iets gehoord.

"Ik ga de was beneden in de machine stoppen! Iemand moet tenslotte het werk doen! Geniet jij ondertussen rustig verder van je krant," sneerde Renhilde. Ze wurmde zich met de wasmand nijdig door de deuropening, trok de deur net te hard dicht, en stommelde de trap af naar de kelder.

Het feit dat Kevin 's ochtends toch opnieuw naar het St.-Michaelscollege vertrokken was, zat haar blijkbaar nog steeds dwars. Maar je kon een kind toch moeilijk middenin een schooljaar van school laten veranderen omdat het had gepráát met een vriendje?! Renhilde zag dat natuurlijk ook wel in, maar toegeven was heel wat anders.

Ik legde de krant neer, en stond op. Iemand moest de slimste zijn. Ik zou de rommel, die uit Kevins broekzakken was gekomen en nu over de hele tafel verspreid lag, in de vuilnisbak gooien, en daarna het tafelkleed verversen. Daar kon ze onmogelijk naast kijken. En dan was zij weer aan zet. Als ze vrede wilde...

Toen ik zag wát er allemaal op de tafel lag, kon ik haar ergernis wel begrijpen. Twee keitjes, verfrommelde papiertjes van verschillende kleuren en afmetingen, een stukje potlood zonder punt, drie gekleurde snoepjes zonder wikkel, waarvan één zichtbaar een tijdje in iemands mond had doorgebracht, een vijftal verbogen nietjes, en iets dat leek op een stukje gesmolten chocolade dat door een stofnest was gerold...

Ik vraag me nog steeds af of alles wel zou gebeurd zijn als ik toen de tafel niét had willen reinigen. Natuurlijk, het leven *is* als een ketting van minuscule schakeltjes: élk schakeltje is even belangrijk, dat weet ik ook wel. Maar als je terugkijkt op oorzaak en gevolg, zijn sommige gebeurtenissen zó futiel en onbeduidend dat het moeilijk is om te aanvaarden dat ze zulke grote gevolgen hebben gehad.

Het was puur toeval. Ik probeerde het hele zootje gewoon bij elkaar te vegen,

zodat ik het met één beweging in de vuilniszak zou kunnen kieperen. Eén van de papiertjes bleef aan de tafel kleven, en draaide gewoon om.
Zelfs toen het papiertje met de beschreven kant omhooglag, had ik niet de bedoeling om het effectief te lézen. Mijn oog viel er gewoon op. Het zou waarschijnlijk niet tot me zijn doorgedrongen wat er stond, als niet iets in mijn brein het meteen herkende. En tegelijk ook een alarmsignaal meestuurde.
Ik las het drie keer opnieuw, alsof ik hoopte dat mijn ogen me bedrogen. En toen kreeg ik het warm en koud tegelijk.
Dit kón gewoon niet. Tenzij...

23. DONDERDAGVOORMIDDAG – SUPERMARKT

"Wel, wel. Wat een eer om jou in de supermarkt te zien," zegt een stem achter haar.
Renhilde draait zich om. Eduard manoeuvreert zijn karretje moeizaam naast het hare, zonder zich iets aan te trekken van de andere klanten.
"Moet jij normaal niet werken?"
Ze knikt.
"Ja. Maar ik heb een dag vrijaf genomen," antwoordt ze, terwijl ze opzijleunt en tweehonderdvijftig gram voorverpakt gehakt uit een koeltoog haalt.
'Toch niet voor die spaghetti van vanavond?" vraagt Eduard, met een gebaar naar haar aankopen.
"Neen, neen," antwoordt ze glimlachend, zonder er verder op in te gaan. Eduard laat zich echter niet zo gemakkelijk afschepen.
"Ha," zegt hij cynisch. "Ik begrijp het al. Laat me raden: je moet vanmiddag op ziekenbezoek bij onze Hollander."
"Niet echt, neen." Het klinkt grimmiger dan ze wil, en Eduard pikt het signaal moeiteloos op.
"Oei," zegt hij. "Dat was blijkbaar tegen het zere been. Jullie Kevin is toch goed bevriend met hun zoontje?"
"Niet meer."
"Hebben ze ruzie gemaakt?" vraagt Eduard, met de begrijpende glimlach van een grootvader die het allemaal al eens eerder heeft gezien.
"Niet meteen. Hij mág Rutger niet meer zien. Van *mij*!"
De ambtenaar op rust is verrast door de agressieve toon van haar reactie. Enkele ogenblikken loopt hij zwijgend met haar mee naar de afdeling 'zuivelproducten'. Halverwege echter legt hij plotseling zijn hand op haar arm, en houdt haar tegen.
"Luister, Renhilde," zegt hij ernstig. "Het zijn mijn zaken niet. Iedereen het zijne. Maar ik denk dat je een verstandige beslissing hebt genomen – er *is* iets met die Hollandse familie. Dat zeg ik trouwens al van bij het begin, maar niemand wilde me geloven. En er moet me iets van het hart... Ik weet niet of *jij* het weet, maar... Ik heb de Hollander en jouw zoon twee weken geleden nog samen gezien, op straat. Ze gaan naar dezelfde school. Je beseft toch dat het héél moeilijk wordt om ze..."

"Dat weet ik, Eduard." Ze kijkt haar overbuur recht in de ogen. "En ik apprecieer het dat je me op de hoogte houdt. Maar het probleem heeft zichzelf grotendeels opgelost."
"Ik zeg niet dat het dat Hollands manneke zijn schuld is. Uiteindelijk heeft hij zijn ouders niet gekozen. En als je in *zo'n* milieu opgroeit..."
"Zó onschuldig is hij ook weer niet."
"Dat bedoel ik ook niet."
Renhilde schudt het hoofd.
"Je hebt natuurlijk wel gedeeltelijk gelijk: als je je hele leven lang wordt ondergedompeld in een sfeer van keiharde business, kan het niet anders dan dat je persoonlijkheid erdoor misvormd raakt."
"Het schijnt nogal een vechtersbaasje te zijn, heb ik gehoord." Eduard fronst. "Hij zou iemand een oog hebben uitgeslagen of zoiets."
Renhilde knikt.
"Jongens, toch," zegt Eduard hoofdschuddend.
"Dat is lang niet alles, Eduard. Het gaat verder dan je denkt," zegt ze, haar blik naar binnen gekeerd. "Véél verder."
Ze maakt zich los en duwt haar karretje tot bij een rek met melkkartons. Eduard volgt haar alsof hij haar persoonlijke bediende is. Terwijl ze enkele kartons overlaadt, buigt hij zich naar haar toe. Hij dempt zijn stem.
"Je hebt iets ontdekt, niet? Ik zie het aan de manier waarop je kijkt. Je weet iets dat... Misschien moet je de politie maar eens op de hoogte brengen... Het zou me niet verbazen als die familie iets met de moord op Sofietje te maken heeft..."
Renhilde ademt diep, legt een laatste karton melk bovenop het vorige, kijkt hem enkele ogenblikken lang onderzoekend aan, en haalt dan de schouders op. Waarom zou hij het tenslotte niét mogen weten?
"Ik weet het niet," zegt ze. "Ik had daarnet een afspraak met de directie van Kevins school – ik heb er speciaal een dag vrijaf voor genomen. De directeur had ons beloofd dat hij de twee uit elkaar zou houden, maar dat was blijkbaar al een paar keer misgelopen. Ik wilde hem duidelijk maken dat we Kevin naar een andere school zouden sturen als het nog eens gebeurde, maar hij vertelde me dat dit niet nodig was. Rutger gaat blijkbaar sinds gisteren niet meer naar het St.-Michaelscollege. Hij is er met andere woorden uitgegooid."
"Wel, wel... En waarom?"
"Dat wilde de directeur natuurlijk niet zeggen. Privacy. Maar ik vroeg het me ook af natuurlijk."

"En?" Eduard voelt dat haar verhaal nog niet af is.
Ze glimlacht flauw.
"Ik wist wie ik moest contacteren om erachter te komen. Een van de leraars lichamelijke opvoeding – iemand die me een tijdje geleden al eens vertrouwelijke informatie had gegeven. Iemand die het niet eens is met de officiële doofpotpolitiek van de school. Ik had geluk: ik moest hem niet eens opzoeken. Ik liep hem toevallig tegen het lijf."
Als Renhilde onderzoekend om zich heen kijkt, fronst Eduard opnieuw.
"Is het zó erg?"
"Ze vermoedden al een tijdje dat hij *dealde*," zegt ze een moment later op vertrouwelijke toon. "Uiteindelijk hebben ze hem kunnen betrappen. Enfin: iemand heeft hem verraden. Er zat een anoniem briefje onder de deur van het directiekantoor – ze moesten Rutgers boekentas maar eens écht goed onderzoeken, stond er. Geloof het of niet, Eduard, maar de boekentas van dat 'onschuldig Hollands manneke' had een dubbele bodem! Er zaten xtc-tabletten in. Om te verkopen tijdens de speeltijden."
"Onvoorstelbaar! Op die leeftijd? En wat hebben ze dan gedaan? De politie gewaarschuwd?"
"Neen. Daarom was de leraar lichamelijke opvoeding ook zo kwaad. Ze hebben de moeder erbij geroepen, en haar een ultimatum gesteld: als ze Rutger onmiddellijk van de school haalde en ergens anders inschreef, zou het college verder geen gevolg geven aan de feiten. Anders was het politie en gerecht. Natuurlijk koos madame voor het eerste."
"Dus, de politie weet nergens van?"
Als Renhilde de schouders ophaalt, schudt Eduard zuchtend het hoofd.
"Het zijn mijn zaken natuurlijk niet, maar... Zou je ze dan niet beter op de hoogte bréngen, voor alle zekerheid?"
"Daar ben ik nog niet uit," antwoordt ze plotseling beslist, en ze vertrekt in de richting van de kassa's. Eduard loopt meteen achter haar aan, grabbelt in het voorbijgaan hier en daar snel iets uit een rek, en belandt uiteindelijk achter haar in de rij bij kassa drie.
"Waarom zou je het niet doen?" vraagt hij.
Ze zucht.
"Ik heb geen zin om mijn zoon op een goede dag in het ziekenhuis terug te vinden. Of erger."
"Hoezo?"
"Als ik de politie iets vertel, zal Beekman junior worden ondervraagd. Met

een beetje pech hoort hij dan het hele verhaal. Als hij te weten komt dat hij verraden is, denkt hij misschien dat Kevin hem er heeft bij gelapt. Wie weet wat er dan gebeurt... Ik ben allang blij dat hij niet meer op Kevins school zit." Ze kijkt hem aan. "En ik zou het erg waarderen als jij hierover ook je mond zou willen houden," zegt ze.
"Natuurlijk, natuurlijk," zegt Eduard haastig. "Mijn naam is haas."
Renhilde produceert iets dat voor een dankbare glimlach moet doorgaan, en kijkt in het karretje van de gepensioneerde bediende, op zoek naar een ander gespreksonderwerp.
"Wel, wel. Wat is dat, Eduard?" vraagt ze geamuseerd. Ze wijst naar een felgekleurde blisterverpakking.
"Wat?" vraagt Eduard. "Ah, die zuigfles... Euh, een cadeautje voor mijn dochter."
"Ach zo. Word je grootvader?"
"Neen, neen. Nu ja, toch niet voorzover ik weet. Maar... Laat ons zeggen dat het een suggestie is."

24. DONDERDAGAVOND – BIESBOS

Toen Renhilde na het avondmaal Kevin vroeg wanneer hij naar de schouwburg wilde vertrekken, en hoe hij daar dacht te geraken, verraste dat de jongen. Toen ze dan ook nog voorstelde om hem na de voorstelling in de stad op te pikken, kon hij zijn verbazing heel even niet verbergen. Tot dan toe had zijn moeder zich verzet tegen het door de school georganiseerde theaterbezoek. En nu ineens...
Kevin had zich natuurlijk onmiddellijk weer onder controle. Met de koele blik van *zoete-broodjes-bakken-helpt bij-mij-niet* antwoordde hij dat het hem om het even was, maar dat hij dan wel nú moest vertrekken, wilde hij nog op tijd zijn. Toen Renhilde voorstelde om hem onmiddellijk naar de tramhalte te rijden, knikte hij als een jonge *pasja*. Ondergetekende kreeg de opdracht om in de tussentijd de tafel af te ruimen en de afwasmachine vol te laden. Toen ik zei dat ik dat met plezier zou doen, kreeg ik een oogopslag die duidelijk maakte waar Kevin *zijn* blik vandaan had.
Ik probéérde niet eens om Renhildes bizar gedrag te verklaren – ze zou het wel uitleggen als ze terug was. Nadat ze de deur had dichtgetrokken, en terwijl ik de afwasmachine leegmaakte, gleden mijn gedachten automatisch naar Het Papiertje.
Het Vervloekte Papiertje. Het leek het enige waaraan ik nog kón denken. Al drie dagen trachtte ik er een verklaring voor te vinden. Instinctief had ik er tegen Renhilde over gezwegen. Ik kon niet inschatten hoe ze zou reageren, en ik vreesde een beetje dat ze uit de bol zou gaan. Veiligheidshalve had ik het daarom ook maar verscheurd. Het probleem was echter dat ik niet wist wat ik moest doen.
Ik kon er de jongen mee confronteren. Iets zei me dat het geen oplossing was: hij zou me iets op de mouw spelden, iets zo voor de hand liggend dat ik het wel moest aanvaarden, en dan kon ik er daarna niet meer op terugkomen. Maar die redenering had een kwalijke bijklank: immers, waar was *mijn* vertrouwen dan in onze zoon? Ik kloeg altijd over de achterdocht van mijn vrouw, maar zelf was ik dan al niet veel beter. Aan de andere kant was ik natuurlijk niet zo goedgelovig als zij altijd beweerde: ik voelde best dat er iets niet klopte. Als ik mijn gedachten echter de vrije loop liet, en deze zich konden uitleven in hun natuurlijke voorkeur voor doemscenario's, belandde

ik binnen de kortste keren in een nachtmerrie. De vraag stelde zich uiteraard of de zaak wel zo belangrijk wás. Als die verdomde inspecteur Luukens er niet was geweest, had ik de hele situatie waarschijnlijk allang weggelachen. Maar nu *wilde* ik een verklaring vinden, al was het maar voor mijn eigen zielenrust. Hoe was die lettercombinatie in Kevins broekzak terechtgekomen? Het was wel degelijk *zijn* geschrift geweest.
Ik had net de afwasmachine aangezet, toen Renhilde terugkeerde van de tramhalte. Ze kwam de living binnen, en wierp een korte blik op de afgeruimde tafel.
"Rutger is van school gestuurd," zei ze strak.
Natuurlijk! Dat maakte veel duidelijk. Rutger zou er niet meer bij zijn in het theater. Daarom had ze haar bezwaren laten vallen.
"Om welke reden?"
Ze grijnsde. Had ze het niet altijd al geweten? Weliswaar was ze een verwoed verdediger geweest van de familie Beekman, maar dát opwerpen, leek me nu niet meteen een verstandige zet.
"*Dealen*," antwoordde ze. Medeleven met de Nederlanders was er niet meer bij. Ze leek tevreden. *Zie je wel!* "Ze hebben hem betrapt. XTC."
"*Jesus!*"
"Zeg dat wel." Ze zette haar handtas met een beslist gebaar op een stoel bij de tafel, en draaide zich naar me toe. "En nu moet jij eens goed naar me luisteren." Over wat er nu kwam, kon niet onderhandeld worden. "Wat wij nu gaan doen, is Kevins kamer controleren. Samen. En ik bedoel nú."
Ik zuchtte. Sedert ik het papiertje had gevonden, speelde ik met hetzelfde idee.
Renhilde interpreteerde mijn zucht natuurlijk verkeerd.
"Luister, Bernard, ik ben ongerust, oké? Ik wil zeker zijn dat zijn kamer clean is, tot in het kleinste hoekje. Kom alsjeblieft niet aandraven met privacy of zo! Het gaat hier over zijn toekomst."
Ze keek me uitdagend aan, in de overtuiging dat ik nu zou beginnen tegenpruttelen. Tot haar zichtbare verrassing deed ik dat echter niet.
"Je hebt volkomen gelijk. Ik ben zelfs blij dat je het voorstelt," zei ik. "Niet dat ik geloof dat we iets zullen vinden, maar ik zal me net als jij geruster voelen. Laten we het maar meteen doen."
Even zocht ze naar sporen van dubbelhartigheid op mijn gezicht, maar toen ze die niet vond, knikte ze. Het leek alsof haar initiatief eigenlijk tegen mij gericht was, in de overtuiging dat ik me ertegen zou verzetten, want mijn in-

stemming maakte haar zichtbaar onzeker. Wat moest ze er nu van denken?
Ik slikte. Eensklaps drong het tot me door dat mijn vrouw niet alleen haar zoon wantrouwde. Wat was er verdomme aan de hand? Wat was er met onze relatie gebeurd? Diep in mijn achterhoofd sprong plotseling een duiveltje recht, in de gedaante van Patricia: *geloof je nu echt dat jouw vrouw van zesendertig niet méér wil, en niet af en toe aan de verleiding toegeeft?* Was het dát? Had ze een ander? Was het met hem allemaal zoveel beter, dat alles wat de stempel 'thuis' droeg, haar nog slechts irriteerde? Of was het omgekeerd? Had Patricia haar tóch wijsgemaakt dat wij een relatie hadden, of dat ik een toenaderingspoging had gedaan? Als Renhilde dát geloofde, was dat een mogelijke verklaring voor haar wantrouwen. Maar wat had Kevin daar dan mee te maken? Of beschouwde ze onze zoon misschien eerder als *mijn* zoon – zo vader zo zoon? Ik begreep er niks meer van. Als Renhilde van Venus kwam, was mijn oorspronkelijke thuis eerder een melkwegstelsel aan de rand van het heelal.
Eén ogenblik lang stond ik op het punt om het haar gewoon te vragen, maar net toen ik voldoende moed bij elkaar had, draaide ze zich om, en zei: "Goed. Kom op."
Onzeker liep ik achter haar de trap op. Verman je, dacht ik. Je kunt je nu niet veroorloven om sentimenteel te worden. Verlies je oorspronkelijk doel niet uit het oog: het papiertje. Is er in Kevins kamer iets te vinden dat het kan verklaren?
"Ik vermoed dat jouw kamer er vroeger ook zo bijlag?" vroeg Renhilde cynisch, nadat we ons met enige moeite toegang hadden verschaft tot het hol van onze zoon.
"Op de kostschool? Zo? Denk je dat ze dat zouden aanvaard hebben?" Ik zinspeelde zelden op mijn jeugd, want ik wist dat het Renhilde raakte, maar met haar onnadenkende sneer had ze het dit keer zelf uitgelokt.
Ik zag meteen dat het haar speet. Zich verontschuldigen was echter een brug te ver.
"Goed," zei ze stuurs. "Hoe pakken we dit aan? Al die rommel. Het is onmogelijk om het achteraf in dezelfde staat achter te laten. Hij zal het merken."
"Niet noodzakelijk. Sommige plekken hoeven we niet te controleren: alles wat op de grond ligt, kunnen we met rust laten, bijvoorbeeld. Dan valt het al veel minder op."
Renhilde keek me verwonderd aan. Waar is de onvoorwaardelijke verdediger van mijn zoon, leek ze te denken. Ik negeerde haar blik, en trok een bureau-

lade open.
Cd's, een doosje nietjes, een handschoen, verkreukelde papiertjes, een potlood zonder punt, een mp3-speler, enkele keitjes, een miniperforator, een sleutelhanger, computerdiskettes – niks bijzonders. De twee andere laden leverden evenmin iets op. Terwijl ik vluchtig het bureaublad bekeek – een vel papier, twee geopende ringmappen en een vulpen zonder dop – doorzocht mijn vrouw de kleerkast. Ze ging grondig te werk: ze haalde er alle kleren uit, onderzocht élke zak, betastte z'n ondergoed, en bestudeerde daarna gedurende enkele ogenblikken eerst de binnenkant van de kast voordat ze alles terug op z'n plaats legde. Toen ze daarna op een stoel klauterde om óp de kast te kunnen kijken, voelde ik me eensklaps belachelijk.
Waar waren we in godsnaam mee bezig? Als fanatieke politiehonden doorsnuffelden we stiekem de kamer van onze zoon, alsof het om een misdadiger ging. Ons bloedeigen kind, verdomme! Wat dachten we eigenlijk te kunnen vinden? Een zak XTC-pillen? Hasj? Marihuana? Porno? Illegalen? En waar was *ik* naar op zoek? Naar bewijzen van wát? Stel dat ik nog meer aanwijzingen vond dat hij inderdaad... Wat dan? Wat bewees dat dan? Niks toch.
Net toen ik Renhilde wilde zeggen dat we er maar moesten mee ophouden, haalde ze iets van de bovenkant van de kast.
"Moet je dit zien," bromde ze hoofdschuddend, met in haar hand de dop van de vulpen. "Leg mij maar eens uit hoe dit óp een kast kan geraken."
Ik grijnsde.
"*Ons* bloed, schat. We hebben jouw portefeuille toch ook al eens in de ijskast teruggevonden?"
"Dat is niet hetzelfde."
Ik zuchtte.
"Neen. Natuurlijk niet."
"Jongens toch," vervolgde ze, reikte naar de bovenkant van de kast en overhandigde mij een voor een wat ze vond. "Wat ligt hier nog allemaal? Een sok. Zeg nu zelf: een sók! Hiér! En een balpen. En nog zoiets: het glas van zijn vorige horloge. Weet je nog dat hij een andere horloge nodig had, omdat het glas weg was? Het was er zogezegd op school afgevallen, tijdens de les lichamelijke opvoeding. En waar ligt het? Op de kleerkast, meneer. Kom me nu niet vertellen dat hij dat niet wist, hè! Wat nog? Een computerdiskette. En een handschoen. Eén. Waar is de andere?"
Ik legde alles op het bureaublad, en trok de lade opnieuw open.
"Hier," zei ik.

Toen ik opnieuw naar het bureaublad keek, viel het me plotseling op. Alles wat van de kast was gekomen, zat onder het stof, het ene al wat meer dan het andere, maar toch. Behalve de diskette. Die leek net uit een doosje te komen. Zonder label, maar wel met een kruisje erop, in viltstift. Of was het een 'x'? Gemarkeerd In elk geval. Waarom geen label? Waarom gemarkeerd? En waarom op de kast? De diskettes in zijn schuif hadden allemaal een label – hij was veel te veel computerfreak om nonchalant om te springen met z'n materiaal. Die diskette had op de kast gelegen om een welbepaalde reden.
Terwijl Renhilde Kevins boekentas doorzocht, stak ik de diskette in een opwelling stiekem in mijn broekzak. Ik kon de inhoud ervan weliswaar niet meteen onderzoeken: zowel mijn computer als die van mijn zoon bevonden zich nog steeds bij een of andere politiedienst. Maar ik kon ze de volgende dag wel op kantoor onder de loep nemen. Zou ik iets vinden? Waarschijnlijk niet. De kans was groot dat hij ze in een woedeopwelling gewoon had weggegooid omdat ze op het verkeerde moment was stuk gegaan. Dat deden diskettes altijd. Maar ik wilde zekerheid. Zielenrust.
Een halfuur later kwamen we tot de conclusie dat Kevins kamer clean was. Nu ja: ze was natuurlijk wel een geschikte kandidaat voor de titel van smerigste puberhol van het jaar, maar er was geen spoor te vinden van illegaal materiaal. Dat leek Renhilde overigens niet écht plezier te doen. Ze gaf eerder de indruk dat ze stiekem had gehoopt iets te zullen vinden: dat zou haar grote gelijk hebben aangetoond. Het is niet omdat je geen bewijs van schuld vindt, dat iemand onschuldig is, leek haar redenering.
Ik moet bekennen dat het resultaat van ons onderzoek mij evenmin echt bevredigde. Ik had nog steeds geen verklaring voor de herkomst van het papiertje. Ik had alleen een diskette gevonden, maar die zou me hoogstwaarschijnlijk niet veel verder brengen.
"Wat zeggen we hem, als hij erachter komt dat we op zijn kamer zijn geweest?" vroeg ik Renhilde, toen we opnieuw in de living zaten.
"De waarheid?"
"Dat lijkt me niet zo'n best idee."
"En waarom niet?!" Ze klonk agressief.
Ik zuchtte. Even wilde ik vragen waarom ze de laatste tijd zo nijdig klonk, maar ik beheerste me. Het leverde toch niets op, niet nu.
"Zou jij zo'n duidelijke blijk van wantrouwen leuk hebben gevonden als kind? Hoe zou jij je gevoeld hebben als je ouders stiekem je kamer zouden hebben doorzocht? Pubers *zijn* al labiel. Laten we het nu niet nóg erger ma-

ken dan het al is."
"Dus, we zijn niet op zijn kamer geweest?" zei ze cynisch.
Ik dacht even na. Waarschijnlijk zou het hem wel opvallen dat sommige dingen op een andere plek lagen.
"Toch wel. Z'n deur stond op een kier. We wilden in een opwelling zijn kamer opruimen, maar na enkele minuten hebben we het opgegeven. En we zeggen erbij dat zijn kamer nog *dit* weekend moet worden uitgemest, en dat *hij* daarvoor verantwoordelijk is."
Waarom ze het ermee eens was, weet ik natuurlijk niet. Berusting? Geen zin meer in bekvechten? Vermoeidheid? Ze knikte in elk geval, zij het met een licht schouderophalen, om me te laten voelen dat ze haar pogingen staakte om me het licht te laten zien. Ze greep naar de afstandsbediening, knipte de tv aan, en liet zich in de sofa zakken.
Terwijl we beiden naar een of ander idioot spelprogramma staarden, rolde mijn geest als Sisyfus telkens opnieuw terug naar Het Papiertje. Allerlei bedenkingen en doemscenario's wisselden elkaar af, om uiteindelijk telkens weer opnieuw bij dezelfde cruciale vraag te belanden: hoe was hij achter die lettercombinatie gekomen?
Het gepieker leverde slechts meer onrust op. Tot me ineens een andere vraag te binnen schoot.
De potentiële consequenties ervan waren nog beangstigender. Hoe langer ik erover nadacht, hoe ongeruster ik werd. Hoe onbelangrijker het feit werd dát hij het paswoord van mijn computer kende, en had genoteerd.
Waarom had hij het opgeschreven?

25. VRIJDAGVOORMIDDAG – BRUSSEL

"Ik snap er niks van," zegt Tom, een dertigjarige computerspecialist, in een van de kantoren van *Ralph & Stearns*. Hij tikt een paar keer op het klavier van de computer vóór hem, maar zonder succes.
"Was dat niet het leuke aan deze job?" Jonas, de andere helft van de afdeling informatica, geeft de monitor een klap, zonder resultaat. "Jij was toch dol op nieuwe uitdagingen, of heb ik dat verkeerd begrepen?" vraagt hij cynisch.
Tom grijnst.
"Er zijn uitdagingen en uitdagingen. Wat hiermee gebeurd is... Die harde schijf is zo leeg als het hoofd van onze baas."
"Bedoel je dat er dan echt *niks* meer opstaat?" vraagt Jonas ongelovig.
"*You've got it, man.*"
"Maar blijkbaar werkt ze nog wel?"
Tom knikt.
"Dat is dan weer het *verschil* met onze baas."
"Kunnen we die twee niet van plaats verwisselen?"
Tom schudt het hoofd.
"Dat gaat Marie-Ange niet willen, vrees ik," antwoordt hij ernstig.
Jonas reageert op dezelfde toon.
"Dat weet ik nog zo niet. Misschien heeft ze het met een harde schijf nog *niet* gedaan."
"Marie-Ange kennende zou ik daar maar niet te zeker van zijn," repliceert zijn teamgenoot. Beide mannen barsten in lachen uit.
Na enkele ogenblikken slaat hun toon echter plotseling volledig om.
"Een virus?" vraagt Jonas voorzichtig. Tom grimast.
"Daar lijkt het op, maar het is zo goed als onmogelijk. Ik kan er geen enkel spoor van vinden. Ik heb de server al *gecheckt* – niks. Er is van buitenaf niets binnengeraakt. Of het zou iets totaal nieuws moeten zijn, natuurlijk, dat pas aan zijn ronde is begonnen."
"Wat zei Bernard juist?"
Tom neemt een stoel, en neemt plaats.
"Dat is juist het vreemde. Naar zijn zeggen is hij alleen even *online* geweest, een minuut of vijf, schat hijzelf, om zijn mail te controleren. Daarna heeft hij drie brieven ingetikt en afgedrukt. Toen hij terugkwam van het toilet, had hij

alleen nog dit." Hij gebaart naar het donkere scherm.
"Zou hij misschien zelf..." suggereert Jonas voorzichtig. Tom schudt meteen het hoofd.
"Waarom? Het is alleen maar in zijn nadeel. Nu heeft hij een laptop mee naar huis moeten nemen om een aantal dossiers af te werken. Gelukkig hebben we een automatisch backup-systeem, anders was hij alles kwijt geweest. Bernard is voldoende onderlegd om zoiets niet per ongeluk te veroorzaken. Dat is het dus ook niet. En aan zijn reactie te horen, lag hij niet aan de basis: hij werd lijkbleek, en hij vloekte als een ketter. Ik dacht even dat hij een hartaanval kreeg."
"Iemand van de collega's?"
"Wie? En waarom?"
Jonas haalt de schouders op.
"Ik weet niet. Om hem te pesten?"
"Eventjes snel een virus op zijn computer installeren? Met het risico betrapt te worden en *stande pede* te worden ontslagen? En bij mijn weten heeft er toch niemand een probleem met Bernard?"
Jonas knikt.
"Maar wat is het dan wel?"
"Iets in zijn mail?"
Jonas' gezicht vertrekt in een bedenkelijke grimas.
"Alle mails die binnenkomen, moeten door de virusscanner. En we hebben een *firewall*. Het kan natuurlijk altijd... iets gloednieuws zoals je al zei... maar dan zouden we daar op de mailserver toch sporen moeten van terugvinden. En die zijn er niet. Heb ik al nagekeken."
Tom knikt.
"Tenzij het natuurlijk een virus is dat geen sporen achterlaat, en alleen zichtbaar is op de computer die het aanvalt – tot het zichzelf van de harde schijf heeft gewist. En dan *is* het niet meer traceerbaar. Misschien moeten we de mailserver toch nog maar eens opnieuw uitkammen. *En* de virusscanner. Misschien heeft iemand hem ongewild uitgeschakeld."
"Kan niet."
"Zeg nooit nooit, Jonas. Zeker niet als er computers bij betrokken zijn."
"En wat nu?"
Tom kijkt hem even aan, en dan verschijnt er een ondeugende blik in zijn ogen.
"Zullen we Marie-Ange vragen of zij ons niet kan helpen? We zeggen gewoon

dat we geen blijf weten met onze *harddisk*. De kans is groot dat ze alleen het eerste deel hoort."

26. VRIJDAGVOORMIDDAG – BIESBOS

Iedereén heeft een achilleshiel.
De mijne? M'n maag. Spanningen durven ook al weleens hoofdpijn veroorzaken, maar als het echt ernstig is, alarmfase drie, dan zit mijn maag gevangen in een tourniquet – kan ik niet eens ademen zonder pijn.
Het debacle op kantoor die ochtend had me het gevoel gegeven dat ik werd geopereerd zonder verdoving: de hele rit huiswaarts ademde ik met wijdopen mond, met kleine teugjes, voorzichtig, om mijn borstkas niet te laten exploderen; boven mijn middenrif stond blijkbaar iets op het punt te scheuren. Ik bestuurde de wagen op automatische piloot – eigenlijk was het onverantwoord wat ik deed. Eén verkeerde beweging had volstaan om me tegen een lantaarnpaal te doen knallen. Ik probeerde alleen maar om zonder ongelukken thuis te geraken.
Nu vraag ik me af waarom. Achteraf gezien... Waren drie seconden gloeiende pijn niet eenvoudiger geweest? Als ik nu bedenk wat er in dat geval allemaal *niet* zou gebeurd zijn...
Natuurlijk had de pijn ook voordelen. Ik kwam niet toe aan piekeren. Niet één seconde dacht ik onderweg aan mijn ontdekking op kantoor, aan de consequenties ervan, aan hoe het nu verder moest. Waarschijnlijk maakte ik ook een behoorlijke omweg, om het ogenblik van de confrontatie met de realiteit uit te stellen. Maar uiteindelijk reed ik de wagen toch de Krokuslaan in.
Uiteraard was Renhilde nog niet thuis, en maar goed ook: ik wilde alleen zijn, kunnen nadenken. Mijn vermoedens waren te warrig om er over te spreken, maar zij zou mijn gespannen houding natuurlijk meteen hebben opgemerkt. Ze was een nieuwsgierig type: mijn 'hardnekkig' stilzwijgen zou tot een conflictsituatie hebben geleid. Zoals zo vaak, de laatste tijd.
Er lag een briefje op tafel, naast een leeg kopje. Na het werk zou ze nog een aantal boodschappen doen, had ze een afspraak met het schoonheidssalon voor een ontharing, en zou ze nog even langs Patricia gaan. Geen eten vóór acht uur.
Het liet me steenkoud.
Ik wist nu wat er op Kevins diskette stond.
Ik had die ochtend op kantoor eerst mijn mail gelezen. Toen bleek dat de enkele collega's zoals steeds verzameling hadden geblazen bij het koffiezetap-

paraat op het gelijkvloers, opende ik de diskette. Ze bevatte één icoontje: een *smiley*. Uiteraard controleerde ik eerst of het geen *executable*-bestand was – ik wilde geen risico's nemen. De computer meldde echter dat het icoontje een afbeelding symboliseerde.
Even aarzelde ik. Een afbeelding? Wélke afbeelding? Wilde ik dat wel weten? Was het wel een afbeelding die ik op mijn kantoorcomputer kon bekijken? Wat als er onverwachts een collega verscheen? Als het om porno ging, en de baas wandelde het kantoor binnen, kon ik het wel schudden.
Porno? Kévin, porno?! Wel, neen. *Ophouden met die onzin, Bernard.* Trouwens, de baas was nooit voor tien uur op kantoor. Gerustgesteld klikte ik op het icoontje.
En opende ik ongewild de doos van Pandora.
Het lampje van de diskettelezer lichtte op. Enkele ogenblikken lang gebeurde er niks – nooit kunnen vermoeden dat een computerscherm je aandacht zo volledig kon opeisen. Dan startte de computer opnieuw en vloekte ik. Nu, ja: pas toen de onafgebroken stroom lettertjes over het scherm begon te razen, af en toe onderbroken door het bericht '*Your computer is being checked... please wait...*', vloekte ik écht. Ik wist wat er gebeurde: ik herkende het.
Een virus. Hét virus.
Haastig haalde ik de diskette uit het toestel – misschien kon ik het virus op die manier onderbreken. Geen resultaat. In paniek trok ik het elektriciteitssnoer uit. Dit moést het proces wel stoppen. Toen ik na enkele tellen de stekker opnieuw in het stopcontact stak, ging het virus natuurlijk gewoon vrolijk verder waar ik het had afgebroken. Alle gegevens die ik voor mijn werk nodig had, contracten, bestellingen, afspraken, werden voor mijn ogen gewist: een catastrofe. Gek genoeg drong het slechts vaag tot me door. Ik zag het wel, ik begreep het wel, ik kon de gevolgen ervan wel formuleren, maar ik voelde er niks bij. Het liet me koud. Ik kon op dat ogenblik maar aan één ding denken.
Alsof het om een bom ging, stak ik de diskette in mijn zak.
We hadden ze op Kevins kamer gevonden. Hij had geprobeerd ze te verbergen. Hij wìst dat er iets fout zat. Hij *wist* wat erop stond. Een virus. *Zijn* computer was er bij mijn weten nooit door getroffen. De mijne daarentegen wel – harde schijf volledig gewist. Door *zijn* verdomd virus!
Hoe was het op mijn computer geraakt?
Maak je niks wijs, Bernard: hij heeft het erop gezet.
Bewust?
Waarom?

Hij kwam nooit op mijn computer. Alleen die ene keer. Om er een virus op te zetten. Voor de lol? Zo zat Kevin niet in elkaar. Waarom dan wel?

Om iets te verbergen?

Mijn toestel was besmet op de dag dat Sofietje was vermoord. De politie had het daarna meegenomen. Toen had ik niet begrepen waarom. Luukens had gesuggereerd dat ik een verdachte was. Op basis waarvan? Mijn computer! Was er een verband?

Ik kreeg het warm en koud tegelijk. Enkele ogenblikken lang flitsten gruwelbeelden voorbij – tot ik me ineens schaamde. Hoe kon ik ook maar dénken dat mijn bloedeigen zoon...

Jesus! Beheers je, Bernard!

Met samengeknepen lippen wachtte ik tot het virus was uitgeraasd, vurig hopend dat geen van mijn collega's zou binnenkomen. Ik had geluk. Zodra er *C>* op het scherm verscheen, drukte ik op de *reset*-knop, wachtte opnieuw op de *C>*, en haalde er dan onze computertechnici bij. Uiteraard vertelde ik hen niet wat er was gebeurd: ik zou wel gek zijn.

Ze konden natuurlijk ook alleen maar vaststellen dan de harde schijf was gewist. Uiteraard waren ze verbaasd. Toen het uiteindelijk echt tot me doordrong dat ik mijn werkdata kwijt was, en ik min of meer in paniek raakte, stelden ze me meteen gerust: ze hadden de vorige dag een volledige *backup* gemaakt van alle bedrijfsbestanden, ook van de mijne. Tot mijn grote opluchting gaven ze me een halfuurtje later al de reservelaptop, met daarop mijn oorspronkelijke bestanden. Ik kon meteen doorwerken, en zij bogen zich over de 'gecrashte' computer. Ik bedankte hen, en vluchtte met slappe benen huiswaarts.

Wat had Kevin op mijn computer uitgespookt? Waarom had hij hem nodig gehad? En: wat had hij in godsnaam te verbergen?

Bernard, je zoekt het te ver. Het is veel eenvoudiger. Mensen, kinderen zijn niet zo slecht als jij wel denkt. Wees verdomme niet zo achterdochtig en negatief.

Kevin had de diskette van iemand gekregen. Van Rutger, waarschijnlijk. Wilde de inhoud controleren, wiste daardoor ongewild de *harddisk*, en durfde dat daarna niet te bekennen. Logisch. Er was geen verband, geen enkel, met... Natuurlijk niet. Dat moést de verklaring zijn. Klopte helemaal.

Met uitzondering van één klein detail, Bernard. Waarom op joúw toestel?

Waarom in godsnaam!? Hij kwam er nóóit aan – het was hem met zoveel woorden verboden. Hij kón er niet eens op – de toegang was beveiligd met een paswoord.

Inderdaad, Bernard, wás. Het papiertje met het paswoord, remember*? In zijn broekzak?*
Er was geen ontkomen aan. Ik moest me erbij neerleggen: Kevin had de diskette op mijn computer uitgetest. Dat hij mijn paswoord kende, was niet zo verwonderlijk: ik had het verscheidene keren ingegeven terwijl hij erbij stond, en waarschijnlijk had hij het op een bepaald ogenblik genoteerd – kon altijd van pas komen. Maar dat gaf geen antwoord op de essentiële vraag. Waarom?
Waarom niet op *zijn* toestel? Hij was te veel specialist om niet te weten wat hij deed. Ik onderschatte hem allerminst – het was niet omdat IK op die leeftijd nog met knikkers speelde, dat mijn zoon nu ook niets van de wereld kende. De tijden waren veranderd.
Er was maar één conclusie: hij had gewéten dat er risico's verbonden waren aan het lezen van de diskette, en had er de voorkeur aan gegeven om zijn toestel niet in gevaar te brengen.
Woede. Heel even maar, als een tornado, plaatselijk, vernietigend, maar toch... Ik deed zelfs twee stappen in de richting van de hal. Enkele ogenblikken lang voelde ik de onweerstaanbare drang om zijn computer, zijn oogappel, zijn álles, in elkaar te timmeren, op de grond te smakken, te vertrappelen, de stukken te verspreiden over zijn kamer, én ze te laten liggen. Hem er met zijn neus in te wrijven. Hem ervoor te laten betalen! Jammer dat zijn computer nog niet terug was.
Dus JIJ wilde JOUW toestel niet in gevaar brengen, hè...
De opgekropte energie zocht een uitweg – dus sloeg ik met een gebalde vuist op de tafel. Het lege koffiekopje wipte op en viel. Het geluid van brekend porselein bracht me weer enigszins tot mezelf.
Ik kon maar beter even een luchtje scheppen. Afkoelen. Anders gebeurden er nog ongelukken. Een wandeling zou me goeddoen – een heldere kop geven. Ik trok m'n jas aan, liep de tuin in, opende het poortje achterin, en liep het Biesbos in.
Er zweefden flarden mist tussen de bomen, vogels schreeuwden dat er gevaar op komst was, en het rook naar vochtige aarde.
Het poortje was altijd al een voorwerp van discussie geweest. Renhilde wilde het niet, van bij het begin al. Te dicht tegen het bos. Je maakt het inbrekers alleen maar gemakkelijker, argumenteerde ze. Niet dat er ooit een inbraakpoging was geweest, maar goed. Mij gaf het vooral het gevoel dat het Biesbos deel uitmaakte van onze tuin – wij woonden niet in een rijhuis, neen, wij

leefden in een párk, met bomen waartussen je kon dwalen en naar vogels kon luisteren. Wat een luxe! Ik was er echter nooit in geslaagd om Renhilde dat gezichtspunt te doen delen. Na de moord op Sofietje eiste ze dat ik het poortje afbrak en de omheining doortrok. Ik probeerde de uitvoering van dat plan uit te stellen, maar ik wist dat ik dat niet veel langer zou kunnen volhouden.
Oké, Bernard, denk nu eens rustig na. Wat zijn de feiten? En alléén de feiten!
Feit één: mijn computer is door een virus getroffen.
Feit twee: een diskette met het schuldige virus is op Kevins kamer gevonden.
Feit drie: mijn zoon weet hoe hij met een computer moest omgaan.
Feit vier: mijn computer is door de politie gecontroleerd, en in beslag genomen, omdat er een verband zou zijn met de moord op de kleine Sofie.
Wat had Peter ook weer tegen Renhilde gezegd? Dat er een foto van Sofie's lijk gevonden was op het internet?
Waar of niet waar?
Goed, laten we er van uitgaan dat het klopt.
Feit vijf dus: iemand – de moordenaar? – heeft een foto van Sofie op het internet gezet.
Dachten ze misschien dat dat via *mijn* computer gebeurd was? En wié zou dat dan...
Shit!
Zag ik spoken? Mijn eigen bloed, mijn zóón, zou dié...
Absurd. Totaal onmogelijk! Hij was de zachtaardigste jongen die ik kende. Trouwens, Kevin was nog een *kind*. Een kind zou nooit...
Ah neen? En Jamie Bulger dan?
Goed, er waren ongetwijfeld voorbeelden in het buitenland. Engeland, Amerika. Maar zelfs daar waren het uitzonderingen!
De suggestie 'vraag het hem dan zelf' schoot me ineens door het hoofd. Ongewild lachte ik. Natuurlijk! Waarom niet? Had niet elke vader geregeld zo'n gesprekken met zijn kinderen?
'A propos, jongen, heb jij misschien Sofie de nek omgewrongen?'
'Ja, papa.'
'Stoute jongen. Beloof me dat je dat nooit meer zult doen.'
'Ik beloof het, papa.'
Waar was ik in godsnaam mee bezig?!
Feiten, Bernard. Blijf bij de FEITEN!
Goed, de feiten dan. Theoretisch was het mogelijk. Puur theoretisch dan.

Kevin had een foto gemaakt. Een digitale foto – je kon zo'n foto moeilijk door een labo laten ontwikkelen en afdrukken. Een digitale foto betekende een digitale camera. Had hij daar de beschikking over?
Ja. Wij bezaten zo'n toestel, net als ongeveer iedereen in de buurt. Een goedkoop exemplaar, dat we als extraatje hadden gekregen bij de aankoop van mijn computer.
Wist hij hoe die moest gebruikt worden?
Ja. Maar niet beter dan ik. Hij hield zich daar niet zóveel mee bezig.
Plotseling viel er een last van me af. *Als* hij die foto had gemaakt, met *ons* toestel, dan had hij deze foto achteraf ongetwijfeld gewist. Maar dat kon ik ontdekken. Niet de foto zelf, maar wel dat er foto's waren gewist. Dat kon ik controleren. Als er geen foto's ontbraken, zou hij al ergens een camera hebben moeten lenen, en dat leek me onwaarschijnlijk. Ik draaide me prompt om, en marcheerde terug in de richting van onze tuin.
Alsof dit niét onwaarschijnlijk is, Bernard. Een vader die gelooft dat zijn dertienjarige zoon een moordenaar is.
Geloofde ik het? Neen. Maar ik wilde emotionele rust. Zekerheid. Ik wilde af van de schaduw van de twijfel over de eventuele betrokkenheid van mijn eigen bloed. Ik wilde af van het woekerend schuldgevoel. Ik wilde hem vrijpleiten in mijn eigen hoofd.
Toen ik ter hoogte van Ruuckvens tuin kwam, bedacht ik ineens dat de moordenaar hier op die fatale dag ook had gestaan – volgens de politie tenminste. Even hield ik halt. Peter had nooit de moeite genomen om een afrastering te zetten: het struikgewas naast het pad vormde ook meteen de rand van zijn tuin. Hier en daar zaten er lege plekken in de begroeiing: als het kind tot daar was gekropen, was het voor de moordenaar inderdaad een klein kunstje geweest om haar mee te nemen. Om haar zelfs ongezien mee te nemen: gehurkt tussen het struikgewas was je slechts zichtbaar vanuit een bepaalde hoek. Niet vanuit de living, dat was duidelijk.
Ik boog me voorover om de twee min of meer open plekken te controleren, maar na enkele ogenblikken al schudde ik het hoofd. Ik voelde me belachelijk. Alsof de politie die plekken niet grondig door specialisten had laten uitkammen. Alleen in romans vond de held later nog aanwijzingen over de identiteit van de dader op de plek van de misdaad. Bovendien had ik geen enkele reden om de held te willen uithangen.
Terug in de hal, hing ik mijn jas aan de kapstok. Ongewild trapte ik tegelijk op een stukje porselein – een deel van het kopje dat ik had gebroken. Hoewel

mijn drang groot was om meteen naar mijn studeervertrek te gaan, besloot ik toch om eerst de rommel op te ruimen die ik had achtergelaten. Renhilde zou de eerste uren wel niet thuiskomen, maar je wist het nooit – en ik had absoluut geen zin in discussies. Ik legde alle stukjes braaf bij elkaar op een schoteltje, dat ik in de keuken zette. Haar geheugen voor huisraad was onfeilbaar: een ontbrekend kopje zou haar niet ontgaan. Ik kon beter meteen opbiechten dat ik het had gebroken.

Hoewel ik een zekere haast voelde terwijl ik de trap opliep, kon ik me toch voldoende beheersen om niet als een kip zonder kop te handelen. Ik zette me aan mijn bureau, startte de laptop die ik van het bedrijf had meegenomen, en dacht na.

Als Kevin foto's had gemaakt, waren die door de camera automatisch genummerd. De camera onthield het laatste nummer, en telde vanaf daar verder – of je nu foto's wiste of niet. De laatste foto's die met het toestel waren genomen, bij mijn weten althans, had ik nog vóór de crash op een cd gebrand, mét de originele nummering. Ik moest dus alleen maar een nieuwe foto nemen, en het nummer daarvan vergelijken met het nummer van de laatste foto op de cd.

Ik haalde de cd uit de kast, en stopte die in de laptop. Een reeks foto's, genomen in Wenduine, tijdens ons laatste bezoek aan hotel-restaurant Tennis. Renhilde en ik waren er vaste gasten. Het jaarlijkse weekendje-uit was voor ons een soort *retraite,* een herbronning. We gingen ook altijd zónder Kevin. Die logeerde dan bij een of ander vriendje.

De laatste foto die ik met het toestel had genomen, droeg het nummer P0003178.jpg. Een foto met de zelfontspanner: Renhilde en ik op het strand. En na dat bezoek aan Wenduine was de camera niet meer uit mijn bureaulade geweest. Althans...

Toen ik de camera tevoorschijn haalde, bedacht ik plotseling dat het wel erg vreemd was dat de politie er niet naar had gevraagd. Als ze de connectie tussen mijn computer en de foto op internet konden maken, of dáchten te kunnen maken, waarom controleerden ze de camera dan niet? Of vroegen op z'n minst of we er een hadden? Dat was toch voor de hand liggend?

Terwijl ik de camera controleerde – het compactflash-kaartje was leeg – vond ikzelf het antwoord: je kon een digitale foto achteraf zodanig manipuleren dat je op geen enkele manier nog kon zien met welk toestel hij was gemaakt.

Kevin...

Fuck!

Waarom wilde ik de bedenking formuleren dat 'Kevin ongetwijfeld slim genoeg was om dat te doen'? Ging ik er nog steeds vanuit dat hij een mogelijke dader was? *Wilde* ik misschien...
Ik rilde. Ik voelde me ziek. Wat was er aan de hand?! Waar kwam die verdomde drang vandaan om mezelf te kwellen? Waarom ging ik altijd uit van het ergste? Om het lot niet te tarten? Te veel ellende in je jeugd maakt gevoelens van zekerheid onmogelijk, goed, maar je kunt je toch niet blijven verschuilen achter een verknoeide jeugd!?
Hou ermee op jezelf te pijnigen, Bernard, en controleer dat verdomde fototoestel!
Plotseling had ik trek in een cognac. Een dubbele. Een driedubbele! Ik staarde naar het kleine, zilverkleurige toestelletje voor me op het bureaublad alsof het om een afgodsbeeldje ging, dat mijn hele leven kon veranderen.
Je bent bang, Bernard, dat is alles.
Natuurlijk was ik bang. Heel egoïstisch bang zelfs. Bang dat *mijn* zorgvuldig georganiseerde leventje, *mijn* uiteindelijk, na veel zwoegen en afzien, toch bereikte 'ideaal', me zou ontsnappen. Dat het ellendige gevoel uit mijn jeugd zou terugkeren, als een nachtelijke ruiter uit Mordor, om me terug te voeren naar de duisternis. Natuurlijk was ik bang. Maar ik moest doorzetten. Nu terugkrabbelen zou de kanker in mijn hoofd alleen maar de vrije loop laten.
Ik slikte, klemde de tanden op elkaar, en zette het fototoestel aan. Ik mikte door het raam naar de tuin, en drukte af: een rood verklikkerlichtje vertelde me dat de foto werd bewaard op het compactflash-kaartje, en dat ik even geduld moest oefenen. Dan duwde ik op de bovenste toets, links van het lcd-schermpje, om de foto zichtbaar te maken.
P0003183 las ik.
Leeg. Warm en koud. Trillende handen, verkrampte maag. Een zuignap om mijn hersenen.
Vier foto's. Er ontbraken vier foto's. Iemand had het fototoestel uit mijn bureaulade gehaald, er vier foto's mee gemaakt, die hoogstwaarschijnlijk op mijn computer gezet, en ze daarna van de camera gewist, in de veronderstelling dat niemand daar kon achterkomen.
Wie? Renhilde? Die wist niet eens hoé ze een foto moest overbrengen. Ikzelf? Neen. Ik zag niets over het hoofd, daar was ik zeker van. Er wás maar één mogelijkheid: Kevin.
Tegen beter weten in overliep ik de voorbije weken, op zoek naar het ogenblik waarop Kevin de camera had gevraagd, het bevrijdende moment dat me tot nu toe ontgaan was. Natuurlijk vond ik het niet. Het was er niet.

Mijn zoon had het fototoestel uit mijn bureau gehaald, foto's gemaakt, ze daarna gewist, en de camera teruggelegd – zonder er een woord over te zeggen. Stiekem.
Waarom?
Omdat ik niet mocht weten dát hij foto's had genomen.
Waarom?
Om de foto's zelf. Om wat er op de foto's te zien was. Het verklaarde ook meteen waarom Kevin het virus op mijn computer had gezet. Een virtuele brandstichting, om alle sporen te wissen.
Sporen van wat? Van wat er op de foto's te zien was, en van wat hij met de foto's had gedaan.
Had hij Sofietje gefotografeerd? Dat zou ik nooit kunnen bewijzen. Maar: waarom zou de politie anders mijn computer nog steeds onderzoeken? Ze hadden iéts gevonden dat in die richting wees. En wat bleek? Uitgerekend op de dag van de feiten was de *harddisk* van het verdachte toestel grondig gewist. Zogezegd door een virus. Neen, niet zogezegd: alleen was er bij de internetprovider geen spoor terug te vinden van een eventuele besmetting. Het had hun achterdocht terecht nog doen toenemen.
En wat nu?
Wat moest ik nu doen? De politie waarschuwen? Om hen wát te vertellen? Dat ik mijn dertienjarige zoon verdacht van moord? Dat was toch te gek voor woorden! Het feit dat hij een paar foto's had genomen, zelfs als het onderwerp het kinderlijkje was geweest, en dat moest nog aangetoond worden, bewees toch niet dat hij het kind ook had omgebracht.
Hij kan het ook gewoon gevonden hebben.
En niet alleen dát. Het was toch heel eenvoudig om mezelf voor eens en altijd gerust te stellen dat mijn zoon het buurmeisje niét had vermoord. Ze was op vrijdagochtend gedood.
EN TOEN ZAT MIJN ZOON OP SCHOOL.
Heel eenvoudig om na te gaan. Ik moest maar telefoneren.
Er viel een pak zorgen van me af. Ik *wist* namelijk dat hij op school was geweest. In het tegenovergestelde geval zouden we van de school een afwezigheidsbriefje gekregen hebben – het college was extreem stipt in die zaken.
Dat ik daar niet eerder op gekomen was. Ik vloekte – dit keer van opluchting.

27. VRIJDAGMIDDAG – ST.-MICHAELSCOLLEGE

Vivi opent haar in aluminiumfolie verpakt lunchpakket, legt de in kwartjes gesneden boterham op een schoteltje, plooit het stuk folie zorgvuldig op, en stopt het in haar Saatchi-boekentasje. De lijsten met de afrekeningen van de jaarlijkse tombola legt ze opzij, bovenop de map met uurroosters die ze nog moet kopiëren. Het schoteltje verhuist naar het midden van het bureaublad, vlakbij een kop verse koffie.
Tijdens de middagpauze op vrijdag bemant Vivi het leerlingensecretariaat van het college altijd op haar eentje: één collega, Annie, heeft haar vrije dag, en de andere, Miranda, surveilleert in de refter. Ze vindt het best zo: kan ze tenminste rustig eten. Niet dat er problemen zijn, maar lunchen doet ze het liefst alleen. De enige die af en toe roet in het 'eten' durft gooien, is de directeur. Maar die is vandaag afwezig – een of andere belangrijke vergadering in Brussel. Nu ja: *zijn* vergaderingen zijn *altijd* belangrijk.
Net wanneer ze haar eerste voorzichtige hapje wil nemen – ze is al jaren op dieet, en dus verorbert ze dat ene boterhammetje met zo klein mogelijke hapjes – gaat de telefoon.
"St.-Michaelscollege, leerlingensecretariaat, met Vivi Voorspoels, wat kan ik voor u doen?"
"Goedemiddag. Bernard Vercammen hier, de vader van Kevin Vercammen. Ik had graag een inlichting gehad over de afwezigheden van mijn zoon. Moet ik daarvoor bij u zijn?"
Vivi glimlacht even. Je zou verwachten dat ouders na anderhalf jaar toch minstens iéts van de schoolwerking zouden kennen, maar dat is een illusie. Ze geven er ook geen ene moer om – nog minder zelfs dan vroeger.
"U bent op de juiste plaats, meneer. Waarmee kan ik u helpen?"
De man aan de andere kant aarzelt even. Hij klinkt wat verlegen.
"Tja, ziet u... Het is misschien een domme vraag op het eerste gezicht, maar... zou u me kunnen vertellen of Kevin op school was op vrijdag 25 april?"
Vivi schudt het hoofd. Duidelijk weer iemand die in de privé werkt en ervan uitgaat dat scholen enkele eeuwen achterlopen.
"Natuurlijk, meneer. Een klein ogenblikje."
Ze duwt de standby-toets van de telefoon in – de man krijgt nu *Eine kleine Nachtmusik* van Mozart te horen, een 'originele' keuze van de directeur

– draait haar stoel in de richting van haar computer, start het afwezigheidsregister op, en trommelt met haar vingers op het bureaublad. Het lijkt altijd een eeuwigheid te duren vooraleer het programma klaar is voor gebruik. Ze vraagt de directeur al twee jaar voor een snellere computer – dit 'ding' stamt uit de middeleeuwen – maar ze wordt altijd afgescheept met vage beloften. Wanneer het programma eindelijk vraagt welke informatie ze wenst, zoekt ze de gegevens van Kevin Vercammen.
"Vrijdag, 25 april..." mompelt ze. "Hier... *Tiens*... Even kijken..."
Ze komt van haar stoel, loopt naar de archiefkast aan de andere kant van het kantoor, haalt een blauwe map met het opschrift 'april' tevoorschijn, zoekt een document, en keert dan terug naar haar bureau.
"Meneer?"
"Ja?"
"Kevin was die vrijdag in zekere zin op school, ja."
"Hoezo, in zekere zin? Hij was op school of hij was het niet, neen toch?!"
"Alle tweedejaars waren op uitstap die vrijdag, meneer Vercammen. Een hele dag naar Antwerpen. Kevin staat hier niet opgegeven als afwezig, dus... Bovendien heb ik hier de handgeschreven toestemming die hem toeliet rechtstreeks naar de stad te gaan."
Het blijft stil aan de andere kant van de lijn. Zó stil dat Vivi even denkt dat de verbinding verbroken is.
"Hallo, meneer?"
"Jaja... Euh... Weet u dat zeker?"
Altijd hetzelfde liedje. Ze heeft al zo vaak zin gehad om op die vraag 'Neen, ik verzin het ter plaatse' te antwoorden, maar ze kan zich steeds beheersen.
"Er kan altijd iets mislopen, meneer, maar de kans is klein. Laten we dus maar zeggen dat ik het zeker weet. Is er dan een probleem?"
"Euh... Neen... Dit klinkt u misschien onwaarschijnlijk in de oren, maar... Is het mogelijk om even na te kijken wié die toestemming heeft geschreven en ondertekend?"
Vivi bijt even op de onderlip. Heerlijk toch. Schitterend verhaal om te vertellen, als Miranda straks terug is.
"Voor zover ik kan zien, hebt u dat briefje zelf geschreven en gehandtekend."
"Weet u dat zeker?"
Jongens, toch.
"Verdenkt u iemand van het vervalsen van uw handtekening, meneer? Ik kan

ze altijd vergelijken met die op het rapport, als u dat wenst. Een lange, horizontale lijn, achteraan doorkruist – vooraan een soort B. Zegt u dat iets?"
Totaal van streek. Spreekt veel te snel.
"Ja, ja, dat is mijn handtekening. Geen probleem. Nu u het zegt. Ik herinner het me nu weer, ik was het compleet vergeten, ik moet mijn geheugen toch eens laten nakijken. Sorry voor de storing. Dom van me. Ik had beter moeten nadenken."
"Geen probleem, meneer. De afwezigheden van onze leerlingen worden net daarom zo zorgvuldig bijgehouden. Kan ik u nog met iets van dienst zijn?"
"Neen, dank u. Nog een prettige middag."
"U ook," zegt Vivi hoofdschuddend. "Onvoorstelbaar..." mompelt ze. Even later stelt ze vast dat haar koffie ondertussen koud is. Ze vloekt zachtjes.

28. VRIJDAGNAMIDDAG – BIESBOS

Ik vind het moeilijk om dit te schrijven. Het is allemaal nog te vers. Herinneringen die door de tijd nog niet in een definitieve vorm zijn gebakken, geven steeds het gevoel dat je nog een greep hebt op het gebeurde, dat je er nog iets aan kunt veranderen. Dat is natuurlijk niet zo; het maakt terugdenken alleen schrijnender – het is als onderduiken in een virtuele realiteit, waarin je naar believen elementen en gebeurtenissen kunt wijzigen, zonder dat de finale uitkomst ook maar een spatje wijzigt. Dat laatste ontdek je pas achteraf, en dat doet pijn. Herinneringen noteren is herbeleven, en ook dat doet pijn.

Bovendien is er het schrijven zelf. Fundamenteel doe ik dit louter voor mezelf, om mijn geest af te leiden – zónder zou ik waarschijnlijk gek worden. Maar gezien de omstandigheden waarin ik dit schrijf, is de kans groot dat anderen dit zullen lezen – ik hoef me geen illusies te maken. Het is echter moeilijk om de waarheid te schrijven in een sfeer van haat, beschuldigingen, woede. Men zal me niet geloven. De waarheid zelf is onbelangrijk geworden: het gaat nu alleen nog om het certificaat. Om het label dat de goegemeente wenst toe te kennen. Wat men niet wil weten, is ook de waarheid niet. En zodra je een beschuldigde hebt, doet de waarheid er niet meer toe – loopt ze alleen nog in de weg.

Ik wéét natuurlijk dat dit de waarheid is. Ik heb geen enkele reden om iets te verzinnen of bij te kleuren. Liegen maakt de hel niet aangenamer.

Ik vermoed dat elke ouder zich wel ongeveer kan inbeelden wat er na dat telefoontje met de school door me heenging.

Omstreeks de tijd dat er een moord was gepleegd in onze buurt, was mijn dertienjarige zoon niét op school. Hij was op uitstap. Maar hij mocht zogezegd van ons rechtstreeks naar de stad – een briefje dat hijzelf had geschreven, met mijn vervalste handtekening eronder. Zo'n briefje had hij makkelijk kunnen láten schrijven – wij mochten het echter niet weten. Waarom? Omdat hij láter wilde vertrekken, zonder dat wij dat wisten. De begeleidende leerkrachten zouden hem dan wel opgemerkt hebben in de loop van de dag, en hem als aanwezig noteren. Hij kon perfect thuis zijn geweest op het ogenblik van de moord. Er waren foto's van het lijkje gevonden op het internet; er waren foto's met onze digitale camera genomen. Die was achteraf

stiekem weer leeggemaakt. En mijn computer, die een verbinding had met het internet, was met behulp van een virus gewist, een virus dat we in zijn kamer hadden teruggevonden. En de politie had in verband met de foto's sporen gevonden die naar mijn computer wezen.
Hoe groot was de kans dat Kevin niét betrokken was bij de dood van Sofie? Heel klein.
Ik kon het niet geloven. Ik wilde het niet geloven. Wat moest ik doen? Wat kón ik doen?
Met trillende handen zette ik een kop koffie. Ik probeerde na te denken.
De politie bellen? Het meest voor de hand liggende. Maar wat als mijn redenering niét klopte? Door je vader valselijk beschuldigd worden van moord op een baby kon alleen maar catastrofale gevolgen hebben voor je ontwikkeling, voor je persoonlijkheid, voor je zelfvertrouwen. Bovendien zou het door de omgeving alleen maar versterkt worden. De mediagieren zouden hun lol niet opkunnen: een minderjarige, verdacht van moord, aangehouden. Headlines everywhere! Hij zou enkele dagen in bewaring blijven, tot bleek dat hij onschuldig was. En wie zou er dan de volle lading krijgen? Vader beschuldigt minderjarig zoontje valselijk van moord – welke redacteur zou zo'n titel niét op z'n voorpagina willen?
Maar wat als bleek dat hij wel degelijk de dader was?
Politie? En dan?
Aanhouding, onderzoek, aandacht van de media, psychiatrie, opsluiting, stigmatisering. Zijn leven voorgoed verknoeid. In een gesloten instelling kon hij alleen maar slechte vrienden maken: waarschijnlijk werd hij er nog populair ook. Uiteindelijk zou hij wel vrijkomen, maar als wát? Als een volwassene met een verwrongen geest. Een paria. De enige weg die nog zou openliggen, was die van de misdaad. Was het dát misschien dat ik voor hem wilde?
Neen. Geen politie. Voorlópig althans niet. Wat dan wel?
Kon ik er niet met iemand over praten? Een ander klokje horen? Maar als ik er geen politie bij wilde, en geen risico wilde nemen, bleven er bitterweinig kandidaten over.
Renhilde?
Ik wist wat zij zou zeggen. Zij zou de politie erbij halen. Onmiddellijk. Discretie eisen, dat wel, maar hoe dan ook de politie. Ze zou er geen minuut over nadenken. Ze zou anders redeneren: meer maatschappelijk gericht, consequenter, rationeler ook.
Misschien zou ze het ook wel zien als een oplossing voor persoonlijke proble-

men – niet dat ze dat ooit zou toegeven, maar toch. Ik had geregeld het idee dat ze zich een gevangene voelde. Misschien vond ze haar beslissing om te trouwen met een oudere man nu zelf ook een stommiteit, iets waarvan haar ouders en haar vrienden haar toen niet hadden kunnen overtuigen. Zag ze Kevin nu vooral als de grendel op de poort naar de vrijheid? Wat als Kevin nu eens wél een ongelukje was geweest, en niét het kind dat ze bewust had gewild – iets wat ze overigens altijd beweerde? Voelde ze zich de laatste tijd niet als een mooie bloem in een oude vaas? Wilde ze weg, maar wist ze niet hoe? Het zou de irritatie van de laatste maanden verklaren.
Dan vormde dit een uitgelezen gelegenheid. Wie zou het de moeder van een moordenaar kwalijk nemen dat ze een nieuw leven wilde beginnen?
Of was ik misschien volslagen gek aan het worden?
Misschien. Maar het risico was te groot. Renhilde was out.
Alleen... Er bleven niet veel mogelijkheden over. Eigenlijk maar één: met de jongen zelf praten.
Onder vier ogen. Voorzichtig proberen hem zover te krijgen dat hij bekende. Proberen het motief te achterhalen. Misschien dat we samen wel tot een eindbeslissing konden komen. Best mogelijk dat het voor hem een opluchting betekende er eindelijk te kunnen over spreken.
Ik zou heel voorzichtig moeten zijn. Hij moest als het ware verleid worden tot praten. Ik mocht hem vooral niet afschrikken, moest hem eerder aanmoedigen, hem een gevoel van veiligheid geven.
Ik wist niet of ik dat wel kon.
Ik was te kwaad. Ik voelde me machteloos. Ik begreep niet waar ik in de fout was gegaan, ik begreep niet wat Kevin had bezield. Een baby de nek omdraaien: wat hadden Renhilde en ik over het hoofd gezien? We hadden onze zoon met de grootst mogelijke aandacht opgevoed, en dan dit! En dan nog foto's nemen ook: dat getuigde toch van een onthutsende kilheid? Het was toch onmogelijk dat zijn ouders dát in al die jaren niet hadden opgemerkt – ik kon het de 'specialisten' al horen debiteren. Maar we hádden niets gemerkt. Goed, hij was niet meteen een extraverte jongen, maar dat was dan ook alles.
Ik zou met hem praten – mijn besluit stond vast. Zijn reacties, zijn antwoorden zouden het verschil moeten maken. Misschien bleek wel dat het om een ongeval ging.
Een ongeval? Een kind uit een tuin lokken, een eind een bos indragen, ontkleden, en de nek omwringen – een óngeval?!

Goed, het was niet meteen de meest voor de hand liggende verklaring, maar daarom was ze nog niet onmogelijk. Misschien had hij alleen maar de foto's gemaakt. Dat maakte hem weliswaar nog altijd medeplichtig, maar naar mijn aanvoelen was er een groot verschil tussen 'doen' en 'toekijken'. Hij was de enige die het echt wist – en hij zou het me vertellen. Misschien was Rutger wel de eigenlijke dader, en werd Kevin afgeperst om te zwijgen. Werd hij verplicht tot zwijgen omdat hij die foto's had gemaakt.
En wat doe je als hij bekent, Bernard?
Geen idee. De bezwaren tegen een aangifte bleven dezelfde. Maar welke keuze had ik? Als ik de politie niet waarschuwde, werd ik prompt medeplichtig. Als ik niets zei, zou het een geheim tussen ons beiden zijn – en ook moeten blijven. Wat als hij de spanning op een bepaald ogenblik niet meer aankon? Dan zou bekend worden dat ik medeplichtig was. Trouwens, zou ik zelf de spanning van het weten wel aankunnen? Kon ik Peter in de ogen zien, ik, de man die op Sofie's begrafenis de lijkrede had gehouden? Zou ik kunnen leven met zo'n verschrikkelijk geheim, elke dag opnieuw? En wat als Kevin ouder werd? Hij zou weten dat ik het wist, en dat ik de énige was die het wist – en dus de enige mens op aarde die hem ooit kón verraden. Was ik dan wel veilig?
In welke nachtmerrie was ik terechtgekomen?!
Ik besloot het gepieker te stoppen. Zodra de jongen van school kwam, zou ik hem naar zijn kamer loodsen, die op slot doen, en met hem praten. Of hij dat nu wilde of niet. En daarna... Was voor daarna...
Ik zette verse koffie, en wachtte. Op zoek naar afleiding zette ik even de radio aan – uitgerekend middenin een programma over Dutroux. Iedereen was plotseling een specialist. Iedereen wist hoe de menselijke geest werkte. Iedereen was de heiligheid zelve – dat volgens recente studies zeventig percent van de internetgebruikers geregeld porno binnenhaalt, werd voor de eenduidigheid maar even verzwegen. Dat de porno-industrie wereldwijd groter is dan de auto-industrie leek niemand te storen. Dat ouders managers in dienst nemen om hun onrijpe dochtertjes halfnaakt op een podium te laten rondspringen, in de vage hoop dat ze er een vetbetaalde carrière als 'ster' aan overhouden, vond iedereen normaal. Met een vieze smaak in de mond zette ik de radio weer af.
Wachten. Als bij de dokter: hoe fataal zou de diagnose zijn?
Ongeveer twee uur later hoorde ik Kevin eindelijk de voordeur openen. Ik voelde me als een in de coulissen wachtende acteur: theoretisch kun je nog

terug, kun je nog zeggen dat je uiteindelijk niét meespeelt, maar tegelijk wéét je dat je nu wel moet. Ik stond op, en liep de gang in.
Kevin hing zijn jas aan de kapstok, en trok zwijgend zijn schoenen uit. Toen hij me opmerkte, glimlachte hij vluchtig: geen verbazing dat ik het was in plaats van Renhilde, geen begroeting, geen woord. Alleen maar een vage glimlach.
"Wij moeten eens praten, jongen."
Hij fronste de wenkbrauwen.
"Nu. Op jouw kamer."
"Oké."
Onverschillig. Net geen schouderophalen. Irritant.
Hij liep meteen de trap op. Dit akkefietje even snel afhandelen, en dan weer back to business.
Ik mocht me vooral niet laten opjutten. Rustig blijven was de boodschap. Terwijl ik hem volgde, merkte ik dat mijn handen trilden. Te veel koffie waarschijnlijk.
In zijn kamer zette Kevin zijn rugzak tegen een van de houten schragen die het bureaublad ondersteunde, trok zijn trui uit en gooide die op het bed.
"Ga zitten," zei ik. Hij gehoorzaamde, haast mechanisch, zonder dat zijn gelaatsuitdrukking veranderde. Nu ja, hij ging niet zitten: hij liet zich op zijn stoel vallen. Stilzwijgend protest.
Pas toen ik de deur op slot draaide en er tegenaan leunde, verdween de afwezige blik uit zijn ogen. Dit was ongewoon; hier was iets aan de hand dat afweek van het doordeweekse. Of in zijn taaltje: what the fuck was going on?
Ik keek hem secondenlang aan, zonder een woord te zeggen. Het maakte niet de minste indruk. Van nervositeit was geen sprake. Hij keek gewoon terug, gelaten, handen in zijn schoot, wachtend.
"Ik weet het. Ik weet alles."
Zijn ogen vernauwden zich even, verder niks. Geen verbazing, geen onbegrip, geen vragen, alleen die afwachtende blik.
Ik slikte.
"En voorlopig weet ook niemand anders het. Mams niet, niemand. Ook de politie niet. Het hangt van jou af wat er nu verder zal gebeuren."
Hij zuchtte. Geen gefrons, alleen een zucht.
"Wat bedoel je, paps? Waar heb je het over?"
Ineens had ik alleen nog vragen. Waar moest ik verdomme beginnen? Hem er plompverloren mee overvallen? Geleidelijk ernaartoe werken? Eromheen

cirkelen? Hem er met zijn neus induwen? Hoe zeg je zoiets? Iets dat op paniek geleek, stak de kop op, en om me een houding te geven, duwde ik mijn handen in de zakken.
En dan voelde ik de oplossing.
"Hierover," zei ik, terwijl ik de diskette uit mijn broekzak haalde.
Zijn reactie verried hem. Zijn allereerste reactie toch. Daarna sloeg hij 'de ogen neer', en nam hij de houding aan van 'schuldige zondaar': ik weet het, pa, ik heb kattenkwaad uitgehaald, er daarna nog over gelogen ook, ik beken, ik aanvaard mijn straf.
Maar eerst was er opluchting geweest. Onmiskenbaar. Onloochenbaar.
Ineens werd ik overvallen door een oneindig gevoel van moedeloosheid, van wanhoop ook. Secondenlang staarde ik alleen maar.
Opluchting? Je vader weet dat je zijn computer hebt besmet met een virus dat al zijn gegevens heeft gewist, en je eerste reactie is OPLUCHTING? Dan ben je blij dat hij tenminste niet al de rest heeft ontdekt.
Hij was er wel degelijk bij betrokken. De altijd aanwezige hoop dat ik me vergiste, de hoop die me de voorbije dagen had rechtgehouden, werd de bodem ingeslagen.
Opnieuw slikte ik.
"Waarom?" vroeg ik schor.
Hij haalde de schouders op.
"WAAROM, VERDOMME?!" schreeuwde ik ineens. Hij schrok. Met woede had hij geen rekening gehouden. Het verraste hem. Mij ook.
"Iets stoms," fluisterde hij hoofdschuddend, zonder op te kijken. Hij slaagde er zelfs in een snik in zijn stem te leggen, god betere het! Tijd winnen, een uitvlucht zoeken.
"Ik luister."
Als ik meer wilde loskrijgen, zou ik mijn zelfbeheersing niet meer mogen verliezen. Ik probeerde mijn stem zo rustig mogelijk te laten klinken.
"Een... Een weddenschap,' zei hij, net iets te snel. "Een weddenschap. Ik weet het, ik weet het, paps, stom stom stom van me, je weet toch ook hoe het gaat op mijn leeftijd, ze daagden me uit, je durft niet, en toen... Mams was niet thuis... En toen heb ik... Tja... Het spijt me..."
Ik had wel kunnen huilen. Ik had de voorbije dertien jaar zo mijn best gedaan om mijn kind de best mogelijke opvoeding te geven, en wat was het resultaat? Een dertienjarige puber die me onbeschaamd zat voor te liegen! Z'n hele register opentrok, snikken inbegrepen. Zonder de minste scrupules.

Was de jongen die daar zat, mijn bloed? Ik kon het nauwelijks geloven.
"Kevin?" Ik wachtte tot hij me opnieuw aankeek. Ik ademde diep, om een beetje te bedaren. "Ik zal het nog eens zeggen: ik wéét het. Ik weet álles. Stop met die komedie. Ik wéét dat het virus sporen moest wissen, sporen van wat jij op mijn computer had uitgespookt. Je kón erop, niet? In een van jouw broekzakken stak een papiertje, met daarop mijn paswoord. Toevallig gevonden."
Hij richtte zich op, en keek me recht in de ogen. Zonder te knipperen. Schattend – wat bedoelt de ouwe met 'alles'?
Hoe kon een kind zoveel zelfbeheersing ten toon spreiden? Hij leefde natuurlijk al enkele weken met wat er gebeurd was, en had zich blijkbaar mentaal kunnen harden. Als ik hem vlak na de moord had geconfronteerd, zou hij waarschijnlijk meteen zijn ingestort. Maar zelfs dan was zijn ogenschijnlijk emotioneel evenwicht verbijsterend.
Of was het iets anders? Kortsluiting in plaats van evenwicht?
"Oké, paps," zei hij effen. "Daarnet, dat was... nu ja..." Opnieuw even de schouders ophalen – het gebaar dat hem het meest typeerde. Een zucht. "Rutger pakte op school uit met het adres van een internetsite, en een paswoord. We moesten er absoluut eens kijken. Megabangelijk, kerel. Je gelooft je eigen doppen niet! Not the usual stuff. Echt hard! Ik was nieuwsgierig, maar ik vertrouwde het niet. Rutger... Nu ja... Dus gebruikte ik... uw computer. Natuurlijk zat de site vol klassieke boobytraps, maar ik was heel voorzichtig. Het ging een tijdje goed, maar toen... Ik weet nog steeds niet wáár het juist misliep. Ineens een hoop shit op de monitor, spyware, trojan horses, de computer begon iets te downloaden zonder dat ik hem kon stoppen, er stroomden mails binnen. Dat duurde ongeveer een minuut of twee. Daarna leek alles op het eerste gezicht weer normaal. Alleen reageerde de computer een beetje vreemd: ik kreeg de indruk dat hij werd ingeschakeld in een groter netwerk, als server. Er doken mapjes op, die ik er niet meer afkreeg maar die wat later 'uit zichzelf' verdwenen, dat soort dingen." Hij gebaarde naar de diskette die ik nog steeds in mijn hand had. "Ik zag geen andere oplossing dan dat..."
"En wat was er zo speciaal aan die site? Wat was er te zien?"
Hij slikte, en beet op zijn lip.
"Wilt u dat echt weten?"
"Neen, natuurlijk niet, het was maar een grapje! Doe niet zo onnozel! Vertel op!"

Hij wendde de blik af.
“Kinderporno,” zei hij zacht.
“Had Rutger dat gezegd?”
“Ja. Een beveiligde site. Onvindbaar zonder het url en de correcte procedure. Daarna had je ook nog een paswoord nodig – en daarvoor moest je betalen. Hij had er een gevonden, zei hij. Een dat werkte.”
“Waar?”
“Op de computer van zijn vader.”
“En daar pakte hij mee uit? Op school? Wat dacht je? Dat hij de zware jongen spéélde? Dat het weleens fake kon zijn?”
Hij knikte.
“En wanneer gaf hij je dat adres?”
Kevin deed of hij even nadacht.
“De dag dat de computer crashte.”
“Die vrijdag?”
Hij knikte.
“Hij gaf je dat op school?”
“Ja.”
“Weet je nog wannéér juist?”
Hij antwoordde onmiddellijk, zonder nadenken – alsof hij het zelf geloofde. Alsof het zo wás.
“Tijdens de speeltijd.”
Ik liet mijn hoofd achteroverleunen, en zocht hulp op het plafond. Van de hand gods geslagen, zo voelde ik me. Dit was te grof voor woorden. Opnieuw leugens. Dertien jaar, keek z’n vader recht in de ogen en loog hem staalhard wat voor, zonder ook maar met de ogen te knipperen. Hij had geen gesloten instelling nodig om een volbloed boefje te wórden, hij wás er al een. Wat moest ik in ‘s hemelsnaam beginnen?
Hem met de waarheid confronteren. Ophouden met dit zachte, voorzichtige gedoe. Wanneer is iemand geen kind meer? Waar ligt de grens? Voor daden kun je misschien nog iemands jeugd inroepen als excuus, maar liegen deed je bewust. Daarvoor droeg je zelf de verantwoordelijkheid – op welke leeftijd dan ook. Kevin zou blijven liegen. Zijn bewuste keuze.
Geïrriteerd keek ik hem aan.
“Nu moet je eens goed naar me luisteren, Kevin. Ik zeg het je voor de laatste keer: ik weet álles. En met alles, bedoel ik ook dát, letterlijk. Alles. Laat me het zo vragen: denk eens terug aan die fameuze vrijdag. Herinner je je daar

niks anders meer van? Iets ongewoons of zo?"
Hij zocht zogezegd zijn geheugen af, en schudde na enkele ogenblikken het hoofd. Zijn mond vertrok in een moet-dat-dan-grimas. Zijn gezicht had echter plotseling een bleke tint gekregen.
"Ik zal het je zeggen, jongen: het was de dag waarop Sofietje is vermoord. Herinner je je dat nog?"
Geen reactie.
"Natuurlijk weet je dat nog. Volgens de wetsdokters is Sofietje vermoord in de vroege ochtend. Stond in de krant. En wat blijkt? Die vrijdagochtend was jij niet op school. Wel op uitstap. Zogezegd. Je had voor jezelf de toestemming geschreven om rechtstreeks naar het verzamelpunt in de stad te gaan. Je bent dus later vertrokken. Nadat Sofietje dood was."
Ik zag hoe hij slikte, de tanden op elkaar klemde. Nog bleker werd. Wat ik niet zag, waren emoties. Niks. Alleen verwoede pogingen tot zelfbeheersing.
Zelfbeheersing? Was het dát wel? Was hij wel normaal? Plotseling herinnerde ik me de opmerking van een leraar uit de basisschool, jaren geleden, die een keer had gesuggereerd Kevin te laten onderzoeken, omdat hij symptomen vertoonde van een of andere stoornis. Renhilde en ik hadden het weggelachen, en de leraar in kwestie gaf achteraf ook toe dat hij zich waarschijnlijk had vergist.
Hád hij zich wel vergist?
"Weet je wie dat briefje met de toestemming zogezegd had ondertekend? Natuurlijk weet je dat. IK."
"Paps, dat is..."
"Ik heb met de school gebeld!"
Hij wendde de blik af. Links, rechts, het raam achter zich, de deur die ik blokkeerde – hij zocht een uitweg die er niet was. Realiseerde zich dat uiteindelijk ook. Richtte de blik op de grond.
"Alleen weet ik natuurlijk verdomd goed dat ik zo'n briefje NOOIT heb geschreven. Jij kunt mijn handtekening namaken. Dat weten we. Dat heb je ook toegegeven. Waaróm wilde je toen later kunnen vertrekken?"
Afhangende schouders, kin op de borst, blik op de grond. En verdomme niks emotie! Geen ene moer!
"Hebben die vier foto's die je met mijn digitale camera genomen hebt er iets mee te maken? Heb je ze daarom ook gewist?"
Heel even rechtte hij zijn rug.
"Je bent de automatische nummering vergeten, jongen. Zo'n camera telt

verder. En dát weet deze ouwe man nu toevallig óók!"
Hij dook zo mogelijk nog dieper in elkaar.
Ik balde mijn vuisten, en drukte mijn vingernagels in mijn handpalmen. Hij had er verdomme over nagedacht! Het was een bewúste zet geweest. Dit was helemaal niet in een opwelling gebeurd, een onweerstaanbare drang of hoe ze dat ook noemen. Had alle mogelijke sporen bestudeerd, en ze daarna systematisch gewist. Was ervan overtuigd geweest dat hij niks vergeten was. Nu bleek ineens dat hij één detail over het hoofd had gezien. En dát vond hij jammer. Voor de rest...
Ik ademde diep.
"Wat is er die vrijdagochtend gebeurd?"
Geen reactie.
"Kevin, geef antwoord. Wat heb je gedaan?!"
Een licht schouderophalen, meer niet.
"Sofietje, niet?" fluisterde ik schor. "Rutger en zijn kinderpornosite zullen er wel iets mee te maken hebben gehad. Om een of andere zieke reden wilde je een foto maken van een naakte baby. Wat was het? Beloofden ze geld?"
Geen reactie.
"Je was alleen thuis. Zag Dani weggaan, zag Sofie in de tuin, en greep je kans. Je nam haar mee in het bos. Maar ze werkte tegen: ze begon te huilen, trok de aandacht... Niet? NIET?!"
Hij knikte. Eén keer. Vaag, nauwelijks te zien, maar onmiskenbaar. Een ogenblik later pletsten twee grote druppels voor zijn voeten op de grond. Tranen. Twee, niet meer. Een ogenblik lang dacht ik dat hij zou breken, zou beginnen huilen, alles zou opbiechten. Maar er kwam niks. Roerloosheid. Leegte.
Ik schraapte m'n keel.
"Waarom? In godsnaam, Kevin, waaróm? WAAROM?"
Geen reactie.
"Je hebt haar niet per óngeluk gewurgd of zo! Neen. Je hebt haar niet zomaar het zwijgen willen opleggen. Ze maakte te veel lawaai, dat wel, maar heb je je hand op haar mondje gelegd om ze te doen zwijgen? Neen. WAAROM, Kevin!?"
Geen reactie.
"Jij wéét wat de echte doodsoorzaak was, niet? Natúúrlijk weet jij dat! Als er iémand is die... WAAROM, GODVERDOMME?!"
Een licht schouderophalen. Ik huiverde. Boog me naar hem toe.

"De nek omgedraaid," fluisterde ik opnieuw. "Ze is de nek omgedraaid, Kevin! Iemand... Jij... hebt haar broze hoofdje beetgepakt en... Zoiets gebeurt niét per ongeluk..." Ik richtte me op. "ANTWOORD VERDOMME OP MIJN VRAAG! WAAROM?!"
Hij zuchtte, staarde enkele ogenblikken lang voor zich uit, haalde de schouders opnieuw op, en zei dan, zonder me aan te kijken, een en al onverschilligheid: "Waarom niet?"
Het overviel me. Ik had alles verwacht, maar dat niet. Erger dan een slag in het gezicht. Het allesoverheersende gevoel van eenzaamheid waar ik tien jaar had tegen gevochten, ontsnapte uit de vergeetput waarin ik het had begraven. De arrogantie, de neerbuigendheid, de achteloosheid, de gevoelloosheid, het verschrikkelijke egoïsme – het was me plotseling te veel.
"Jij gaat me verdomme een antwoord geven op mijn vraag, KLEINE EGOCENTRISCHE KLOOTZAK DIE JE BENT! WAAROM?!"
Ik boog me naar hem toe en haalde uit.
Ik had hem nooit eerder geslagen. Was er altijd van overtuigd geweest dat ik het nooit zou doen. Een kind een pak rammel geven, was zuiver machtsmisbruik: als volwassene ben je fysisch en psychologisch in het voordeel, en moet je in staat zijn geweld te vermijden. Anders ben je het niet waard om kinderen te hebben. Voilá. Dat was mijn mening. Met hand en tand verdedigd, gepropageerd, over geruzied. En nu sloeg ik zelf. Niet zomaar: ik sloeg om te raken, om pijn te doen. Uit volle kracht. Een en al woede.
Dus, hij weigerde te antwoorden, hè? Het kleine ettertje dacht dat hij zich álles kon veroorloven, hè?! Dan zou ik het antwoord eruit kloppen!
Ik mikte op de zijkant van zijn hoofd, boven het oor, de ronding van de schedel, zodat mijn vlakke hand zijn hoofd als het ware zou schampen.
Ik heb nooit de bedoeling gehad... Nooit. Het idee alleen al...
Net op het ogenblik dat ik uithaalde, richtte hij zich halfop en keek opzij, in de richting van mijn hand. Daardoor raakte ik hem vol in het gezicht. De stoel kantelde, Kevin graaide vruchteloos naar een houvast – en viel met zijn achterhoofd op de hoek van het bed.
Het duurde even voor ik doorhad wat er aan de hand was. In mijn allesoverheersende woede was ik er enkele ogenblikken lang van overtuigd dat hij een stukje opvoerde – het arme kind dat door zijn vader geslagen wordt, en zich na de eerste slag wijselijk onbeweeglijk houdt, om er niet nog meer te krijgen. Ik schreeuwde dat hij er moest mee ophouden. Dat dat soort trucjes niet langer werkte, dat hij niet moest denken dat hij er zich op déze manier

zou kunnen uit redden, dat hij zich zou moeten verantwoorden voor wat hij had gedaan, en dat hij daar maar beter meteen kon mee beginnen, in plaats van in elkaar te krimpen als een bange hond.
Tien tellen later belde ik het noodnummer, en schreeuwde om een ambulance.

29. VRIJDAGNAMIDDAG – ONDERWEG

"En?" vraagt Sam, de vierentwintigjarige chauffeur van de ziekenwagen, aan zijn collega achterin. De intercom kraakt een beetje.
"Hij lijkt het te houden," antwoordt Frank, zijn zevenentwintigjarige compagnon. Hij werpt een blik op de monitor, die gemonteerd is tegen een zijwand van de wagen. De jongen op de brancard is nog steeds buiten bewustzijn – ademhaling is niet echt goed, en ook de onregelmatige hartslag houdt de ambulancier alert.
"Kan ik eventueel sneller?" vraagt de ander. Ze bevinden zich nog steeds in de wijk, en de overvloed aan verkeersdrempels dwingt de chauffeur tot een slakkengang. Toch heeft hij de sirene ingeschakeld, al was het maar om automobilisten verderop te waarschuwen.
Frank werpt een blik op de jongen. Het hoofd beweegt niet – kán ook niet bewegen. Hij heeft het zo goed als mogelijk geïmmobiliseerd. Volgens de vader is het kind tegen de rand van een bed gevallen – een schedelbreuk, op het eerste gezicht. Schokken moeten zoveel mogelijk vermeden worden.
"Dubbel kan wel," antwoordt hij. "Het is serieus, Sam."
"Goed." Sam draait een laatste maal linksaf, en verlaat opgelucht de wijk. Hij versnelt tot bij de eerste verkeerslichten, vertraagt, rijdt voorzichtig het kruispunt op, maar moet dan stoppen omwille van een vrachtwagen die wil afslaan.
De vader, gezeten op een bankje naast de brancard, vloekt. Het is het eerste wat Frank hem in de ambulance hoort zeggen. De man lijkt zich goed in de hand te hebben, buiten het klassieke handenwringen en het onafgebroken kauwen op de onderlip.
Sam stuurt de ambulance op de voor autobussen voorbehouden middenberm, manoeuvreert zich voorbij de vrachtwagen, bereikt opnieuw de hoofdweg en kan het gaspedaal eindelijk induwen. De dubbele rij auto's vóór hem heeft zich gesplitst als de Dode Zee.
Gelukkig, denkt Sam. Mensen die hun verstand gebruiken. En geen *danceboxen* op wielen, of sleeën met een honderdjarige achter het stuur – die maken de weg zelden vrij, omdat ze de sirenes niet horen.
Frank werpt opnieuw een blik op het kind. De schedel lijkt ernstig. Is het ook, maar hij heeft al erger gezien. Zal het wel overleven. De wonde aan het

gezicht echter... Zoiets heeft hij nog nooit gezien. Niet verwonderlijk dat het kind zo moeilijk ademt...
"Naar welk ziekenhuis gaan we?" vraagt de vader.
"U.Z.," antwoordt Frank.
"Heb je er een idee van wat hij..."
"Neen, meneer," onderbreekt Frank hem. "Ik ben verpleger, geen dokter. Onze taak is het slachtoffer snel, veilig, en in een zo stabiel mogelijke toestand in een ziekenhuis te krijgen... En dat is wat we nu doen," voegt hij er kortaf aan toe, de ogen gericht op de monitor. Het laatste wat hij nu nodig heeft, is een familielid dat z'n zenuwen probeert de baas te blijven door een praatje te slaan. Normaal nemen ze ook nooit iemand mee, maar in dit geval... Nu ja...
"Waarom duurde het toch zolang voor jullie er waren?" jammert de man.
De 'klacht' is tot de chauffeurscabine doorgedrongen – en Sam staat niet bekend om zijn diplomatieke talenten.
"Lang?!" galmt het verongelijkt door de intercom."Tien minuten, lang? Zelfs Schumacher zou dat niet gehaald hebben!"
"Verkeersdrempels," voegt Frank er op vergoelijkende toon aan toe. "Heel efficiënt. Vertragen alles: ambulances, brandweerwagens, politie. Er zijn straten waar een politiewagen een diefje op een bromfiets niet meer kan inhalen. Goed bezig, jongens, goed bezig."
"Maar er is een ambulance gestationeerd om onze hoek, in de wijk zelf. Waarom dan van zover?"
"Dat is de centrale dispatching, meneer. Waarschijnlijk was de wagen die u noemt, uitgereden."
De man trekt een grimas, zucht en knippert met de ogen.
"Wees blij dat het hier niet Engeland is, meneer," zegt Frank, zonder zijn blik van de jonge patiënt af te wenden. Misschien de vader toch maar even afleiden.
"Waarom?"
"De reglementering daar... Onlangs nog: een *unit* moest een man ophalen met een zware voedselvergiftiging – salmonella. Z'n vrouw rijdt mee, maar wordt onderweg ook ziek. Zelfde gegeten, vandaar... De *unit* moet meteen stoppen, een tweede wagen oproepen, en ter plaatse wachten. En weet u waarom? Omdat het er bij wet verboden is om meer dan één zieke in één wagen te vervoeren! Hoe maf kunnen ze het eigenlijk bedenken?! De tweede ambulance was een halfuur onderweg – de afstanden zijn daar veel groter. De

vrouw heeft het uiteindelijk nog net gehaald. De man niet."
Een snelle blik overtuigt Frank dat de vader geen woord zou kunnen herhalen van het verhaal. Niet zo ongewoon, trouwens. De klank van een stem, daar gaat het om. Schijnt een geruststellend effect te hebben. Wat je zegt, speelt nauwelijks een rol. Je kunt net zo goed de voetbaluitslagen citeren.
Plotseling licht een rood verklikkerlichtje onderaan de monitor op. Heel even maar, minder dan een seconde. Franks gezicht betrekt meteen. Hij werpt opnieuw een korte blik op de vader. Raakt niet in paniek. Al maar goed – dat is wel het laatste wat ze kunnen gebruiken. De verpleger grijpt de ovaalvormige microfoon van de radiozender vlak naast de monitor, en duwt op enkele toetsen.
"U.Z. Hubert." Een metalige stem, ogenschijnlijk door dezelfde intercom.
"De 153 hier opnieuw. Vijf minuten. Hartslag niet echt stabiel."
"Oké. We zijn klaar. Geen probleem."
"Oké. Sluiten," mompelt Frank, terwijl de wagen met een loeiende sirene de laan indraait, die naar het U.Z. leidt.
Geen probleem, denkt hij, terwijl hij naar het kind kijkt. Geen probleem, hè?

30. VRIJDAGAVOND – UNIVERSITAIR ZIEKENHUIS

Strakke, neutrale gezichten – dat vooral herinner ik me van die eerste uren in het ziekenhuis.
Niet zozeer emotieloos: eerder afwezig. Mensen volledig geconcentreerd op het probleem waarmee ze werden geconfronteerd, zich bewust van de noodzaak om snel en accuraat te handelen. Iedereen, van de verpleegsters over de dokters tot het administratief personeel, leek doordrongen van de basisregel dat niets paniekerige familieleden sneller bedaart dan de suggestie van zelfverzekerd handelen. *Het is niet zo erg als u denkt* – dát was de centrale boodschap.
In de afdeling 'spoedopname' werd Kevin meteen door enkele verplegers van dienst weggereden, terwijl een verpleegster me meetroonde naar een wachtzaaltje, met enkele stoelen, een tafeltje vol tijdschriften en een koffieautomaat. Zei dat ik me geen zorgen hoefde te maken. Zou me op de hoogte brengen zodra ze meer wist. Liet me alleen.
Niemand had tot dan toe een vraag gesteld over het gebeurde. Ik had de ambulanciers wel gezegd dat Kevin tegen de bedstijl was gevallen, maar zij waren daar niet verder op ingegaan. Ik voelde ook niet meteen de behoefte om te gaan rondbazuinen dat ik mijn zoon uit zijn bureaustoel had geslagen: ik schaamde me, natuurlijk, maar toch was dat niet de voornaamste reden. Als ik het zei, zou er meteen een vraag volgen, en ik had er geen idee van wat ik dáárop moest antwoorden.
Waaróm had ik hem dan geslagen?
Omdat ik er was achtergekomen dat hij een moord had gepleegd? Was dat het antwoord? Het was de waarheid, maar daarom niet het meest zinvolle antwoord. Want dan zou er nog een vraag volgen: waarom had ik de politie dan niet gewaarschuwd?
De echte vraag waarop ik voor mezelf eerst een antwoord zou moeten formuleren, was: wat nu? Wat wilde ik? Wat wilde ik, voor Kevin? Hij had toch nog recht op een tweede kans? Als ik van dat standpunt vertrok... Wat gaf hem dan de meest realistische kans: dat ikzelf de komende jaren zou proberen om hem op het rechte pad te krijgen, hem om te vormen tot een stabiele persoonlijkheid met een empathisch vermogen, of dat ik die taak overliet aan de 'bevoegde diensten'? Aan jeugdrechters, psychiaters, psychologen, en

opvoeders in gesloten instellingen? Leverde ik hem wel of niet over aan de media? Aan een op sensatie beluste goegemeente, die zou schreeuwen om een boom en een strop, aan de commentaar van de buurt, de wijk, de stad, zeg maar van het hele land? Zou een levenslang stigma enig nut hebben? Mijn grootste probleem? Het ontbreken van een tussenweg. Het was hoe dan ook kiezen tussen zwart en wit.

Ongeveer een halfuur later kwam de verpleegster me vertellen dat het nog wel even kon duren. Kevin was in de operatiezaal – meer kon ze niet kwijt. Ze suggereerde echter dat er niet zo meteen nieuws zou komen, en dat ik me maar beter voorbereidde op een lange wachttijd. Beneden in de cafetaria werden broodjes verkocht; en als ik iemand met de gsm wilde bellen, diende ik dat wel buiten het gebouw te doen – om veiligheidsredenen was het gebruik ervan *in* de gebouwen verboden. Pas toen realiseerde ik me dat ik Renhilde niet eens had verwittigd.

Haast automatisch kwam ik van mijn stoel en liep naar beneden.

Blijkbaar had mijn vrouw haar plannen gewijzigd: ze was in het gezelschap van Patricia toen ze opnam. Ik vertelde haar dat er iets was misgelopen, dat Kevin zich in het U.Z. bevond, en dat ik daar op haar wachtte. Ik voegde eraan toe dat er geen reden was om onderweg risico's te nemen, omdat onze jongen op dit ogenblik toch werd geopereerd, en we dus eigenlijk niet veel konden uitrichten. Op haar vraag wat er was gebeurd, antwoordde ik "een ongeval" en voegde eraan toe dat ik haar de details wel zou geven zodra ze gearriveerd was. Ik had absoluut geen zin om er aan de telefoon over te praten.

Terwijl ik plaatsnam in de ontvangsthal van het ziekenhuis – zolang zou Renhilde wel niet op zich laten wachten – vroeg ik me af wat ik haar zou vertellen. De waarheid? Objectief gesproken leek het me onmogelijk om die de rest van mijn leven voor haar geheim te houden. Alleen... Hoe zou ze reageren? Mocht ik het risico nemen dat zij naar de politie liep? Hoever kon ik gaan? Wat wel, wat niet? Het werd almaar complexer. Ik diende hoe dan ook zo dicht mogelijk bij de waarheid te blijven, wilde ik me niet vroeg of laat vastrijden.

Ik was er nog niet helemaal uit, toen ik Renhilde op de glazen draaideuren zag toelopen. Meteen realiseerde ik me dat de vraag zich niet meer stelde. Ze was niet alleen. Patricia had er blijkbaar op gestaan om haar te vergezellen.

Beide vrouwen keken ernstig. Patricia knikte.

"Wat is er gebeurd?" vroeg Renhilde.

"Hij is gevallen. Op zijn kamer. Met zijn hoofd op de houten rand van zijn

bed. Hij was buiten bewustzijn. Ik heb meteen de ambulance gebeld."
Haar gezicht betrok.
"Is hij uitgegleden of zo?"
"Ik denk het."
"Je hebt het niet zien gebeuren?"
"Jawel. Volgens mij is hij gestruikeld, maar honderd percent zeker ben ik daar niet van."
Ze fronste, maar tot mijn grote opluchting drong ze niet verder aan.
"Bloedde hij erg?"
"Neen. Dat maakte me juist zo ongerust."
"Wat zeggen de dokters?"
Ik haalde de schouders op.
"Ik heb er nog geen gezien. Blijkbaar moest hij geopereerd worden – waaraan of waarom weet ik ook niet. Men heeft me alleen gezegd dat het nog even kon duren. Zodra ze meer wisten, zouden ze het melden."
Patricia, die er al in geslaagd was om drie voorbijlopende dokters het hoofd te doen draaien, grimaste.
"Dat zeggen ze altijd. Toen mijn vader verongelukte, deden ze dat ook."
"Zullen we naar boven gaan?" vroeg ik Renhilde. "Je weet maar nooit."
Mijn vrouw knikte, en wendde zich tot haar gezellin.
"Heel lief dat je wilde meekomen, Patricia. Maar je moet echt niet blijven. Dat heeft ook niet veel zin: veel meer dan wachten kunnen we toch niet doen."
"Neen, Renhilde," antwoordde haar vriendin. Ze pauzeerde, lachte naar een rijzige verpleger, keek die enkele ogenblikken lang na, en keerde zich dan weer naar mijn vrouw. "In tijden van nood leert men zijn vrienden kennen. Ik blijf. Misschien niet de hele nacht, maar nu in elk geval wel."
"Dank je," zei Renhilde, met een glimlach die mij niet meteen overtuigde dat ze het meende. Samen liepen we in de richting van de bezoekersliften.

Drieënhalf uur later – Patricia was na een halfuurtje vertrokken – hoorden we voetstappen. Een lange, magere man, gekleed in het klassieke, vaalgroene uniform van de operatietafel, met warrig, grijs haar en een gerimpelde huid, verscheen. Hij keek even rond, zag alleen ons, en kwam naar ons toe.
Zoals gewoonlijk probeer je op zo'n ogenblik het nieuws af te lezen van het gezicht van de boodschapper. Volstrekt nietszeggend.
"Meneer Vercammen? Mevrouw?"

We knikten.
"Van Regenmortel. Uw zoon wordt momenteel naar *intensive care* gebracht. Zijn toestand is nu gestabiliseerd. Er waren echter wel een paar complicaties."
De man klonk vreemd afstandelijk. Ik dacht dat dokters altijd probeerden om zich meevoelend te gedragen, maar inlevingsvermogen was niet meteen de sterkste kant van deze chirurg.
"Wat bedoelt u?" vroeg Renhilde. Haar stem sloeg een beetje over.
Ik had een geruststelling verwacht. Niets daarvan. Zelfs geen sussende glimlach.
"Uw zoon is binnengebracht met een dubbele schedelfractuur, gekoppeld aan een tweedegraadsragade van het meninges, met de bijkomende complicatie van een inwendige decompositie van het nasaal beendercomplex. We zullen moeten afwachten in hoeverre we de impact van deze kwetsuren hebben kunnen minimaliseren. Om daar enigszins een zicht op te krijgen, moeten we minstens vierentwintig uur wachten."
Ik slikte. Ik probeerde me te beheersen, maar mijn handen trilden.
"Bedoelt u... Dat hij er mogelijk iets kan aan overhouden?!"
De uitdrukking op het gezicht van de chirurg bleef neutraal.
"Zoals ik al zei, meneer, daarvoor is het nog vroeg. Dat hangt van de komende uren af. Maar ik zou liegen als ik zou ontkennen dat die kans bestaat."
"En hoe groot is die kans?"
De man schudde het hoofd.
"Alles wat ik daarover zeg, zou uiteindelijk zuivere speculatie zijn, meneer, en daar is niemand mee gebaat. Laten we rustig afwachten. Hou vooral in gedachten dat het menselijk lichaam niet alleen ingenieus in elkaar steekt, maar ook een merkwaardig groot incasseringsvermogen bezit."
Renhilde kruiste de armen, en rilde.
"Kunnen we hem zien?"
"Het spijt me. Daarvoor is zijn toestand niet stabiel genoeg. Overigens heeft dat niet veel zin: voor zijn eigen veiligheid houden we hem voorlopig in een lichte coma. U kunt dus geen..." Toen hij Renhildes paniekreactie opmerkte, onderbrak hij zichzelf. "Maak u niet ongerust, mevrouw, daar is niks ongewoons aan. We hebben die coma doelbewust opgewekt, om zijn lichaam in optimale omstandigheden te laten recupereren. Als alles volgens plan verloopt, houden we hem zo voor achtenveertig uur. Daarna halen we hem terug uit coma, en bekijken we de situatie opnieuw. Normale procedure. Tot dan is

alleen medisch personeel in zijn buurt toegelaten. Zonder uitzonderingen."
Ik voelde me onwel worden, zó erg zelfs dat ik me op een stoel moest laten zakken. De muren van de wachtzaal wiegden heen en weer – alsof ik stomdronken was.
Ik had mijn kind niet zomaar geslagen: ik had hem bijna dóódgeslagen! Goed, het was een ongeval geweest, een ongelukkige samenloop van omstandigheden, maar dan nog.
"Oh ja, meneer Vercammen..."
Ik keek op.
"Het spijt me, maar... Het is sinds het begin van dit jaar de politiek van dit ziekenhuis om systematisch de politie te waarschuwen wanneer een kind wordt binnengebracht met wat we gemakshalve een 'verdacht' letsel noemen. U mag dat niet verkeerd interpreteren: het gaat hier zeker niet om een beschuldiging of zo. Het heeft voornamelijk te maken met de juridische aansprakelijkheid van het medisch personeel. Ik meld u dit liever zelf dan dat u er beneden mee wordt overvallen. Het gaat overigens om een formaliteit: het afleggen van een verklaring over wat er exact is gebeurd, meer niet."
Renhilde keek met toenemend ongeloof afwisselend van de rijzige chirurg naar mij.
"Hoezo, verdácht letsel?!"
Van Regenmortel slaagde erin enigszins te glimlachen.
"Het spijt me, mevrouw, maar daarover mag ik niks zeggen. Dat zult u moeten bespreken met de vertegenwoordiger van de politie. Die is op de hoogte gebracht. Hij zal waarschijnlijk beneden op u wachten. Hier kunt u toch niks uitrichten: het lijkt me het verstandigst dat u eerst die formaliteit beneden afhandelt, en daarna probeert om thuis enkele uurtjes te rusten. U zult uw energie de komende dagen best kunnen gebruiken." Hij knikte. "Sterkte," voegde hij eraan toe, waarna hij zich omdraaide en zonder een groet verdween.
"Verdacht letsel?" Renhilde staarde me aan. "Wat is er gebeurd, Bernard?"
Ik slikte. Wat moest ik haar in 's hemelsnaam vertellen?
"Bernard?!"
"Ik heb hem geslagen," antwoordde ik zachtjes.
"WAT?"
Ik zuchtte.
"Hij viel – waarschijnlijk omdat hij het niet verwacht had. Niet zag aankomen."

"Waarom in..."
Ze werd onderbroken door een gezette verpleegster. Voorafgegaan door een aura van onverzettelijkheid marcheerde ze in onze richting.
"Vercammen?" vroeg ze autoritair.
"Ja?"
"Er is beneden iemand die u wenst te spreken. Als u me wilt volgen?"
Ik weet niet wat ik op dat ogenblik het ergste vond: de afschuw in de ogen van de verpleegster, of de verbijstering van Renhilde. Ze keek me aan alsof iemand haar net had verteld dat ik een vooraanstaand lid van Al Qaeda was. Terwijl ze in de lift de hele tijd 'Dit kán gewoon niet' mompelde, wekte de verpleegster de indruk dat ze de lift het liefst van al wilde blokkeren, om mij ongestoord met een mes te lijf te kunnen gaan. Ik betrapte er mezelf op hoe weinig een mens nodig heeft om zich schuldig te voelen.
"Hierlangs, alstublieft," gromde de verpleegster toen de deuren opengleden. Ze leidde ons via de balie naar een kaal kantoortje, waarin naast een ouderwets metalen bureaumeubel, ook nog drie stoelen, een wankel tafeltje en een antiek koffiezetapparaat stonden.
"Ga zitten," beval ze. "De inspecteur komt zo." Ik kon me niet van de indruk ontdoen dat ze de deur achter zich dichtgóóide.
We namen plaats op de twee naast elkaar staande stoelen, Renhilde zette haar handtas op het versleten bureau, vouwde de handen in haar schoot, en bewoog niet. Ik durfde haar niet aan te kijken. Haar ogenschijnlijke zelfbeheersing was niet meer dan een pose, dat voelde ik wel. Het liefst van al zou ze me gillend door elkaar hebben geschud. Misschien bewaarde ze dat wel voor thuis. Ofwel was ze gewoon veel verstandiger dan ik. Wat als we in een 'krimi' verzeild geraakt waren? Misschien bestudeerde de politie-inspecteur ons nu van achter een spiegelend glas, en zat er ergens een microfoon verborgen, zodat hij alles kon horen – in de hoop dat we bezwarende uitspraken zouden doen.
Oogluikend bestudeerde ik de ruimte: in de tweede deur, recht tegenover de deur die uitgaf op de balie, zat inderdaad een stuk ondoorzichtig melkglas. Dat zou dus kunnen. En de microfoon? Onder het bureau?
Ik wilde net mijn schoenveters opnieuw vastknopen, toen de deur openzwaaide en een kleine, roodharige man verscheen. Hij nam plaats aan de andere kant van het bureau, haalde enkele papieren uit een stijlvolle aktetas, plantte zijn ellebogen op het bureaublad, vouwde zijn handen voor zijn mond, en keek me dan recht in de ogen.

"Meneer Vercammen?"
Ik knikte.
"Als ik het goed begrepen heb, was mevrouw niet thuis toen het ongeval gebeurde?" Hij klonk alsof dát alleen al haar schuldig maakte – vrouwen horen aan de haard. Ik wist meteen dat Renhilde zou reageren.
"Dat klopt, ja."
Voor de man kon vervolgen, plaatste Renhilde beide handen met een klap op het bureaublad.
"De chirurg sprak van een 'verdacht' letsel," zei ze scherp. "Zou u dat misschien eerst even willen verduidelijken, meneer...?"
De politieman liet zijn kin op zijn gevouwen handen rusten, en bestudeerde Renhilde stilzwijgend. Dan tuitte hij de lippen.
"Janssens," zei hij zuur. "En, neen, ik draag geen bolhoed, en, neen, ik heb ook geen tweelingbroer." Hij wachtte even, maar toen er geen reactie kwam, rommelde hij enkele ogenblikken in zijn papieren. "Een verdacht letsel, mevrouw, is een letsel dat niet kan verklaard worden door de opgegeven oorzaak. In dit geval..."
Ik onderbrak hem.
"Mag ik er u op wijzen, inspecteur, dat tot nu toe niemand mij iets heeft gevraagd over het gebeurde? Ik heb de ambulanciers alleen gezegd dat onze zoon met zijn hoofd tegen de bedstijl is gevallen. Moet er niet eerst een officiële oorzaak worden genoteerd, voordat uw definitie van verdacht letsel kan worden toegepast?"
Hij wierp opnieuw een blik op zijn papieren.
"Natuurlijk, meneer Vercammen. Strikt juridisch hebt u volkomen gelijk. Misschien is er hier wel sprake van een overreactie vanwege het ziekenhuispersoneel. Aan de andere kant..."
Hij zweeg – zuiver theater.
"Ja?" snauwde Renhilde.
"Aan de andere kant, mevrouw..." zei Janssens temerig, terwijl hij Renhilde strak in de ogen keek, "... is het voor dokters erg moeilijk om te geloven dat een kind ergens tegenaan gevallen is, als het aan wéérskanten van zijn hoofd zware verwondingen vertoont. Iemand die met zijn achterhoofd tegen een bedstijl valt, houdt daar gewoonlijk geen zware neuskwetsuur aan over." Hij verlegde zijn aandacht naar mij. "Ik luister, meneer Vercammen."
Ik ademde diep. Het *point of no return.* Mijn fout, vergissing, hoe je het ook wilde noemen, aan de openbaarheid prijsgeven. Ik zocht mijn moed bij el-

kaar – maar ik was niet snel genoeg.
"Hij heeft hem geslagen," snauwde Renhilde ineens, met een verbeten trekje om de mond. De opmerking verraste zelfs Janssens.
"Hoe weet u dat, mevrouw?"
"Hij heeft het me daarnet zelf gezegd."
"Meneer Vercammen?"
Met verstomming geslagen, staarde ik naar het bureaublad. Wat bezielde Renhilde om... En die toon! Bitterheid, weerzin. Woede ook. Zo ineens! De voorbije weken schoten in een flits aan me voorbij: Patricia's opmerking over Renhildes onbevredigde behoeften, de zure opmerkingen, de verwijten, de ongewone afwezigheden. En nu dit! Het voelde aan als verraad. Mijn oude demon stond plotseling weer voor me. Eenzaamheid.
Ik keek op, en knikte.
"Dat klopt," mompelde ik. "Ik heb hem inderdaad een klap gegeven. Het was een ongeval. Uitgerekend op het ogenblik dat ik uithaalde, draaide hij zijn gezicht in de richting van mijn hand. Hij gleed uit, viel van zijn stoel, en raakte de rand van het bed, ongelukkig genoeg. Het was een óngeval, inspecteur. Ik heb mijn zoon nooit eerder geslagen – dat kan mijn vrouw getuigen. Ik bén helemaal niet zo, integendeel."
"Mevrouw? Klopt dat?"
Ik keek haar aan, maar ze wendde zich af.
"In zoverre ik weet wel, ja."
In zoverre ze het wist?! *Jesus!* Ze wist het verdomme beter dan wie ook!
"Renhilde, in godsnaam..."
"Je slaat een kind niet!" beet ze me toe. "Om geen enkele reden! Nooit! Een kind slaan DOE je gewoon niet! Jouw eigen woorden, Bernard! Maar ik had het kunnen weten, natuurlijk: dat het blablabla was! Zoals al de rest! Veel gescheer, maar weinig wol."
"Renhilde..."
Ze wendde zich ostentatief van me af.
"Meneer zág zijn zoon zo graag! Ha!" sneerde ze.
Ik begreep het niet. Toen toch niet. Nu vermoed ik dat het een combinatie was van woede en het aangrijpen van de gelegenheid, maar daar had ik toen geen idee van. Ik kon haar alleen stomverbaasd aankijken.
De inspecteur wachtte even: woordenwisselingen tussen betrokkenen waren meestal erg onthullend, en wierpen vaak een duidelijker licht op de zaak dan weloverwogen antwoorden. Toen we echter beiden zwegen, richtte hij zich

opnieuw tot mij.
"Ik geloof u, meneer Vercammen. Maakt u zich niet ongerust. Alleen... U begrijpt natuurlijk ook wel dat de vraag die zich dan stelt, is: waaróm hebt u uw zoon geslagen?"
Renhilde wendde zich prompt en met veel misbaar terug in mijn richting – als wilde ze zeggen: "Dát wil ik nu ook weleens weten!"
Over dit ogenblik, en vooral over het antwoord dat ik zou geven, had ik al veel nagedacht, zonder tot een besluit te komen. Nu het zover was, kwam het antwoord moeiteloos.
"Omdat hij brutaal was," antwoordde ik zacht. "Ik weet het, ik weet het," vervolgde ik haastig, toen ik de inspecteur zag fronsen, "het is een belachelijke reden – dat weet ik beter dan wie ook, geloof me. Maar belachelijk of niet, het is de waarheid. Een brutaal antwoord – de druppel die de emmer deed overlopen. Zo eenvoudig is het."
Janssens krabbelde iets op een papier, en knikte.
"En waarover ging uw gesprek met hem dan?"
Ik haalde de schouders op.
"Ik had gewoon een slechte dag. Problemen 's morgens op het kantoor, een hoop werk mee naar huis moeten nemen, geïrriteerd in het verkeer, Kevin die thuiskomt van school en zonder een woord naar z'n kamer gaat, die een vulpen uit *mijn* bureau haalt zonder dat zelfs maar te vragen, die eerst niét antwoordt als ik wil weten wat hij aan het doen is, zegt dat dat mijn zaken niet zijn als ik aandring, dat ik zijn privacy schend door onaangekondigd in zijn kamer te verschijnen. Ik was boos. Zei dat hij nog altijd te luisteren had naar zijn vader. Ik nam mijn vulpen gewoon terug. En uitgerekend dán vindt die dertienjarige snotaap het nodig om "Wat doet gij nu, zak?!" te roepen. ZAK. Zak, tegen mij, zijn vader... Dat ene woordje was er te veel aan... Het gebeurde gewoon, zonder dat ik er controle over had, zonder dat ik erover nadacht, of het wilde... Mijn hand schoot uit, als had ze een eigen leven en een eigen wil... De rest van het verhaal kent u."
Ik keek naar de tippen van mijn schoenen. Hoewel ik natuurlijk wel wist dat mijn verhaal niet klopte, had ik tegelijk toch een gevoél van waarheid – alsof het zo zou kúnnen gebeurd zijn. Ik zou het helemaal niet moeilijk hebben gevonden om verder te fantaseren, maar de inspecteur slikte het. Meer zelfs: hij klonk plotseling helemaal anders.
"Tja... Ik kan niet zeggen dat ik het niet begrijp, meneer Vercammen. Mocht *mijn* zoon zo reageren, ik zou eerlijk gezegd niet weten hoe *ik* zou reage-

ren... Slaan is altijd verkeerd, dat weten we allemaal, maar kinderen kunnen soms zó het bloed van onder je nagels halen, dat..." Hij haalde de schouders op. "Nu ja... Gedane zaken nemen geen keer. Hebt u er nog iets aan toe te voegen?"
Ik schudde het hoofd. Een ogenblik lang vreesde ik dat Renhilde over Rutger zou beginnen, de hele toestand met de pornovoorstellingen, het geweld op school, maar ofwel dacht ze er op dat ogenblik niet aan, ofwel leek het haar niet opportuun, ofwel vond ze dat er geen verband was. Ze zweeg in elk geval, tot mijn grote opluchting. Misschien had ze dat beter niet gedaan, achteraf gezien.
"Ik hoop dat alles in orde komt met uw zoon," zei Janssens. "Soms is iets wat op het eerste gezicht een ramp lijkt, achteraf het beste wat er kon gebeuren. Je weet maar nooit. We leren allemaal uit onze fouten."
Ik wist absoluut niet meer wat ik van de man moest denken. Van cynicus tot filosoof. Hij maakte nog enkele notities, stak dan de papieren opnieuw in zijn aktetas, en stond op, zonder aanstalten te maken om handen de schudden.
"Er zal een verslag opgemaakt worden van uw verklaring, meneer Vercammen. Zonder onverwachte verwikkelingen zal deze zaak ongetwijfeld worden geklasseerd. Het lijkt me evenwel verstandig dat u hulp zoekt – gezinsbijstand of zoiets. Een psycholoog misschien. Maar dat is uw eigen zaak, uiteraard. Nog een goedenavond. Mevrouw." Hij maakte een vaag gebaar in Renhildes richting, en verdween.
Renhilde besloot om eerst het halve ziekenhuis op stelten te zetten. Een halfuur lang weigerde ze om Kevin 'achter te laten': ze stond erop om de nacht aan zijn zijde door te brengen. Een hoofdverpleger slaagde er uiteindelijk in haar duidelijk te maken dat ze haar zoon de volgende achtenveertig uur niet zou mogen zien, omdat deze na de operatie naar 'intensieve zorgen' was overgebracht en zich in een medische coma bevond. 'Mevrouw moest beseffen dat bezoek toelaten in dit precaire stadium van het recuperatieproces, de patiënt in gevaar kon brengen. In levensgevaar – en dat was toch niet bedoeling?'
Uiteindelijk capituleerde Renhilde. De verpleger draaide zich om, mompelde '*Jesus*', en verdween.
Vermits ik met de ambulance was meegereden, en Patricia Renhilde tot in het ziekenhuis had gebracht, moesten we een taxi nemen om thuis te geraken. Onderweg spraken we geen woord. Terwijl ik de taxichauffeur betaalde, liep Renhilde zwijgend naar binnen, en hoewel ik een ogenblik vreesde dat ze

mijn verhaal zou doorprikken en de waarheid zou eisen, bleef ze stom. Geen woord. Ik schonk me een cognac in: ik had een enorme behoefte aan vergetelheid, aan een gevoel van rust, artificieel of niet. Renhilde ging de trap op, rommelde wat in de slaapkamer, en kwam daarna de living terug binnen met een deken, een laken en een hoofdkussen. Ze gooide alles op de sofa, en zei: "Slaap jij vannacht maar hier. Ik slaap boven. En ik draai de deur op slot. Ik heb er genoeg van."

"Renhilde, alsjeblieft..." probeerde ik nog, maar ze was al opnieuw op de trap.

Ik dronk te veel, die avond. Veel te veel.

31. VRIJDAGNACHT – BRUSSEL

Dirk zit aan zijn bureau, de kin rustend op zijn gevouwen handen, en staart naar de ingelijste foto van Lutgard, zijn veertigjarige maar nog steeds aantrekkelijke vrouw. Dat doet hij wel meer – vooral wanneer de positie van de stukken op het schaakbord geen enkele vooruitgang meer toelaten, en de enig overblijvende mogelijkheid de onverwachte wending is. In onverwachte wendingen is niemand sterker dan zijn vrouw. Expert *hors catégorie. La reine des changements*. Het toont aan hoe groot zijn wanhoop is in deze zaak.
Net wanneer hij zich koffie wil bijschenken, rinkelt de telefoon. Hij werpt een blik op het venstertje, leest wie hem nog zo laat wenst te spreken, glimlacht, en neemt de hoorn op.
"Dag, Jos," zegt hij. "Ook nog wakker?"
"'Verdomme, Dirk! Ik vergeet altijd dat jullie moderne telefoons hebben. Het is duidelijk waar al het geld naartoe gaat: wij moeten ons hier nog behelpen met zo'n kastje aan de muur, met een draaihendel en een halve toeter aan een draad!"
"Ah. Dan zijn jullie erop vooruitgegaan. Ik dacht dat jullie nog met postduiven werkten."
De man aan de andere kant grinnikt.
"Neen, dat bleek uiteindelijk te duur. Die beesten begonnen na een tijdje zelfs sommige studiereizen in gevaar te brengen. De top was er op den duur radicaal tegen."
"Dat zal wel... Vertel eens: wat brengt jou nog zo laat op pad?"
"Ach..." De ander aarzelt hoorbaar. "'t Is misschien maar een scheet in een fles..."
"Dat weet je nooit," antwoordt Dirk, terwijl hij zich koffie bijschenkt. "Vertel op."
"Wel... Je hebt me vorige week op de barbecue een en ander over die babymoord verteld. Je hebt me toen ook de naam van die buurman gegeven, je weet wel, die door de computerspecialisten was aangewezen als verdachte, maar wiens computer 'toevallig' bleek leeggemaakt."
Dirk zet langzaam zijn kop koffie op het bureaublad. Zou zijn vrouw hem dan toch gehoord hebben?
"Ja?"

“Ik ben de naam van die man vergeten. Zou je die nog eens kunnen geven?”
“Waarom?”
“Geef me gewoon die naam, Dirk. Ik wil je niet blij maken met een dooie mus.”
“Maar waarom wil je die naam hebben? Heb je hem misschien gezien of zo?”
“Dirk!”
“Oké, oké. Vercammen.”
“Ben je daar zeker van?”
“Stomme vraag, Jos.”
Hij hoort hoe zijn gesprekspartner grinnikt.
“Da's waar.”
Wanneer hij blijft zwijgen, wordt Dirk ongeduldig.
“Verdomme, Jos. Ik héb ‘m gegeven! Zeg iets!”
“Bingo.”
“Zeker van?”
“Neen. Het kan natuurlijk ook een onwaarschijnlijke samenloop van omstandigheden zijn. Die kans is er altijd.”
Dirk wordt nu echt ongeduldig.
“Zeg, Jos, ben je informant geworden, of wat?! Moet ik je misschien eerst betalen?”
“Hoeveel geef je?” lacht de ander. “Neen, neen. Ik heb die meneer Vercammen vanavond in het ziekenhuis gezien. Ik moest een verklaring van hem afnemen. Zijn zoon is opgenomen. Schedelbreuk en neus in de prak.”
“Wow!”
“Jawel. Meneer had hem geslagen. Het kind was zogezegd tegen de rand van het bed gevallen.”
“Wat?!”
“Yep. Volgens hem omdat de kleine onbeschoft was.”
“Dus, hij heeft dat toegegeven?”
“Ja.”
“En zijn vrouw?”
“Was erbij. Ontplofte bijna.”
“Dat zal wel... Heb je de jongen gesproken?”
“Neen. De dokters hebben hem in coma gebracht.”
“Is ‘t zo erg?”
“Ja.”

Dirk drinkt bedachtzaam van zijn koffie, zet het kopje neer, en staart nadenkend naar de foto van zijn vrouw. Van een onwaarschijnlijk toeval gesproken: net op het ogenblik dat hij haar 'aanroept', belt Jos, om...
"Hij heeft met andere woorden zijn enige zoon in de prak geslagen," zegt hij tegen zijn jeugdvriend. "Merkwaardig, héél merkwaardig. Ik heb zo'n vaag vermoeden... Bedankt, Jos. Neem van mij aan dat het hier niet gaat om een dooie mus. Ik denk dat ik het parket ga bellen." Hij grijpt naar een blocnote, zoekt een pen, en zegt dan: "En geef me de naam van het ziekenhuis eens."

32. ZATERDAGMIDDAG UNIVERSITAIR ZIEKENHUIS

Omstreeks twaalf uur stonden we al voor de balie van het universitair ziekenhuis. Renhilde had het personeel de hele ochtend bestookt met telefoontjes, en tot mijn grote opluchting had men haar uiteindelijk gevraagd enkele formaliteiten te komen afhandelen. We namen opnieuw een taxi. Tegen mij zei ze nog steeds geen woord. Toen we de verpleegster vroegen of we dokter Van Regenmortel konden spreken, en onze naam gaven, veroorzaakte dat een probleem. De vrouw vroeg ons even te wachten, pleegde een telefoontje, suggereerde dat we beter even konden plaatsnemen, telefoneerde opnieuw, schudde het hoofd, raadpleegde een lijst, vroeg iets aan een collega, stond op en verdween in de richting van de bezoekersliften, verscheen een hele poos later terug met een zorgelijke uitdrukking op haar gezicht, telefoneerde opnieuw, verontschuldigde zich en vroeg nog even geduld, telefoneerde nógmaals, draaide zich halverwege het gesprek met haar rug naar ons toe, knikte, en kwam dan uiteindelijk naar ons toe. De uitdrukking op haar gezicht was er een van professionele afstandelijkheid.

Geen verontschuldigingen meer, geen verklaringen, niks.

“Dokter Van Regenmortel wacht op u,” zei ze. “Derde verdieping.” Ze maakte een gebaar in de richting van de bezoekersliften. “Als u daar...”

“We kennen de weg,” onderbrak Renhilde haar met een snauw. Ze draaide zich nors om en beende weg.

De hele voormiddag had ze me straal genegeerd, mijn vragen onbeantwoord gelaten, in ons huis rondgelopen alsof ik er niet was, en getelefoneerd! Hoewel ik min of meer kon begrijpen waarom, raakte het me diep. Hadden we niet ooit gezegd ‘In goede en kwade dagen’? Dit wáren kwade dagen. Ze hoefde me geen gelijk te geven, of te verdedigen. Me negeren was echter oneerlijk. Alsof ik alléén verantwoordelijk was voor Kevins gedrag. We hadden hem toch sámen opgevoed? Aan de andere kant kon ik haar stilzwijgen wel appreciëren, al was het maar omdat ik geplaagd werd door een enorme kater: elk geluid gleed als een cirkelzaag door mijn hersenen. Een koud stortbad en enkele liters koffie hadden me al wel min of meer tot leven gewekt, maar echt fris en monter voelde ik me niet.

Van Regenmortel stond ons op te wachten bij de liften op de derde verdieping.

"Meneer Vercammen. Mevrouw." Geen uitgestoken hand, alleen een afstandelijk knikje. "Wilt u me volgen." Zonder een antwoord af te wachten, liep hij ons voor door de gang. Een deur zonder naamplaatje gaf aan dat we bij een anoniem kantoor waren: een metalen kast, een grijs bureau, oude stoelen, gebleekte posters aan de muur, vaalgele scandiaflex voor het raam. Even later zaten we voor het bureau.
Hij zuchtte, en keek ons gedurende enkele ogenblikken schattend aan. Dan verscheen er plotseling een uitdrukking van begrip op zijn gezicht.
"Ik vrees dat ik slecht nieuws voor u heb," zei hij zacht.
Soms lees je weleens over dergelijke momenten: iemand deelt rampzalig nieuws mee, maar de betrokkenen begrijpen het niet, of willen het niet begrijpen, beginnen vragen te stellen, en voeren nog een heel gesprek voordat ze enige emotionele reactie vertonen.
Ik begreep meteen wat de chirurg bedoelde.
"Zeg dat het niet waar is," stamelde ik nog. Daarna knapte er iets. Potdicht. Ik gloeide ineens, rillingen over de rug, tranen, dichtgeschroefde keel, beelden, Kevin in zijn wieg, Kevin op zijn eerste fietsje, Kevin op de grond, gebalde vuisten, ik kwam recht, strompelde tot bij de kast, greep de randen, beet op mijn lip, proefde bloed, tranen gleden tot in mijn mondhoeken, ik draaide me om, zag dat het raam uitgaf op een tuin, derde verdieping flitste het door me heen. Enkele seconden lang voelde ik een enorme zin om me er doorheen te gooien, om die allesverscheurende pijn te stoppen. Tot de realiteit ineens als een kankergezwel openbarstte en me met de waarheid overspoelde.
Ik hoefde de dood niet tegemoet te springen. Ik wás al dood.
Niks kon dit herstellen. Mijn hele volwassen leven had in het teken gestaan van een kind – mijn kind. En dat had ik nu niet meer. Meer nog: ik had het zelf gedood. Een ongeluk, maar dat deed er niet toe. Zijn dood was ook mijn dood.
Achteraf gezien had ik inderdaad beter kunnen springen, maar waarschijnlijk zal een of ander oerinstinct, zelfbehoud of zo, me net te lang hebben tegengehouden. Teveel ineens – *crash. Perte totale.* Tilt. Gelieve te herstarten.
En toen merkte ik Renhilde op.
Ze lag op de grond, naast haar stoel. Onbeweeglijk. Blijkbaar was ze flauwgevallen bij het horen van het nieuws, maar dat was me ontgaan. Van Regenmortel had al om hulp gebeld, en op hetzelfde ogenblik kwamen er twee verplegers het kantoor binnen. Ze bogen zich over Renhilde, mompelden iets tegen elkaar, een derde verpleger verscheen met een draagberrie, en

enkele momenten later verdwenen ze met Renhilde in de gang.
Mijn vrouw die op een draagberrie wordt weggedragen – het zijn mijn laatste beelden. Daarna heb ik haar niet meer gezien.
"Gaat het?" vroeg Van Regenmortel.
Even wilde ik 'WAT EEN STOMME KLOTEVRAAG IS DAT?!' roepen, maar verder dan een flauw schouderophalen raakte ik niet. Hij leidde me tot bij de stoel, en duwde me zachtjes neer.
"Koffie?"
Ik knikte. Als hij had gevraagd of ik arsenicum wilde, had ik ook geknikt. Het ging aan me voorbij. Even later zette een verpleegster me een kop koffie voor.
"Wanneer?" stamelde ik.
"Vanmorgen," antwoordde hij. "Niet echt onverwacht. Sommige cerebrale elementen waren zwaar beschadigd. Hij zou hoe dan ook nooit meer normaal hebben kunnen functioneren."
"Kan ik hem nog even zien?"
"Voorlopig niet. Later misschien."
Even ergernis.
"Het is verdomme mijn zoon, en ik..."
Hij onderbrak me.
"Er is nu geen tijd voor, meneer Vercammen. Er is nog iemand anders die u wenst te spreken."
"Hoezo?"
Hij reikte zwijgend naar de telefoon, drukte op een toets, zei tegen zijn secretaresse dat ze moest doorverbinden, en overhandigde me dan de hoorn.
"Meneer Vercammen?" Een hese stem. Rookster. "Ik ben Hilde Cooremans. Onderzoeksrechter. U begrijpt dat, gezien de omstandigheden, een en ander moet worden uitgeklaard. Kunnen wij elkaar maandagvoormiddag zien? Laten we zeggen... om tien uur?"
Onwaarschijnlijk, maar waar: mijn allereerste gedachte ging naar het werk. Maandag moest ik op kantoor zijn – kon dus niet. Idioot. Totaal van slag.
"Ik zal er zijn, mevrouw."
"Goed. Ik zal u voor alle zekerheid het volledige adres geven...""
Van Regenmortel begeleidde me naar beneden. In de grote hal gaf hij me een hand, en zei:
"Sterkte, meneer Vercammen. En als ik u een goede raad mag geven: blijf de eerste weken van de drank af. U staat voor een heel moeilijke periode in uw

leven. Doe geen domme dingen."
Ik knikte alleen maar.
"Oh ja. Wat uw vrouw betreft... We gaan ze een paar dagen in observatie houden. Ze heeft een lichte hersenschudding, en vermits het hier in het ziekenhuis zelf is gebeurd..."
"Op welke kamer ligt ze?"
De chirurg ademde diep in.
"Ik vind dit helemaal niet prettig, maar... Mevrouw stond erop. Ze wil u voorlopig niet zien, meneer Vercammen. Het lijkt me beter een paar dagen te wachten, voor u enig initiatief neemt. Laat haar nu eerst maar tot zichzelf komen."

33. ZONDAGVOORMIDDAG – BRASSCHAAT

Haar gsm komt plotseling tot leven. Gelukkig is er nog geen videofoon: het zou haar in een lastig parket hebben gebracht. Nu kan ze tenminste ongestoord bellen, zonder dat de andere kant weet dat ze in bad zit, met een glas witte wijn en een goed boek.
"Ja?"
"Mevrouw Cooremans? Dirk Luukens, SBU, Brussel. Stoor ik?"
Cooremans grijnst. Ze is niet zinnens haar kleine geheimpje te verraden.
"Neen, hoor. Vertel het maar. Wat kan ik voor u doen, meneer Luukens?"
"Als ik goed ben ingelicht, leidt u het onderzoek naar ene Bernard Vercammen."
"U bent verrássend goed ingelicht, meneer Luukens."
De stem aan de andere kant klinkt geamuseerd.
"Netwerken is een van onze specialiteiten, mevrouw. We kunnen misdaden slechts oplossen als we álle beschikbare informatie aan elkaar koppelen – dat zeggen wij al jaren. Vandaar..."
"*I see*. En wat wilde u weten over die Vercammen?"
"Weten? Niks, mevrouw. Eerder integendeel. *Wij* hébben informatie die heel nuttig zou kunnen zijn voor u."
"Zo?" Ze beseft dat het sceptischer klinkt dan ze het bedoelt. "Ik luister."
De man is een professional. Hij laat zich niet van de wijs brengen door een toon.
"Er is iets mis met die Vercammen."
Cooremans gaat wat rechtop zitten, zodat de gsm niet het risico loopt onder het schuim te raken, en reikt naar haar glas wijn.
"Wat dan?" vraagt ze.
"Hoe staat het met de gezondheid van zijn zoon?"
Zoals steeds aarzelt de onderzoeksrechter even. Ze haat het woord.
"Dood. Gisterennacht gestorven."
Het blijft even stil aan de andere kant.
"*Shit*... Dat is geen toeval meer."
"Hoezo?"
De man klinkt grimmig.
"Herinnert u zich de moord op Sofie Ruuckven nog, enkele maanden gele-

den? Onze vriend Vercammen woont in dezelfde straat als het meisje, slechts enkele huizen verder."
Cooremans kijkt naar haar blote tenen, maar geestelijk is ze volledig bij haar gesprekspartner.
"Meneer Luukens, suggereert u nu..."
"Dat hij er iets mee te maken heeft?" onderbreekt de man haar. "Ja. Er zijn foto's gevonden op het internet, van het kinderlijkje. Ze konden worden getraceerd. Het spoor eindigde bij *zijn* computer."
"Wat?!"
"Jazeker. Toen we het toestel opeisten en lieten onderzoeken, bleek de harde schijf volledig gewist. En weet u wanneer? Op de avond van de moord. Merkwaardig toeval, niet?"
"Dat is het minste wat u kunt zeggen."
"En nu slaat hij zijn eigen zoon de kop in. Dat is volgens mij geen toeval."
"Zo te horen, hebt u een theorie over wat er gebeurd is."
"U doet uw reputatie van scherpe geest alle eer aan, mevrouw de onderzoeksrechter."
Cooremans grijnst. De man heeft onmiskenbaar zin voor humor.
"Mijn scherpe geest vertelt me dat u dan ook een dossier hebt."
"Correct."
"Hm..." De onderzoeksrechter denkt even na. "Bent u beschikbaar?"
"Altijd, als het moet."
"Waar bevindt u zich nu?"
"Op het werk. In Brussel."
"Op een zondag?"
Weer gegrinnik.
"Mijn vrouw is met haar vier zusters en een buslading vol peet- en andere kinderen naar zee. Het was dat of werken."
"Hebt u iets tegen kinderen misschien?"
"Tegen *kinderen* niet, neen."
Ze grijnst.
"U hebt het dossier daar in de buurt?"
"Uiteraard."
Ze aarzelt heel even. Eén glas is nog net niet te veel om met de auto te rijden.
"U bent er zeker van dat u een ander licht op de feiten kunt werpen?"
"Ik heb een heel sterk vermoeden van wat er juist gebeurd is, mevrouw."

"Goed. Kunt u zich vrijmaken en naar mijn kantoor komen?"
"U bedoelt nu meteen?"
"Ja. Nu ja, laten we zeggen... Over een uurtje."
De stem aan de andere kant aarzelt geen ogenblik.
"Ik heb een voorliefde voor mensen die van aanpakken weten, mevrouw. Ik zie u dan."

34. MAANDAGVOORMIDDAG GERECHTSGEBOUW

Het weekend was een nachtmerrie.
Kevin was dood. Mijn kind leefde niet meer. *My reason for living*, dood. Dertien jaar lang gekoesterd, dood door mijn schuld. Ik wist dat ik een begrafenisondernemer moest zoeken, dat er een hoop administratie wachtte, maar ik kon het gewoon niet. Futloos. Huilen. Boosheid. Verbijstering. Ik sloot me op. Staarde naar de salontafel. Leeg. Ik had mijn kind gedood. Ik herhaalde het elke minuut, en tegelijk leek het besef me te ontsnappen: als een vlieg zoemde het om mijn hoofd, viel het me geregeld aan, bleef toch onbereikbaar. De realiteit, een gaswolk. Onwezenlijk. Onmogelijk.
Nachtmerrie.
Ik had hem geslagen, hij was ongelukkig gevallen, dood.
Ik praatte urenlang met hem. Vroeg hem waar ik in de fout was gegaan. Of hij me vergaf. Waarom hij in 's hemelsnaam zo stom was geweest. Of ik zijn geheim mocht verklappen. Of hij zich beter zou voelen als men wist wat hij had gedaan. Wat men er daarboven van dacht?
Wat men er daarboven van dacht. Ik, die helemaal niet gelovig was, praatte met mijn zoon *daarboven.* Vroeg naar de mening van anderen *daarboven.* Van wie dan? Van God misschien? *Jesus!* En toch zou ik gezworen hebben dat hij me hoorde. Het leek een echt gesprek. En ik had niét gedronken. Geen druppel. Ik durfde niet. Waarschijnlijk zou ik nu niet meer leven als de realiteit op dat ogenblik in al haar consequenties tot me was doorgedrongen. Nooit eerder had ik begrip kunnen opbrengen voor de starende *clochard*, vuil, onverzorgd, goedkope fles wijn in de hand, onder een smerige brug bij een kanaal, futloos, platgeslagen. Man, sta op, had ik vaak gedacht, laat je niet zo gaan, vecht. En nu... Nu wilde ik alleen maar aan zo'n kanaal zitten, me bezuipen, in het water verdwijnen.

Toen ik op maandagochtend uiteindelijk in het centrum van de stad geraakte en het gerechtsgebouw binnenging, voelde ik me een misdadiger. Het *ik-moet-je-krik-al-niet-meer*-syndroom. Ik besefte dat mijn redenering niet klopte, maar ik *wilde* vernietigd worden.
Dood aan de kindermoordenaar.

Toen ik de trappen opliep, realiseerde ik me dat ik mijn handen voor mijn lichaam hield, tegen elkaar, als waren ze geboeid.
Onderzoeksrechter Cooremans, een mollige veertiger in een zwart mantelpakje dat haar figuur perfect verdoezelde, stond me in een deuropening op te wachten, tussen twee agenten die er de wacht optrokken. Ze ging me voor naar een soort wachtvertrek, waar ze me liet plaatsnemen op een houten bank tegen de muur. Ze vroeg me even geduld te oefenen. en liet me alleen. Blijkbaar verwachtte ze niet dat ik zou proberen te vluchten.
Alsof ik dat *wilde*! Je kunt niet ontsnappen uit de hel – niet als die in je kop zit. En geloof me, de hel bestaat. *Ce ne sont pas les autres: c'est vous-mêmes.* Waarom hebben ze in 's hemelsnaam de doodstraf afgeschaft?
Drie kwartier later ging de deur naar het kantoor weer open. Cooremans verontschuldigde zich voor het oponthoud en vroeg of ik koffie wilde.
Ik begreep meteen waaróm het zolang had geduurd, hoewel ik er de gevolgen niet meteen van zag. Links van een met dossiers bezaaid, indrukwekkend bureau, zat een man die ik kende.
Inspecteur Luukens. Zijn gezicht stond neutraal, maar tegelijk leek zijn club net de landstitel te hebben gewonnen.
"Meneer Vercammen. Mijn deelneming." Hij stond niet op, gaf geen hand.
"Dank u."
Cooremans gebaarde naar de stoel, en nam plaats achter haar bureau. Toen ze merkte dat het tegenlicht mij hinderde, stond ze op en trok de zware gordijnen dicht.
"Meneer Vercammen, het spijt me dat we dit gesprek in deze omstandigheden moeten hebben, maar er rest ons geen keuze. U begrijpt..."
Ik knikte alleen maar.
"Hoe hebt u het weekend doorgebracht? Bij familie?"
"Neen." Ik haalde de schouders op. "Thuis. Ik wilde alleen zijn."
"Uw vrouw bevindt zich nog steeds in het ziekenhuis. Als ik het goed heb, mag ze vanmiddag weg."
"Ik zou het niet weten. Ze wil mij niet zien."
"Tja..."
Tranen sprongen me in de ogen. Cooremans haalde een pakje papieren zakdoekjes uit een lade, en schoof het me toe. Haar gelaat bleef onbewogen – net als haar blik.
"Zullen we?" vroeg ze even later.
Ik knikte.

"U hebt aan agent..." Ze wierp een blik op een papier, "... Janssens verklaard dat u uw zoon heeft geslagen. *Omdat hij brutaal was*, staat hier. Klopt dat?"
"Ja."
"Had u al eerder fysiek geweld gebruikt tegen uw zoon?"
"Neen. Ik ben altijd een fervent tegenstander geweest van elke vorm van geweld. Ik heb mijn zoon ook zo proberen op te voeden."
'Hm... Fervent tegenstander... Klopt het dat u ooit een gevechtssport hebt beoefend?"
De vraag alleen al. Een ogenblik lang wilde ik haar vragen wat dát er in 's hemelsnaam mee te maken had.
"Ja," antwoordde ik. "In mijn jeugd. Karate. Een drietal jaar, zoiets. Maar dat had niets met drang naar geweld te maken, als u dat misschien denkt, wel integendeel. Ik wilde zelfvertrouwen kweken. Is nooit gelukt, vrees ik."
Cooremans keek Luukens betekenisvol aan. Die knikte nauwelijks merkbaar.
"Vertelt u me nog eens, meneer Vercammen," vroeg de onderzoeksrechter, "waaróm uw zoon zo brutaal reageerde."
Pas toén drong het tot me door dat ik klem zat. Het hele weekend lang had ik tijd gehad om een sluitend verhaal te bedenken, en de vraag was niet eens bij me opgekomen.
Wat had ik vrijdagavond in het ziekenhuis tegen die agent gezegd? Iets over opruimen of zo? Als ze erop doorgingen, viel ik ongetwijfeld door de mand. Het alternatief was meteen de waarheid vertellen. Dat ik erachter gekomen was dat Kevin... Maar mocht ik mijn eigen kind verraden? Hij kon zich niet meer verdedigen. Aan de andere kant: wat deed het er nog toe? Hij was dood. Voor hem maakte het geen verschil meer. En hem verráden? Het was *mijn* schuld, niet de zijne. *Mijn* opvoeding had gefaald. *Ik* was blind geweest.
"Doet dat er iets toe? Hij is dood. Een ongeluk – slecht neergekomen. Ik héb hem geslagen, dat is juist. Daarmee zal ik de rest van mijn leven moeten leven. Geen mens kan een ergere straf bedenken, gelooft u me maar. Maar als u daar toch nog een extra straf aan moet verbinden – mij maakt het niet meer uit."
Cooremans zuchtte.
"Meneer Vercammen. *Waarom* reageerde uw zoon zo brutaal?"
Ik haalde de schouders op.
"Ik had iets ontdekt. Ik wilde het hem laten toegeven. Dat deed hij ook. Toen ik hem vroeg waaróm hij het had gedaan, zei hij alleen maar 'waarom niet?'.

Dat was er te veel aan. Dat onnozele 'waarom niet?'. De mateloze arrogantie ervan... Ik ontplofte. *Black-out.* Ik sloeg hem voor ik het zelf besefte. Het was zeker mijn bedoeling niet..."
De onderzoeksrechter boog zich voorover, en keek me in de ogen. Ik wendde me af. Ze wachtte enkele ogenblikken, maar toen ik bleef zwijgen, zei ze:
"En wát had u ontdekt? Dat hij huishoudgeld had gestolen? Zoiets?"
Ik schudde het hoofd. Ik wilde haar wel aankijken, maar ik kon het niet. Ik schaamde me. Schaamde me om wat er gebeurd was, om wat ik op het punt stond te vertellen, om het feit dát ik het ging vertellen. Ik voelde me een lafaard.
"Ik had ontdekt dat... En niet alleen ontdekt: ik kon het bewijzen ook. Daarom dat hij het uiteindelijk ook toegaf. Dat... dat hij... de kleine Sofie had..."
"Hij?!" Ik denk niet dat het de bedoeling was dat Luukens iets zou zeggen, maar het ontsnapte hem. Het klonk ongelovig, en sceptisch. Sarcastisch bijna.
Ik knikte alleen maar.
De onderzoeksrechter fronste de wenkbrauwen.
"Begrijp ik u nu goed? Wilt u ons nu doen geloven dat uw zoontje van dertien een baby heeft meegenomen en vermoord, en dat u dat had ontdekt? Ik bedoel, ú wel, en de politiediensten niet? Dat u hem ermee confronteerde, en dat hij bekende?"
Ik wreef met mijn hand door mijn gezicht.
"Ik weet dat het klinkt alsof... Maar het is de zuivere waarheid."
Luukens leunde achterover, en kruiste hoofdschuddend de armen. Cooremans tuitte de lippen.
"En *waarom* zou hij dat gedaan hebben, meneer Vercammen?"
"Dat vroeg ik hem ook."
"En toen zei hij 'waarom niet?'..."
"En heb ik hem geslagen, ja."
"Wist u dat al langer, dat hij..."
"Ik vermoedde het al een tijdje, ja. Ik wilde het eerst niet geloven. Tot ik de feiten optelde."
"Waarom bent u er toen niet meteen mee naar de politie gestapt?"
Inderdaad, waarom? Hij zou nu nog geleefd hebben. Een verknoeid leven, weliswaar, maar toch. Was een verknoeid leven waard om geleefd te worden? Een vraag die ik mezelf al een heel weekend stelde.

Ik slikte.
"Hebt u kinderen, mevrouw?"
Verkeerde vraag. Haar gezicht betrok.
"Laten we bij de feiten blijven, meneer Vercammen. Uw feiten. De vraag was waarom ú er niet mee naar de politie bent gestapt."
"Het was mijn *kind*. Mijn énig kind. Hij was nog zo jong. Ik wilde niet dat hij... Dat zijn leven... Ik twijfelde... Ik wist het niet zeker. Ik wilde hem er eerst mee confronteren."
"En omdat *hij* aan *u* bekende, hebt u hem doodgeslagen?" vroeg de agent, zonder van houding te veranderen. De klemtonen die hij legde, verbaasden me.
"Meneer Luukens, mag ik u verzoeken..." zei mevrouw Cooremans scherp. De agent zwaaide met een hand, bij wijze van excuus.
"Het was een ongeluk," zei ik nadrukkelijk. "Hij is met zijn hoofd tegen de bedstijl gevallen."
De gelaatsuitdrukking van de onderzoeksrechter verstrakte.
"Het spijt me, meneer Vercammen. De val die u vermeldt, veroorzaakte een schedelbreuk, aan het achterhoofd. Maar dat is niet de doodsoorzaak. Als dat de enige kwetsuur was geweest, had hij nu nog geleefd."
"Ik begrijp niet..."
"De neusfractuur. Men noemt het gebied tussen neus en ogen niet voor niks de dodelijke driehoek."
De man van het FCCU legde een hand op het bureau.
"U hebt hem op de neus geslagen, in een perfecte hoek, zodanig dat het neusbeen de hersenen is binnengedrongen. Een perfect uitgevoerde karateslag!"
"U bent gek!"
Cooremans greep opnieuw in. Ze gebaarde dat Luukens zich moest beheersen.
"Het spijt me, meneer Vercammen," zei ze dan. "Maar het medisch rapport is wat dat betreft onweerlegbaar. Geen enkele specialist terzake zal dit aanvechten."
"U denkt toch niet dat ik mijn eigen zoon bewust heb doodgeslagen? Heb vermoord?!"
Luukens keek me zwijgend aan. Zijn gezicht sprak boekdelen. De onderzoeksrechter wreef nadenkend met een vinger over haar lippen.
"Wij denken niéts, meneer Vercammen. Wij tellen alleen de feiten op... Het lijkt me verstandig dat u een advocaat contacteert."

"Waarom? Omdat alles wat ik zeg, tegen mij kan gebruikt worden? Die onzin?"
Cooremans leunde met haar kin op haar tot vuisten gebalde handen, en keek me strak aan. Iets vertelde me dat ze over lijken ging als ze het nodig oordeelde.
"U weet zelf best wel waarom," antwoordde ze zacht. "U weet best dat er meer aan de hand is dan... dat 'ongeluk' met uw zoon. De publieke opinie mag dan wel een negatief beeld hebben van de politie, maar vergeet niet dat meer dan negentig percent van alle zware criminaliteit uiteindelijk opgelost geraakt."
Ik slikte. Ik had plotseling een droge keel.
"Ben ik nu al een zware crimineel? Wat is hier aan de hand, verdomme?!"
"Dat weet u best, meneer Vercammen..." Ze wachtte even, bouwde bewust een dramatische spanning in. "Maar wij weten het grotendeels ook, en dát wist ú niet."
"Wat dan? Wát weet u dan grotendeels ook?"
Ineens een helder moment. Wat had Luukens gezegd, toen ik hen vertelde dat Kevin Sofie had omgebracht? 'Hij?!' had hij spontaan uitgeroepen. Ongelovig, cynisch, nadrukkelijk. Ze dachten toch niet...
"U denkt toch niet dat *ik* Sofie..."
"Hebben wij dan redenen om die optie te overwegen?"
"Neen. Bij mijn weten niet, neen."
"Waar was u die vrijdag, meneer Vercammen?"
"Heb ik u reeds verteld. Ik ben de hele dag onderweg geweest. Ik had een afspraak met twee klanten in Wallonië."
Cooremans keek Luukens aan, en knikte.
"We hebben uw verklaring daaromtrent grondig nagetrokken, meneer Vercammen. De feiten spreken voor zich: niémand weet waar u die dag was. Er is geen enkel feit opgedoken dat uw verklaring kan staven. U hád een afspraak, maar u bent niet komen opdagen, én hebt niet afgebeld. Met andere woorden: u hebt geen alibi. Bovendien zijn er ook andere, technische aanwijzingen die in een bepaalde richting wijzen."
"Wélke technische aanwijzingen?"
Cooremans keek Luukens aan. Die glimlachte. Een hyena.
"Dát is nu het grote voordeel van alles wat met computers en internet te maken heeft, meneer Vercammen. Zeer weinig mensen beseffen het, maar zowat elke activiteit op het internet wordt wel ergens *gelogd*. Genoteerd – bijgehou-

den, zeg maar. Wie wat wanneer waar doet, is bijna altijd traceerbaar. Die *log-files* vormen ondubbelzinnige aanwijzingen: het zijn geen interpretaties met een foutenmarge, maar féiten. U kunt het maar beter bekennen." Luukens' stem veranderde plotseling. "En me eens uitleggen waaróm! Ik ben zelf vader van vier, en ik snap absoluut niet hoe je zo'n ziekelijke..."
"Luukens!" Cooremans had blijkbaar een reputatie in het milieu: Luukens zweeg niet alleen prompt, de kleur trok ook uit zijn gezicht.
"Het spijt me," mompelde hij.
"Als u zich niet kunt beheersen, moet ik u van de zaak zetten!"
"*Won't happen again.*" Hij slikte.
"Dat hóóp ik!" Ze ademde diep, en dropte haar geduld in de papiermand. "U verklaart dus dat Sofie Ruuckven is omgebracht door uw zoon, dat u hem dat heeft laten bekennen, en dat zijn reactie op uw vraag naar een verklaring u zo woedend maakte, dat u hem sloeg. Hij is daarop slecht neergekomen. Begrijp ik dat goed?"
Ik knikte alleen maar.
"Dan moeten we uiteraard ook veronderstellen dat de perfect uitgevoerde slag op zijn neus zuiver toeval was."
"Ik wist niet eens dat ik hem daar geraakt had. Het is het eerste dat ik daarover hoor."
"Feiten zijn feiten, meneer Vercammen. Hebt u een advocaat?"
Die had ik niet. Ik realiseerde me plotseling dat mijn bestaan tot nu toe zo doordeweeks was geweest dat ik niet eens een advocaat had.
"Het lijkt me verstandig dat u meteen iemand contacteert. Ik zal u een lijstje geven, als u dat wenst." Ik knikte. "Gebruikt u mijn telefoon maar, zodra u een keuze hebt gemaakt. Ik vrees namelijk dat ik u onder onmiddellijk aanhoudingsmandaat zal moeten plaatsen."

35. DINSDAGNAMIDDAG
KANTOOR GEVANGENISDIRECTEUR

"Hoe gedraagt hij zich?"
De directeur, een schriele man met een pluisbaardje, laat zijn handen naast zijn laptop rusten, en kijkt de cipier onbewogen aan.
De voormalige militair gaat ongewild in de houding staan.
"Niks bijzonders, directeur. Normaal, op het eerste gezicht."
"Geen afwijkend gedrag, Frank? Geen speciale wensen?"
"Neen. Zoals u weet, vroeg hij gisteren om pen en papier. Sindsdien schrijft hij als een bezetene. Maar verder... Beleefd, volgzaam, geen enkel probleem. We hebben er andere."
De directeur knikt, en steekt voor de zoveelste keer een sigaret op.
"En vannacht?"
Frank haalt de schouders op.
"Ik geloof niet dat hij veel geslapen heeft. Maar verder... Dat is eigenlijk nog het ergste."
"Wat?"
De cipier verstrakt.
"Dat het ze niet aan te zien is. Die kindermoordenaars lijken altijd doodgewone burgermannetjes. Een kwijlende viezerik met één hand constant in z'n broek zou het een stuk makkelijker maken."
"Hij is nog niet veroordeeld, Frank."
"Op tv zegden ze dat hij bekend heeft."
De directeur veroorlooft zich een schaduw van een glimlach.
"Op tv zeggen ze zoveel, Frank."
"Dat is waar, meneer. Laten we hopen dat u dat ook duidelijk kunt maken aan onze ándere gasten."
De directeur trekt aan z'n sigaret, en tikt de as bedachtzaam af in de metalen design-asbak, een geschenk van zijn personeel, na twintig jaar dienst.
"Problemen?"
Frank zucht.
"Ik vrees het. We hadden hem in de 1316 gezet, bij Johansson en Schulstra. Dat ging goed tot de eerste nieuwsuitzending. Schulstra maakte daarna meteen kabaal. Vond dat we hém viseerden."

De directeur schudt het hoofd – met Hollanders is het *altijd* wat.
"Hém? Waarom dan wel?"
Frank zucht. In zijn stem weerklinkt begrip.
"Tja... Een kindermoordenaar is niet populair hier. Drijft de spanning op. Op tv hadden ze het ook over een jong meisje – Sofie en nog iets. Dat Vercammen daar ook iets mee te maken zou hebben. Dat verziekte het helemaal... Schulstra zei dat hij binnen de kortste keren door zijn 'vrienden' zou verplicht worden om de smeerlap onder handen te nemen, als we Vercammen in 'zijn' cel lieten – waarvoor *hij* dan achteraf zou worden gestraft."
De directeur drukt z'n sigaret uit.
"Hoe denk je dat op te lossen?"
Frank recht zijn rug.
"Ik heb de vrijheid genomen om een en ander te reorganiseren op gang 13. U was er gisteren niet, maar ik wilde geen enkel risico nemen."
De directeur leunt achterover en kruist de armen.
"Ik luister."
"Ik heb Al Chamziba bij Johansson en Schulstra gezet, en Vercammen verhuisd naar 134. Maroef was daar natuurlijk niet zo gelukkig mee, maar ik geloof niet dat we ons met Vercammen ongelukken kunnen veroorloven."
De directeur zoekt bedachtzaam naar een neuskeutel, draait zijn vondst tot een bolletje, en wipt het als een knikker op de vloer. Hij zucht.
"Nog eventjes, en we zullen ze horizontaal moeten stapelen... Enfin. Dat heb je prima opgelost. Houden zo... Beseft Vercammen hoe de sfeer is?"
De cipier knikt.
"Dat hebben ze hem vannacht wel duidelijk gemaakt."
"En hoe reageerde hij?"
"Het laat hem schijnbaar koud. Geregeld tranen, dat wel, maar niet om wat de anderen van hem denken, lijkt me. Voor de rest zit hij over zijn stapeltje papier gebogen."
"Goed." De directeur tikt op zijn bureaublad. "Hou de situatie de eerste dagen wel in het oog. Breng me onmiddellijk op de hoogte als er iets verandert, wat het ook is. Zoals je zegt, we kunnen in dit geval geen enkel risico nemen."
Frank schudt het hoofd. Het is sterker dan hemzelf.
"Zoveel eieren, onder één rotte appel. Wat een verspilling. Ze zouden zo'n appel meteen moeten..."
De directeur onderbreekt hem streng, maar niet van harte.

“Ik weet hoe je erover denkt, Frank, maar we leven nu eenmaal niet meer in de middeleeuwen.”
De cipier knikt gemelijk.
“Jammer genoeg niet, meneer.”

36. MAANDAGOCHTEND KANTOOR GEVANGENISDIRECTEUR

Onderzoeksrechter Cooremans zat achter het bureau van de directeur. Ze keek mij verwonderd aan.
"Bedoelt u nu echt dat u nog *altijd* geen advocaat hebt? Dat u er niet eens om gevraagd hebt?"
Ik knikte. Het was haar derde bezoek sinds ik in verzekerde bewaring was opgenomen, en nog steeds irriteerde het haar. Was een advocaat 'zekerder", of had ze zo'n hekel aan me, dat ze liever niet rechtstreeks met mij praatte?
"Beseft u wel hoe ernstig uw situatie is?"
Ik verlegde mijn geboeide handen naar mijn linkerbil. De stoel die ze me hadden gegeven, een krakend stuk wrakhout, wiebelde vervaarlijk, en de geur van haar kop koffie werkte op mijn speekselklieren.
"Ik heb de nieuwsuitzendingen op tv gezien, ja. 'Een tweede Dutroux', 'het nieuwe Belgisch monster'. Wees eens eerlijk, mevrouw: hoeveel kans maak ik nog? Zelfs als ik zou worden vrijgesproken?"
Ze gaf geen krimp.
"Onze bedoeling is de wáárheid te achterhalen, meneer Vercammen, niét u *coûte que coûte* te brandmerken als moordenaar."
"U meent het! Dat is een spectaculaire vernieuwing voor onze gerechtelijke kringen, mevrouw. Weet u wel welk risico u neemt?"
Ik moet het haar nageven: ze glimlachte.
"Meneer Vercammen: begrijpt u het dan niet? Geen advocaat, betekent geen communicatie, ook niet met de buitenwereld. Zwijgen is toestemmen, of in dit geval: zwijgen is bekénnen – of u dat nu wil of niet. Zo redeneert de buitenwacht nu eenmaal. Als u geen weerwerk biedt, of een advocaat dat voor u laat doen, mag u het de wereld niet kwalijk nemen dat hij over u heen walst."
"Sinds wanneer heb ik voor de wéreld een advocaat nodig? U voert toch het onderzoek? En ú zoekt toch alleen maar naar de waarheid?"
Opnieuw glimlachte ze. Ik voelde bijna sympathie – sympathie voor de beul.
"Om verbaal weerwerk te geven, hebt u inderdaad geen advocaat nodig. Jammer genoeg voor u zijn er ook nog de feiten. Het ziet er echt niet goed uit,

meneer Vercammen. Ik adviseer u nogmaals om een advocaat te nemen."
Ik had het haar al eerder uitgelegd, en ze wist wat er kwam.
"Ik heb mijn zoon een klap verkocht; zowel de klap als mijn zoon vielen slecht. Nu is mijn zoon dood. IK heb hem gedood – of de buitenwereld het nu als doodslag omschrijft of als moord, maakt mij niks uit. Mijn vrouw wil mij niet meer zien, een job heb ik niet meer, vrienden evenmin, geen plek om te wonen meer... Mijn leven bestaat niet meer. Het komt niet terug, of ik nu vrijgesproken word of veroordeeld. Geen enkele advocaat kan Kevin tot leven wekken. Geen enkele advocaat kan mij mijn leven teruggeven, mevrouw Cooremans. Ik ben een levende dode. Misschien bén ik wel een monster: een zombie! En wat die advocaten betreft: zoals de media nu tekeergaan, zal het geen week duren voor de top uit het *métier* hier staat om mij te mógen verdedigen. Waarom zou ik dan op zoek gaan?"
Ze schudde het hoofd.
"Het gaat niet over uw zoon, meneer Vercammen. Het gaat over Sofie Ruuckven."
"U wéét wie dat heeft gedaan."
"Ik weet alleen wat ú me verteld heeft. Steeds meer feiten wijzen echter in een andere richting."
Ik strekte mijn rug – de stoel wiebelde luid, en de agent bij de deur zette zich schrap. Dacht waarschijnlijk dat ik een ontsnappingspoging wilde wagen. Of hoopte dat.
"Ik geloof niet dat u enkel naar de feiten kijkt. Ik geloof dat u van de premisse vertrekt dat een kind van dertien zoiets niet kán gedaan hebben."
Ze dronk haar kopje koffie leeg, en wreef iets uit haar oog. Ik hoorde meteen dat de uitwisseling van vriendschappelijkheden achter de rug was.
"We hebben alles nagetrokken wat u hebt opgesomd. De enige zonder alibi bent u. De enige met een motief? U. De enige die uw verklaring zou kunnen bevestigen of weerleggen, is dood. Doodgeslagen. Door wie? Door u. Merkwaardig, niet? En tussen haakjes: uw zombie-argumentatie laat mij steenkoud, Vercammen. *U* bent niet het slachtoffer, ook al doet u zo uw best om dat te suggereren. Kevin en Sofie, dát zijn de slachtoffers."
Het kostte me moeite om rustig te blijven.
"Kevin, een alibi? Hoezo?"
"Zijn klas was die dag op uitstap naar de stad. Hij was niet afwezig – we hebben het geverifieerd. Meer nog: u hebt zelf een briefje geschreven dat hij rechtstreeks naar het ontmoetingspunt in de stad mocht gaan. We hebben

uitgerekend hoeveel tijd hij daarvoor nodig moet gehad hebben. Hij kán de dader niet zijn, meneer Vercammen."
Had Kevin dit allemaal in een opwelling gedaan? Bijna onmogelijk. Hoewel ik wist wat er was gebeurd, leek het me eensklaps zo onwaarschijnlijk dat ik zelf haast begon te geloven dat het niet kon. Merkwaardig genoeg overviel me plotseling het gevoel dat ík de dader was. Alsof iets met mijn geheugen had gerotzooid: hier en daar wat herschikt, een paar elementjes gewist, enkele fantasietjes ingeplant... Als de wereld eenmaal gelooft dat je de dader bent, dan ben je het ook: als je dan niet voorzichtig bent, ga je het ook zélf geloven.
Secondenlang stond ik op het punt te bekennen, spelend met de overtuiging dat alles dan eenvoudiger zou worden. Waarom ik het uiteindelijk toch niet deed? Omdat ik meteen door de mand zou vallen: ik kon geen details geven, geen motief, geen timing, niks. Ik zou mijn bekentenis niet kunnen staven, op geen enkel punt. Zelfs dát kon ik niet.
"Dat briefje heeft hijzelf geschreven."
Ik weet niet waarom ik dat zei. Om opnieuw greep te krijgen op de realiteit? Klampte ik me vast aan een detail, waarvan ik *wist* dat het de waarheid was?
Cooremans leunde zelfgenoegzaam achterover, en kruiste de armen.
"Dat hebben we laten onderzoeken, Vercammen. U ziet het: we nemen uw verklaringen *au sérieux*."
"En?"
Ze glimlachte superieur.
"Twee onafhankelijke grafologen zijn bereid om onder ede te verklaren dat het uw handschrift is."
"Dan zijn het godverdomme klootzakken die hun job niet kennen!"
De agent bij de deur nam de houding aan van een worstelaar – kom van je stoel en ik verpletter je. Cooremans knipperde niet eens met haar ogen.
"Het zijn internationaal erkende experts. Het zal niet zo eenvoudig zijn een jury ervan te overtuigen dat het 'klootzakken-die-hun-job-niet-kennen' zijn."
"Experts?!" Ik schudde het hoofd. "*Bullshit!* Als een kind van dertien er al in slaagt om hen te misleiden... Kevin heeft verscheidene keren mijn handschrift én mijn handtekening nagebootst – dat héb ik u al verteld. Hij was er zeer bedreven in. Onder andere voor een wiskundetest, dat herinner ik mij nog goed. Mijn vrouw kan dat bevestigen."
Cooremans duwde met een sierlijke beweging een haarlok achter haar oor, en

glimlachte. Ze schonk zich een verse kop koffie in, keek me aan en gebaarde vragend naar de thermoskan. Ik knikte.
"Kunt u nog een kopje brengen voor meneer?"
De agent grijnsde, opende de deur, en riep "Brengt 'ns een tas!"
"We hébben uw vrouw daarover gesproken," zei de onderzoeksrechter.
"Dan wéét u toch dat hij dat heeft gedaan?"
Ze glimlachte opnieuw. De deur werd op een kier geopend, en iemand duwde de agent het gevraagde in de handen. Hij zette een vale mok op het bureaublad.
Cooremans antwoordde niet meteen. Ze schonk koffie uit, en duwde de mok in mijn richting – een verkleurde Mickey Mouse grijnsde me toe
"Uw vrouw heeft bevestigd dat ze dat inderdaad even geloofde." Ze zocht even in de bundel papieren op het bureaublad. "Na een ouderavond. Ze heeft u daarover aangesproken. Uiteindelijk bleek dat u gewoon vergeten was dat u de documenten getekend had. Dat hebt u haar toen ook gezegd. En dát weet u óók."
Ik zuchtte.
"Hoe gaat het met haar?"
De onderzoeksrechter knikte, maar de blik in haar ogen verhardde.
"De gegeven omstandigheden in acht genomen..."
"Heeft ze iets gezegd over... nu ja... ons?"
Ze bestudeerde enkele ogenblikken lang het plafond. Dan slaakte ze een nadrukkelijke zucht.
"De communicatie tussen u beiden verzorgen, hoort niet tot mijn opdracht. De enige manier om met de buitenwereld – in dit geval uw vrouw – te communiceren, meneer Vercammen, is via een advocaat. Dat heb ik u al gezegd."
"Ze zou me toch kunnen komen bezoeken?"
Ze liet een stilte vallen, en steunde met haar kin op haar gevouwen handen.
"Uw handtekening, meneer Vercammen? Na de ouderavond?"
Ik probeerde mijn geboeide handen rond de mok te krijgen, en dronk. De koffie smaakte naar verbrand hout.
"Die was wel degelijk Kevins werk. Ik heb Renhilde toen voorgelogen."
Cooremans glimlachte ongelovig.
"Waarom?"
Een goede vraag. Emotionele omkoperij? De onderhuidse angst om mijn kind te verliezen als ik er tegenin ging? Had ik hem te veel verwend? Hem

altijd goedgepraat, hem de overtuiging ingeplant dat hij zich alles kon veroorloven? Mijn kind, schoon kind? Had ik mijn zoon verpest door hem té graag te zien?
"Waaróm, meneer Vercammen? Waarom zou u uw vrouw wat voorgelogen hebben? Er was geen enkele reden voor."
"Ik denk... Ik denk dat ik Kevin nog een kans wilde geven. Mijn vrouw had het de laatste tijd nogal moeilijk met zijn gedrag: als ik die schriftvervalsing had bevestigd, dan was er thuis een oorlogssituatie ontstaan. Dat wilde ik vermijden."
Of misschien wilde ik hem alleen maar aan me binden. Zijn dankbaarheid kopen.
Voor de eerste keer toonde Cooremans iets dat op irritatie geleek.
"En u vond de reactie van uw vrouw op het gedrag van uw zoon onterecht? Te streng?"
"Te impulsief. Ze dacht er niet meer over na. Ze overlegde ook niet meer."
De onderzoeksrechter vouwde de handen, als in gebed.
"Dus, die hele toestand, met die pornovoorstellingen en zo, dat vond u allemaal niet zo erg. Uw vrouw heeft ons alles verteld, meneer Vercammen: u hoeft zich dus niet langer af te vragen wat u wel en niet mag zeggen."
Die voorstellingen. Was de puberale opwinding die ze hadden veroorzaakt, misschien de verklaring voor zijn daad? Had hij met iets willen uitpakken, en was het uit de hand gelopen? Hij was hoogbegaafd geweest, maar met een beperkt gezichtsveld. *Tunnelvision.* Omdat hij enig kind was? Af en toe had het hem ontbroken aan sociale vaardigheden en inzicht. Had hij opmerkingen van anderen misschien te letterlijk genomen? Ik zou het nooit weten. En dát was *mijn* fout.
"Ik vond dat ze het dramatiseerde."
Cooremans sperde theatraal de ogen open.
"Dramatiséérde?!"
Mijn antwoord klonk scherper dan ik het bedoelde.
"Natuurlijk kunt u zich als vrouw niet inleven in de puberjaren van een jongen. Vrouwen denken altijd dat ze alles afweten van emoties, dat ze van nature uit specialisten zijn. Fout. U kúnt niet weten hoe het aanvoelt om een mannelijke puber te zijn, net zomin als wij kunnen weten wat het betekent om een meisje te zijn. Alleen weigeren jullie dat te aanvaarden."
"Dat is een redelijk seksistische opmerking, meneer Vercammen." Haar geamuseerde toon irriteerde mij.

"Iedereén heeft het altijd maar over de meisjes; over de verschrikkingen van de eerste bloeding en zo. De jongens? Die moeten het zélf maar oplossen. En presteren: thuis, op school, tegenover de familie, vrienden... En vooral geen angst tonen. Angst is iets voor meisjes, nietwaar? Jongens hebben er geen idee van wat er met hun lichaam gebeurt, niemand vertelt het hen écht, maar ze kunnen zich niet veroorloven dat ook toe te geven. Wanneer je ze bezig hoort op hun vijftiende, op een speelplaats of in een kleedkamer van een sportclub, zijn het allemaal stikkies rokende zuipschuiten en hoerenlopers. Zetten ze streepjes op de muur voor elke vrouw die ze hebben gehad. Spijkerhard zijn ze – *boys don't cry*, nietwaar?"
Ze leunde achterover, en suggereerde dat ze geduldig zou wachten tot ik was uitgeraasd.
"*Elke* jongen denkt in die periode zowat uitsluitend aan seks, mevrouw Cooremans – of de andere helft van de wereldbevolking dat nu leuk vindt of niet. Maar het frustreert hen enorm. De helft van de tijd worden ze er ook nog om uitgelachen. '*Heb je al een vriendinnetje, schat?*' Moeders zijn daar heel goed in. Zowat elke jongen zoekt uitlaatkleppen. Zowat elke man heeft in zijn puberjaren wel een seksboekje gekocht, of plaatjes gekeken. Kevin en Rutger waren op dat vlak normale jongens. Alleen gebruikten ze de middelen van hun tijd: ze sloegen geen boekje achterover in een krantenwinkel, of slopen niet stiekem een cinema binnen. Ze organiseerden de voorstelling zelf. Privévoorstellingen, met aangekochte films. Sinds wanneer is dat illegaal?"
"En dat vond u écht niet erg?"
"Ik vond het niet leuk, natuurlijk niet. Wat dacht u? Maar ik zou het erger gevonden hebben als ze de films hadden gestólen. En dat bleek niet het geval."
Opnieuw leunde ze met haar kin op haar tot vuisten gebalde handen.
"Bent u eigenlijk zélf wel van uw puberale fixatie op sex afgeraakt, meneer Vercammen?"
"Pardon?"
"U hebt me gehoord."
"Ik zie niet in..."
"Antwoord gewoon op de vraag."
Ik grijnsde toegeeflijk.
"Ik mag het hopen, ja. Is er iets dat u het tegendeel doet vermoeden?"
Haar ogen glansden, en ze tuitte de lippen. Een leeuwin die haar prooi grijpt.

"Getrouwd met een veel jongere vrouw – wijst dat meestal niet op puberale onzekerheid?"
"Waar hebt u die psychologische theorie vandaan? 'Flair', of 'Dag Allemaal'? Of is het eigen werk?"
Ze gaf geen krimp.
"Was het daarom dat u die foto wilde, van een naakt meisje? Seksuele geborneerdheid? Of was het zuiver winstbejag? Volwassenen met een obsessie zijn wel vaker naïef."
Het was zo'n grotesk schot voor de boeg dat ik de neiging voelde om in lachen uit te barsten. Wie was hier de gefrustreerde? Of probeerde ze misschien een misdaadroman in elkaar te knutselen? Het idee dat *ik* Sofie zou hebben willen fotograferen omwille...
Pas toén drong de realiteit tot me door, in haar volle omvang en gevolgen. Begréép ik plotseling waar de media het beeld van 'de nieuwe Dutroux' vandaan hadden – en waar de uitdrukking 'het bloed trok uit hem weg' vandaan kwam. En hoe dat voelde.
"*Shit.*"
Ze kon de glans van triomf niet helemaal verbergen.

Ik schraapte de keel, maar het hielp niet. Ik dronk wat verbrand hout, maar ook dat was geen verbetering.
"Totaal absurd," kraste ik.
Cooremans schudde het hoofd.
"Als u me nu eens gewoon alles vertelde? Zou dat niet makkelijker zijn? U zou zich een stuk beter voelen. En tussen ons gezegd en gezwegen: u zou niet de eerste zijn met een niet-verwerkt jeugdtrauma. Een goede advocaat en psychiater kunnen u een heel eind op weg helpen."
"Ik héb u al alles verteld. Al meer dan één keer. En ik heb er mijn twijfels over of u zo'n opmerking wel mág maken."
Ze wreef behoedzaam over de pukkel onder haar linkermondhoek.
"Dit is uiteraard *off the record*, meneer Vercammen."
"Sta me toe dat ik even lach."
Ze was niet van haar stuk te brengen.
"Laat ik open kaart spelen. Oké, *off the record.* Dit is wat er volgens mij gebeurd is: vertelt u me wat er niet helemaal klopt... U bezoekt pornosites via uw computer – dat weten we, uit logfiles die we hebben gevonden. U stoot op een site die geld aanbiedt voor 'speciale" foto's. U bent alleen thuis, u ziet

Sofie vanuit het raam van uw bureau alleen de tuin inkruipen, u weet dat de moeder haar alleen heeft gelaten, en u krijgt een idee. In een opwelling grijpt u uw digitale camera, lokt Sofie mee, ontkleedt haar in het bos, het kind begint echter te huilen, u raakt in paniek, u wringt haar per ongeluk de nek om, neemt snel enkele foto's, vlucht als in trance naar binnen, en stuurt de foto's op naar de betreffende site, die deze enige tijd later publiceert. Als u zich realiseert wat u hebt gedaan, besluit u de sporen uit te wissen. U installeert een virus op uw computer, dat bij een volgende start uw harde schijf zal wissen. Bij een vólgende start, want u hebt een getuige nodig. Dan verdwijnt u uit beeld. Een hele dag zogezegd *on the road.* U 'vergeet' uw gsm – wel héél merkwaardig voor een handelsreiziger. Bij gemaakte afspraken daagt u niet op, wat héél ongewoon is voor u, zoals blijkt uit getuigenissen van uw exwerkgever. Dit moet natuurlijk wel, want anders zou u nooit het tijdskader kunnen verklaren. Nu kunt u beweren dat u gewoon 's morgens het huis hebt verlaten. 's Avonds komt u thuis, en u zorgt ervoor dat uw zoon getuige is van de 'virusaanval'. Alles verloopt volgens plan. Niemand beschouwt u als een mogelijke dader van de moord, integendeel: men vraagt u zelfs om het afscheidswoord uit te spreken in de kerk. Uw computer kan u niet verraden, denkt u. Dat is gedeeltelijk ook zo: een op een server gelogd IP-adres is maar een gedeeltelijk bewijs. Bovendien koos u niet zomaar een willekeurig virus: voor alle zekerheid neemt u uw toevlucht tot iets wat uw harde schijf nog eens vier keer overschrijft met willekeurige cijfercombinaties. Het is virtueel onmogelijk om daarna wat dan ook nog te traceren. Heel clever. Alléén: uw zoon is een computerexpert – zoals er wel meer zijn op zijn leeftijd. Met hem hebt u onvoldoende rekening gehouden. Na enige tijd ontdekt hij wat u hebt uitgespookt. Misschien niet van de moord op Sofie, of misschien wel – we kunnen het hem jammer genoeg niet meer vragen. Hoe dan ook, hij besluit u te confronteren met wat hij weet. Misschien doet hij dat een paar keer, en is het daarom dat u zo toegeeflijk blijft in de pornozaak. Natuurlijk beseft u dat dit niet kan blijven duren, en waar het uiteindelijk zal toe leiden. Tijdens een ultieme confrontatie gebruikt u uw karate-ervaring van weleer om hem 'per ongeluk' uit te schakelen. Neusbeen in de hersenen: zelfs als hij het overleeft, zal het als een plant zijn – en planten kunnen nu eenmaal niets verraden. Bovendien heeft dit nog een bijkomend voordeel: als u toch zou worden beschuldigd, kunt u de schuld altijd op *zijn* rug schuiven. Hij kan toch niet ontkennen."

Ze zweeg en keek me strak aan. Ik wendde de blik niet af. Ik bestudeer-

de haar gezicht: haar iets te grote ogen, de scherpe neus, de lachrimpels. Ze had inderdaad gevoel voor humor – zij het voor humor met een hoog absurditeitsgehalte.
Toen de krachtmeting lang genoeg had geduurd, glimlachte ik.
"Weet u, mevrouw, ik wil u bedanken. *Off the record,* natuurlijk. U hebt me overtuigd: ik moet inderdaad een advocaat zoeken. Uw theorie is zó absurd dat om het even wie er in twee minuten brandhout van maakt. U vroeg me te zeggen wat er niet klopt van uw verhaal? Eenvoudig: er klopt niks van. Maar dan ook helemáál niks."
"Wat is er dan wel gebeurd?"
"Dat heb ik u al verteld. En opnieuw verteld. En daarna nog eens verteld."
Ze schudde het hoofd.
"U hebt nog steeds geen alibi voor de dag van de moord op Sofie Ruuckven, meneer Vercammen."
Ik greep opnieuw naar mijn mok verbrand hout. Dit was een uitputtingsslag, een poging om een verdachte tot bekentenissen te dwingen. Ik kon mij voorstellen dat het soms vruchten afwierp – als de verdachte ook de dader was.
"Ik heb toen de hele voormiddag vastgezeten in een file op de autoweg."
"Dat kunt u niet bewijzen."
"Wás er toen een file, ja of neen? Dát hebt u toch al wel nagekeken."
Ze knikte.
"U blijkbaar ook."
"Ik stond er verdomme middenin!"
Ze leek bij zichzelf te overleggen. Knikte dan opnieuw.
"Onze internetspecialisten laten er weinig twijfel over bestaan, Vercammen: de foto van Sofie's lijkje was afkomstig van úw computer."
"Maar daarom nog niet van *mij*! En wat die file op de autoweg betreft: hebt u de veiligheidscamera's laten nakijken? De opnames van die dag moéten mijn wagen toch érgens tonen?"
"Dat hebben we even geprobeerd. Maar de meeste wagens zijn niet identificeerbaar."
Plotseling had ik er genoeg van. Ze negeerde zo duidelijk alles dat in mijn voordeel speelde, dat mijn gevoel voor rechtvaardigheid in opstand kwam. Wat wilde ze eigenlijk nog meer? Mijn leven was al vernietigd. Dat ze me met rust liet! Het maakte me niks uit dat ze me voor de rest van mijn leven opsloten, maar de schijnheilige argumentatie, het hypocriete gesjoemel dat de brave burger de illusie van rechtszekerheid moest bezorgen, zat me dwars.

“Als u op deze manier een onderzoek voert, mevrouw, wens ik daar niet langer aan mee te werken. Niet zonder de aanwezigheid van een advocaat. Vergis u niet: u zit op het verkeerde spoor. Ik bén geen moordenaar. U zoekt alleen maar een levende zondebok. U doet maar. Ik ben nog een hoopje scherven, niet langer een vaas. Veegt u me rustig op een vuilnisblik, en dump me in een cel. *See if I care*. Maar niet onder het mom van objectieve rechtspraak. Draai wat mij betreft de hele wereld een rad voor de ogen: zolang u *mij* maar niet probeert wijs te maken dat u naar de waarheid zoekt.”
Ik leunde achterover. Het wrakhout protesteerde heftig. Iets aan mijn houding of gelaatsuitdrukking moet Cooremans duidelijk hebben gemaakt dat ik niets meer zou zeggen, want ze begon meteen haar papieren bij elkaar te zoeken.

37. VRIJDAGNAMIDDAG – BRIEF

De brief draagt het adres van een advocaat. Een kopie ervan is mij bezorgd via meester Meyle, de bekende pleiter die zich ondertussen bereid heeft verklaard mij te verdedigen.

Confrater,
Als vertegenwoordiger van mevr. Renhilde Corthout, echtgenote Vercammen, verder omschreven als mijn cliënte, *breng ik u op verzoek van mijn cliënte op de hoogte van volgende elementen:*
** dat mijn cliënte verklaart zich niet langer gebonden te achten door de beloftes van wederzijdse ondersteuning, afgelegd ten tijde van haar huwelijk met de heer Vercammen, en er dus ook geen sprake kan zijn van deelname in welke kosten dan ook.*
** dat mijn cliënte verklaart geen enkele verantwoordelijkheid te aanvaarden betreffende daden, gesteld door de heer Bernard Vercammen, noch in morele zin, noch in financiële zin.*
** dat mijn cliënte met onmiddellijke ingang de echtscheiding aanvraagt, en in afwachting van een uitspraak in deze kwestie zich niet langer wenst te beschouwen als verwante van de heer Vercammen, op welke manier dan ook.*
** dat mijn cliënte mij heeft gevraagd stappen te ondernemen, teneinde bovenvermelde wens publiek te maken.*
** dat mijn cliënte nadrukkelijk verklaart zich burgerlijke partij te willen stellen in een eventuele rechtszaak tegen de heer Vercammen, naar aanleiding van de dood van haar zoon Kevin.*
** dat mijn cliënte een identieke actie wenst te ondernemen in eventuele andere rechtszaken, die op welke manier dan ook in verband zouden kunnen worden gebracht met de dood van haar zoon.*
** dat mijn cliënte een schadeclaim tegen de heer Vercammen indient, ten bedrage van één miljoen euro, voor de onherstelbare morele schade die ze heeft geleden en nog lijdt door de dood van haar kind.*
** dat mijn cliënte verklaart emotioneel niet langer in staat te zijn te leven in het huis, gelegen Krokuslaan vierentwintig, M., waar haar zoon omkwam. (Zie tevens de bijgevoegde verklaring van psychiater De Lourder, bij welke arts ze sedert de dood van haar zoon in behandeling is.)*

** dat mijn cliënte mij uitdrukkelijk heeft gevraagd stappen te ondernemen om haar aandeel in bovenvermeld huis zo snel mogelijk te concretiseren. Daar dit slechts mogelijk is via een publieke verkoop van het pand, lijkt onderling overleg tussen ons noodzakelijk, teneinde de modaliteiten in verband hiermee te kunnen vastleggen.*
** dat mijn cliënte actie wenst te ondernemen om alle kosten, rechtstreeks of onrechtstreeks veroorzaakt door de dood van haar zoon, gemaakte zowel als nog te maken, te verhalen op de heer Vercammen.*
** dat mijn cliënte uitdrukkelijk stelt dat ze onder geen enkel beding nog persoonlijk contact wenst te hebben met de heer Vercammen. Indien nodig, zullen juridische stappen dienaangaande worden ondernomen.*

Confrater, gezien het bovenstaande lijkt een persoonlijk overleg tussen ons me gepast. Gelieve dan ook contact op te nemen met mijn bureau, teneinde de modaliteiten dienaangaande te kunnen bespreken.

Met professionele hoogachting,
mstr. J-P. d' Artevelde d' Opgrimbie

Tranen. Pijn. Net zo erg als zoveel jaar geleden...

38. ZATERDAGNAMIDDAG BEZOEKRUIMTE GEVANGENIS

Frank, een van de cipiers, had me in de voormiddag verwittigd dat er bezoek voor me werd verwacht, zonder te willen zeggen om wié het ging.
Ik keek er niet echt naar uit. Meester Meyle was al eens komen praten, onder andere om mijn vragen over zijn ereloon weg te wuiven, en na de brief van Renhildes advocaat wilde ik niemand meer zien. Ik begreep trouwens niet dat men bezoek toeliet. Was ik geen gevaar voor de maatschappij? In totale afzondering dan nog? Of was het misschien een eerste subtiele vorm van bestraffing?
Toen Frank in de namiddag verscheen, voelde ik me dan ook opgelaten. Handboeien aan, vier cipiers om me te begeleiden, een erehaag scheldende medegevangenen – het beest Vercammen werd onder zware bewaking naar de schouwburg gebracht, om te worden tentoongesteld.
Ik schaamde me. Dat was nog het ergste: ik schaamde me voor iets wat ik niet had gedaan, voor iets wat ik niet was. Ik schaamde me zelfs omdat ik me schaamde, omdat ik het niet meer kon opbrengen om te vechten. In stilte hoopte ik dat mijn bezoeker een onbekende was, iemand met wie ik geen gemeenschappelijke herinneringen had, iemand voor wie ik me kon afschermen.
Ze brachten me naar een apart kamertje: blijkbaar was het te gevaarlijk om me tussen medegevangenen te zetten. Twee cipiers bleven ter plaatse – één posteerde zich bij de hoek van een tafeltje, en duwde me op een stoel, de ander bleef bij de deur. Wat later werd mijn bezoeker binnengeleid.
Niet meteen iemand die ik gehoopt had te zien.
Patricia.
Wat moest ik daarvan denken? Renhildes beste vriendin had toch zeker wel partij gekozen?
Ze was opvallend sober gekleed: een duur mantelpakje, met een rok tot over de knie, en een hemd met strik. Niet meteen de blitse Patricia die iedereen kende. Om een gevangenisopstand te vermijden, had men haar waarschijnlijk gevraagd niet in haar gewone outfit te verschijnen.
"Dag, Bernard." Ze ging tegenover me zitten, zonder me een hand te geven. "Je lijkt verbaasd me te zien."

"Dat is wel het minste wat je kunt zeggen, ja."
"Waarom?"
"Waarom al die moeite? Je hebt er toch geen voordeel bij om mij te bezoeken?"
Ik liet mijn handen op het tafeltje rusten. Ze keek naar de handboeien, en wendde de blik af.
"Ik weet hoe je over me denkt, Bernard. Misschien heb je ook niet helemaal ongelijk. Maar dit is anders."
"Dat zal wel."
Er schoof een schaduw over haar gezicht.
"Geloof je me niet?"
"Komaan, Patricia: Renhilde zal je toch wel verteld hebben over haar toekomstplannen."
"En dan?"
"Je bent haar beste vriendin."
Ze knikte.
"Dat betekent nog niet dat ik het met haar eens ben. Dat heb ik haar trouwens ook gezegd."
"Ach zo." Het klonk cynisch.
Ze zuchtte, en schoof haar stoel dichter bij het tafeltje. De cipier zette zich in rusthouding.
"Bernard... Ik weet dat dit misschien lullig klinkt, maar ik geloof niet wat ze zeggen. Jij hebt Sofietje niet vermoord. Jij zou dat niet eens kunnen – zo zit jij niet in elkaar. Renhilde weet dat ook wel, diep binnenin. Alleen... Met haar praten is onmogelijk geworden: ze zegt niets meer, tegen niemand, zonder de instemming van haar advocaat."
"Maar waarom toch? Zo ken ik Renhilde helemaal niet."
Ze zuchtte nadrukkelijk.
"Ben je er wel zeker van dat je haar ooit gekend hebt?"
Ik slikte.
"Daar zeg je wat."
"Wil je echt weten wat ik denk?"
"Ik geloof het niet..."
Even een schaduw van een glimlach.
"Volgens mij maakt ze gewoon misbruik van de gelegenheid. Als ik me goed herinner, heb ik je ooit eens gewaarschuwd hoe het zat met haar huwelijkstrouw."

Omdat ik het pas enkele dagen eerder had opgeschreven, kon ik het me nog levendig herinneren.
"Misschien was alles anders gelopen als ik die avond op jouw appartement niet zo... Nu ja..."
Ze glimlachte lief.
"Misschien... Misschien ook niet. Dat zullen we nooit weten."
Er viel even een stilte. Ik legde mijn handen op mijn schoot. Onzeker, verward.
"Weet je, Patricia... Ik wilde eigenlijk geen bezoek ontvangen. Maar nu ben ik blij dat je gekomen bent."
Opnieuw dat lachje.
Wat was ik toch een oen geweest. Altijd maar consequent vasthouden aan principes, ook als dat in je eigen nadeel is. *Live by the rules*. En waarom? De zekerste manier om bij de eindafrekening met lege handen achter te blijven. Wie geeft wat hij heeft? Wie geeft wat hij heeft, houdt op den duur niet veel meer over.
"Heb je iets nodig? Kleren, zeep, scheergerief, iets van die aard?"
"Neen. Ze zorgen hier heel goed voor me..." Ik grijnsde naar de cipier, maar die reageerde niet. "Vertel me liever hoe er in de wijk wordt gereageerd."
Haar gezicht betrok.
"Tja... Zoals te verwachten was. Iedereen laat zich meeslepen. En natuurlijk is niémand verbaasd, wat dacht je?" Haar stem kreeg een pedante klank. "*Ik heb altijd geweten dat Bernard veel te brááf was om echt te zijn! En dan de manier waarop hij met kinderen omging... Neen, dit verbaast mij helemaal niet.*"
Ik haalde de schouders op.
"Normaal, zeker?"
Niet meteen eerlijk van me. Het deed pijn. Mensen die ik al jaren kende, van wie ik er een aantal als vrienden had beschouwd, liepen onmiddellijk als blinde ratten achter de eerste de beste fluitende idioot aan, en namen prompt zijn liedje over. De pers als moderne rattenvanger: hou het volk sensatie voor, en het volgt onmiddellijk, zonder te worden gehinderd door enige kennis van zaken. Deze rattenvanger wil natuurlijk helemaal niet informeren: zoveel mogelijk verkopen, dáár gaat het om. De nieuwe Heren promoten. En iedereen vindt het nog leuk ook – tot je aan de andere kant van de barrière terechtkomt, en de kleppen van je ogen vallen. Maar dan is het te laat.
Patricia wierp een vluchtige blik op de cipier, die onmiddellijk zijn blik afwendde. Betrapt. Ongewild glimlachte ze.

"Die Hollander, Beekman, is ondertussen uit het ziekenhuis ontslagen. En hij heeft zijn klacht tegen Peter ingetrokken."
"Merkwaardig."
"Niet echt. Renhilde heeft me over die filmvoorstellingen verteld, die Rutger en Kevin... En niet alleen aan mij: ook aan de politie. Die heeft Beekman ondervraagd. Opgehaald met de combi, stel je voor: grote sensatie in de wijk. En Eduard maar roepen dat hij het altijd al voorspeld had. Je kunt het je wel voorstellen."
"Levendig."
"Weet je hoe Beekman reageerde?"
"Patricia: hoe zou ik dat kunnen weten?" Het klonk cynischer dan ze verdiende. "Sorry, ik..."
"Neen, je hebt gelijk. *Ik* had..." Ze stak haar hand uit, als wilde ze me een schouderklopje geven, maar hield zich halverwege in. "Nu ja... Beekman riep het wijkcomité bijeen. Kondigde aan dat hij daar zijn hele geschiedenis uit de doeken zou doen. Er was een nooit geziene opkomst die avond. De hele wijk zat in de zaal."
"Dat zal wel."
Voorzichtig wreef ze met het topje van haar middelvinger over haar neus – jeuk is geen reden om je make-up te verwoesten, zelfs niet in de gevangenis.
"Hij heeft zijn bedrijf in Nederland verkocht toen zijn eerste vrouw aan kanker stierf. Vanuit financieel en economisch oogpunt was de verkoop echter perfect *getimed*, maar dat bleek pas achteraf. Hij had op dat vlak ongelooflijk geluk, maar voor een zakenman is het natuurlijk leuker om vol te houden dat je succes het resultaat is van inzicht en management. Wat later leerde hij Loes kennen. In een bar – een dure callgirl, zoiets. Prostitutie voor de topklasse eigenlijk. Kun je je voorstellen, Bernard? Charly en Loes, naast elkaar aan een tafeltje, tegenover de hele wijk, nuchter meedelend dat Loes een dure hoer was geweest? Je kon een speld horen vallen... Enfin, hij werd verliefd, en zij ook. Hij slaagde erin haar uit het milieu te halen, al kostte het hem een fortuin. Ze trouwden. Rutger is háár zoon, trouwens: Charly heeft hem geadopteerd. In haar beginjaren als callgirl had Loes echter in een aantal pornofilms 'geacteerd'. Toen Charly zo'n video 'cadeau' kreeg van een voormalige businesspartner, besloot hij alle exemplaren van de markt te halen. Vandaar dat men hem heeft gezien in een aantal sexshops. Zijn zoon vond toevallig zo'n videoband, zonder te weten wié erop te zien was. Hij had die band zonder *pre-screening* vertoond aan zijn vrienden. Met alle gevolgen vandien."

"En die drugs? In Rutgers boekentas?"
"Klopte. Alleen wist Beekman er niks van. De politie deed een huiszoeking in de villa, en de enige plek waar ze sporen vonden, was op Rutgers kamer. Blijkbaar had de jongen zich aangesloten bij een jeugdbende die zich bezighield met het dealen van wiet. Hij zit ondertussen in Mol."
Ik voelde medelijden met Beekman. Liefde maakt blind, en geld maakt niet gelukkig – zijn leven samengevat in twee clichés.
"Hoe reageerde de wijk?"
Patricia grijnsde.
"Wat had je gedacht? Charly's openhartigheid sloeg iedereen met verstomming. Sommigen hadden een zakdoek nodig. Men geneerde zich – iedereéén had wel kritiek gehad op 'die Hollander', verhaaltjes verteld bij de bakker of de slager. Nu bleek dat die man het goed meende, meer zelfs: hij had een fortuin opgeofferd uit liefde voor zijn vrouw. Ze hadden hem verkeerd ingeschat – en geen klein beetje. Dat kon toch niet het gevolg zijn van hun aard: waren ze niet allemaal breeddenkend? Ze waren misléid, meneer. Maar door wie? Ze hadden een schuldige nodig, een kop van jut. En die was snel gevonden."
"Ik?"
Ze lachte.
"Niet overdrijven. Over jou is er die avond niet gesproken."
Het ontging me. Het leek wel een film: iets waarvan ik wist dat het niet echt was. De wijk? Mijn celblok was nu mijn wijk.
"Wie dan wel?"
"Eduard. Zowat iedereen keerde zich tegen hem. Niemand praat nog met hem. 'Hij roddelt toch alleen maar'."
"Tja... Er is wel iets van waar..."
"Misschien. Hij had pech: voor Beekman die avond het woord nam, verkondigde Eduard nog luidkeels dat hij altijd al had geweten dat 'Hollanders niet te vertrouwen waren', dat loontje nu om zijn boontje kwam, en dat ze hem in pek en veren de wijk uit moesten jagen. Hij was niet te stoppen. Toen Beekman uitgepraat was, zat Eduard niet meer in de zaal. Niemand had hem zien vertrekken. Niet slim, natuurlijk."
Ik kon het me levendig voorstellen: Eduard die als een Scrooge naar buiten sloop, diep weggedoken in een kapmantel, om de volgende dag door zijn medeburgers, de neus in de lucht, te worden genegeerd. Leuke wijk. Een hechte gemeenschap. De overeenkomsten met mijn celblok waren opvallend.
"Waar woont Renhilde nu eigenlijk?"

Patricia wreef bedachtzaam over haar oorlelletje.
"In de stad. Een collega van de rederij heeft haar voorlopig onderdak gegeven. De gemeubelde bovenverdieping van een oud herenhuis."
"Een mannelijke of een vrouwelijke collega?"
Ze zuchtte.
"*Zijn* huis. En voor je het vraagt: vrijgezel. En ja, hij woont beneden. Maar ze leven volledig van elkaar gescheiden, hoor."
Haar toon hield exact het midden tussen naïeve onschuld en suggestieve knipoog. Misschien dat haar acteercapaciteiten niet zo groot waren, maar haar dictie ging er in elk geval op vooruit.
"Hoe voel je je nu, Bernard?"
Wat kon ik daarop antwoorden? Ziek? Platgeslagen? Vertrappeld? Bitter? Woedend? Vernederd? Of dat allemaal samen?
Ik haalde de schouders op.
"Hoe denk je? Het ergste is de onrechtvaardigheid, Patricia. Als ik schuldig zou zijn, dan was het allemaal veel gemakkelijker te dragen. Maar nu..."
Ze slikte.
"Het wás een ongeluk, niet?"
"Jij gelooft het dus ook niet."
Haastig.
"Jawel, jawel. Maar ik wil het uit je eigen mond horen."
"Waarom?"
"Omdat ik weet dat jij niet kunt liegen."
De handboeien deden pijn. Ik verlegde mijn handen.
"Het wás een ongeluk, ja. Vergelijkbaar met niet willen vliegen, uit angst te zullen vallen." Ze fronste. "Die ene keer dat je dan toch in een vliegtuig stapt, valt het natuurlijk. Nooit iemand slaan. Nooit. Behalve één keer. Uitgerekend dán heb je natuurlijk pech. Sla je iemand..."
Ze tuitte haar mond. Haar lipstick suggereerde vochtige lippen.
"En Sofie?"
"Niks mee te maken."
Wist ze van Kevin? Had Renhilde haar dat ook verteld? Zolang ze er niet zelf over begon, leek het me niet verstandig er iets over te zeggen.
Ze zweeg. Verwachtte ze misschien dat ik verder zou gaan? Haar zou vertellen hoe de vork in de steel zat? Ik wist het zelf niet eens. toch niet alles. Dankzij het schrijven had ik wel een vermoéden gekregen, maar helemaal duidelijk zou het nooit worden. Het was waarschijnlijk complexer dan iedereen dacht:

Kevins persoonlijkheid, een of andere onopgemerkte storing, zijn opvoeding, Rutgers invloed, de puberteit, toeval, pech...
Voor de maatschappij is het in elk geval eenvoudiger om een volwassene op te knopen, dan te moeten bekennen dat haar verwende jeugd niet meer zo onschuldig is als ze voorwendt.
Patricia haalde een papieren zakdoekje uit haar handtas, wreef ermee in haar mondhoeken, en vouwde het nauwgezet op.
"Je weet dat Dani ontslagen is uit het ziekenhuis? Sorry, dat kán je natuurlijk niet weten..."
"Het is jammer genoeg niet op tv geweest, neen."
Ik vind die toon niet leuk meer, zei haar gezicht. Ik zuchtte.
"Sorry, Patricia, maar de bitterheid is zo sterk... Nu ja... Ik zal proberen om..."
Ze wuifde het weg.
"Dani is één dag thuis geweest, en werd daarna opgenomen in een ontwenningskliniek. Voor drie maanden. Normaal hebben die grote wachtlijsten, maar ze heeft voorrang gekregen."
"Heb je haar nog gezien?"
"Neen. Ze zal zich wel altijd schuldig blijven voelen voor het feit dat ze de baby alleen heeft gelaten, met de achterdeur open en zo."
"En Peter?"
"Weer aan het werk. Weigert met wie dan ook contact te hebben. Hun huis staat te koop. Ik vermoed dat ze een nieuw leven willen beginnen."
Een nieuw leven...
Je kunt geen nieuw leven beginnen. Je kunt slechts proberen om verder te knoeien op de ruïnes van je vorige leven. Gewoon verder doen – omdat je te laf bent om te stoppen.
"Weet je wat ik niet begrijp, Bernard? Waaróm ze jou in godsnaam verdenken van die moord op Sofie. Er wordt in de pers wel gegoocheld met 'sterke aanwijzingen' en zo, maar iedereen blijft vaag. Als je onschuldig bent, kúnnen er toch geen aanwijzingen zijn?"
"En als ze denken dat ze die wel hebben, ben je per definitie schuldig."
Ze schudde het hoofd.
"Dat zeg ik niet."
"Jij misschien niet... Ik heb geen alibi, zo eenvoudig is het. Ik zat die hele dag vast in een file – alleen kan ik dat niet bewijzen. Geen gsm bij me, nergens gestopt, boterhammen opgegeten in de wagen, nergens iets gekocht met een

creditcard – nada. Jammer genoeg."
"Uiteindelijk moet dat toch boven water komen?"
Ik had het zelf ook al een paar keer gedacht: uiteindelijk zal de waarheid zegevieren. Ik was echter realistisch genoeg om te weten dat dit maar een romantische slogan was. In werkelijkheid is de waarheid wel het allerlaatste waar de mensen naar verlangen: ze willen slechts bevestiging dat er niets aan de hand is, dat het probleem is opgelost. Moord op een baby? Verdachte opgesloten op basis van sterke aanwijzingen? Oef. Beroemde advocaat pleit voor verdachte – aha! Dan zal de persoon in kwestie wel schuldig zijn. Waarom schakelt hij anders zo'n dure advocaat in? Waarom dan nog naar de waarheid zoeken? Cooremans zocht slechts naar elementen die haar theorie ondersteunden. Logisch toch dat ze de publieke opinie achter zich had: een man die een baby vermoordt, en daarna ook zijn zoon omdat die hem dreigt te ontmaskeren, is spectaculair, maar ongevaarlijk. Een man die ontdekt dat zijn dertienjarige zoon een baby heeft afgemaakt, en hem daarna per ongeluk doodslaat, stelt iedereen voor de vraag of we wel zo goed bezig zijn. Als steeds meer jongeren aan alles lak hebben en zich verliezen in almaar grovere excessen, moet de maatschappij zich dan niet dringend bezinnen? Maar dié vraag wil niemand horen.
Patricia veegde een denkbeeldig pluisje van haar rok, en wierp een blik op haar horloge.
"Ik vrees dat ik moet gaan, Bernard. Ik heb nog een afspraak."
Ik knikte.
"Bedankt voor je komst. Echt waar. Het heeft me deugd gedaan."
Ze glimlachte.
"Maak je maar geen zorgen. Alles komt in orde, je zult het zien." Het klonk bijna geloofwaardig. "Vergeet niet: ook al lijkt het misschien anders, er is daarbuiten minstens één persoon die in je gelooft."
Het lag op mijn tong om te vragen wie die kitscherige repliek voor haar geschreven had, maar ik beheerste me. Ze wás tenslotte toch maar op bezoek geweest – en dat kon ik van mijn echte vrienden niet zeggen.
"Dank je."
Ze stond op.
"Is er nog iets dat ik voor je kan doen? Een boodschap overbrengen, iemand vragen om je te komen bezoeken..."
Ik schudde het hoofd.
"Laat maar."

Ze slikte.
"Ik kan niet beloven dat ik snel weer op bezoek kom, Bernard. Ik heb een druk leven, dat weet je. Maar terugkomen doe ik zeker, daar mag je op rekenen. Ik laat je niet vallen."
Ik geloofde er geen woord van. Ze klonk als een schoolmeisje dat voor de eerste keer een dialoog voorleest.
"Bedankt."
Ze knikte nog eens, draaide zich om en heupwiegde naar de deur. De cipier keek haar na, net als ik. De ogen gericht op Patricia's belangrijkste wapen.

39. DINSDAGNAMIDDAG – CEL 113

Verbijsterend is het om vast te stellen hoe snel je kijk op de wereld kan verengen, en hoe weinig daarvoor nodig is. Ik zit nog geen twee weken in voorlopige hechtenis – schitterende *newspeak* overigens – en de 'wereld' bestaat al niet meer. Vier grijze muren, een brits, een tv, de geur van ontsmettingsmiddel, de klank van metaal op metaal, m'n slaappillen, en of ik voldoende potlood en papier heb – dat is alles. Ik heb een cel voor mezelf, en voorzover ik kan inschatten, is dat hier uitzonderlijk, maar ook dat raakt me niet. Een veiligheidsmaatregel? Te oordelen aan de geschreeuwde commentaren van mijn buren beschouwt niet alleen de buitenwereld me als een perverse kindermoordenaar. *Who cares?* Natuurlijk heb ik een depressie, maar de gevangenisdokter komt niet verder dan één slaappil per dag. Waarschijnlijk vindt hij een depressie een geschikte straf. Ik kan het me zo voorstellen: 'Ik hoop dat hij voor de rest van zijn leven depressief blijft! Hij verdient niet beter.'
Heeft dit schrijven me tot nu toe geholpen? Wel om een beter inzicht te krijgen in wat er gebeurd is, maar niet om de pijn te verzachten. Misschien omdat die letterlijk onbeschrijflijk is. Een beter inzicht is bovendien relatief, natuurlijk. Ik zal wel nooit echt weten waarom Kevin Sofie heeft gedood, laat staan het begrijpen. Je ziet een kind geboren worden, je zorgt ervoor, je leeft ermee samen, en na dertien jaar ontdek je ineens dat je het nooit gekend hebt, dat het een volkomen vreemde voor je is, met beweegredenen die je onmogelijk kunt duiden.
Alles blijkt plotseling een illusie. Elk zorgvuldig opgebouwd en gekoesterd onderdeel van je leven wordt met één grote dreun ontmaskerd: inbeelding was het. Je trouwe, liefdevolle vrouw? Gaat al je hele huwelijk vreemd. Je intelligente schat van een zoon? Een pornodealer en babymoordenaar. Je betrouwbare werkgever? Kan je niet snel genoeg ontslaan. Je echte vrienden? Hebben altijd al geweten dat je een smeerlap was. Je levenswijze ego? Niets meer dan een domme kloot.
Misschien geldt dit wel voor iedereen. Is gelukkig *zijn* niets meer dan geluk *hebben* – het geluk dat je illusies niet worden doorprikt?
Ben ik schuldig aan de dood van Sofie?
Natuurlijk ben ik... niet zo onnozel te denken dat deze papieren privé-eigendom zullen blijven. Ik besef dat de onderzoeksrechter vroeg of laat alles zal

opeisen en doorlezen, in de hoop er een bewijs in te vinden voor haar absurde stellingen. En als ze die niet vindt, zal ze zeggen dat mijn verhaal geen enkele waarde heeft, want dat ik onmogelijk al de details kan kennen die ik vermeld – zeker van de situaties waar ik niet persoonlijk bij was. Dat klopt: die heb ik gereconstrueerd op basis van wat ik wist. De dialogen heb ik vaak geïmproviseerd, hoewel de algemene richting ervan altijd authentiek was. Ik hoopte op die manier inzicht te krijgen in de oorsprong en het waarom van deze nachtmerrie. Tevergeefs, realiseer ik me nu. Wat niet wegneemt dat het de waarheid is. Hoewel dát Cooremans natuurlijk niet interesseert. Ze zal alleen willen weten of ik schuldig ben.
Wel, mevrouw de onderzoeksrechter, sta mij toe om hier en nu een officiële verklaring af te leggen: já, ik ben schuldig aan de dood van Sofie. Schuldig door verzuim.
Als je zoon van dertien een moord pleegt, ben je dan als vader niet per definitie schuldig? *Ergens* ben je dan toch in de fout gegaan? Dat weet je ook. Ja, hoor, diep binnenin weet je dat ook. Meer zelfs: je weet ook min of meer wáár. Alleen schreeuw je dat niet zo snel van de daken. Toegeven dat we als ouder hebben gefaald? Wij mensen zullen ongeveer álles sneller toegeven dan dat.
Weet ik als vader wáár ik heb gefaald? Eigenlijk wel. Renhilde had al die tijd gelijk. Ik ben te toegeeflijk geweest. Ik heb te vaak te veel met de mantel der liefde bedekt. Met de beste bedoelingen, natuurlijk, maar toch. Ik heb mijn kind te graag gezien. Mijn kind, schoon kind. Geen grenzen gesteld, of deze bij de eerste overtreding onmiddellijk verlegd. Resultaat? Twee doden, en één verwoest leven. Moet ik daarvoor de gevangenis in?
Als we elke falende ouder in de gevangenis stoppen, lopen er binnenkort alleen nog kinderen rond.
Daarbij komt nog dat...

Meester Meyle is net vertrokken. Twee uur lang hier geweest. Het zou me niet verbazen als zijn komst weer een nieuwsitem is, vanavond op tv. De vorige keer filmden ze hem toen hij de gevangenis verliet. Minzaam liet hij de reporter zijn vraag stellen, waarna hij meer dan twee minuten nodig had om te verklaren dat hij voorlopig geen vragen wenste te beantwoorden. Is het dat wat men een professional noemt? Of een illusie?
Hij weigert nog steeds over zijn vergoeding te praten. Misschien moet ik hem laten betálen voor het voorrecht om mij te *mogen* verdedigen.

Wat hij te melden had, was niet meteen opbeurend. Het gevraagde bijkomende onderzoek van de door Kevin nagemaakte handtekening, door twee onafhankelijke grafologen, is afgerond. De nieuwe experts zijn tot dezelfde stupide bevinding gekomen als de eerste: ondubbelzinnig *mijn* handtekening.
Nog even en ik geloof het zelf.
Experts? Weer een illusie minder.
Hoewel niet alles slecht nieuws was. Na veel aandringen is Meyle er blijkbaar in geslaagd ervoor te zorgen dat men de surveillance-videotapes van de autowegen opnieuw gaat bestuderen. Of het veel zal opleveren, is natuurlijk een andere zaak. Ik kan me voorstellen dat de onderzoekers weinig enthousiasme zullen kunnen opbrengen voor het bestuderen van duizenden voorbijglijdende autootjes op een tv-schermpje.
Naald in een hooiberg. Illusie.
Gelooft mijn advocaat mij? Nog zo'n vraag. De eerste keer dat ik hem ontmoette, was ik zo naïef het Meyle te vragen. Antwoord? 'Het doet er niet toe wat ik geloof, meneer Vercammen. Als advocaat is het mijn taak ervoor te zorgen dat u niet veroordeeld wordt. Iedereen heeft recht op een verdediging. Voor de buitenwereld is er misschien een verschil, voor een goede advocaat niet. Beschouw het als een spel: wij tegen het openbaar ministerie. Proberen te scoren. De partij met de meeste doelpunten wint gewoonlijk.'
Of zoiets. Hij hoort zichzelf graag praten. Het gaat hier niet over mijn belangen, maar over de zijne. De beroemde strafpleiter meester Meyle: heeft al een oorlogsmisdadiger verdedigd, een seriemoordenaar, een vliegtuigkaper, een terrorist...
Goed gezelschap...

Patricia.
Wat was de bedoeling van haar bezoek vorige zaterdag?
Ze zag er sexy uit. Veel meer dan in de meer uitdagende spullen die ze gewoonlijk draagt. Misschien is haar nymfomane houding niet meer dan een pose: zoekt ze in werkelijkheid naar geborgenheid. Wilde ze dát die avond: veiligheid, in de armen van een oudere man.
Weer een illusie minder. Dat ik toen de juiste beslissing nam. Nu verbaast het me natuurlijk niet meer dat ze boos werd: zij *wist* wat Renhilde uitspookte. En ik maar de rechtschapenheid in persoon spelen: het haar kwalijk nemen dat ze zogezegd een poging deed om ons 'perfecte gezinnetje' uit elkaar te halen.

Asshole Vercammen.
Mijn zelfgeroemde inschattingsvermogen. Illusie. Al die mensen van wie ik dacht dat ze me zouden geloven, hebben me prompt laten vallen als een baksteen, terwijl uitgerekend de enige van wie ik overtuigd was dat ze me zou droppen, op bezoek komt. Je zou van minder depressief worden. Fysiek worden we ouder, maar mentaal blijven we fundamenteel pubers. Proberen het ver van ons af te liegen. Zijn stiekem jaloers op de enkeling die ongegeneerd als puberale senior door het leven wandelt. De wetenschap dat je het allemaal hebt verknoeid, heeft een naam. De hel.
L'enfer c'est les autres? Non, monsieur Sartre.
Is dat volwassenheid? Beseffen dat alles een illusie is, en daarmee kunnen leven?
Misschien houdt Patricia wel echt van me. Als enige. Is het daarom dat Renhilde niet meer met haar wil praten: omdat ze dat weet? Misschien wel altijd heeft geweten. Patricia was dol op Kevin. Misschien had ik die avond mijn instinct moeten volgen. Nu ja, mijn hormonen dan. Hadden Patricia en ik een nieuw leven kunnen opbouwen, samen met Kevin. Was het dát waarop Renhilde stiekem hoopte? Wilde ze haar vrijheid terug, en ging ze er vanuit dat niémand aan de charmes van Patricia zou kunnen weerstaan?
Ik moet hiermee stoppen. Ik zie voortdurend beelden van die avond, Patricia in dat nietsverhullende gewaad, haar lichaam, haar kwetsbaarheid, haar overgave. Ik kan haar opnieuw ruiken.
Vijand nummer één van elke gevangene?
Hormonen.

Late namiddag. De paar zonnestralen die voorbij het venstertje raken, maken de cel minder grauw. Het valt nu wel harder op dat de muren niet egaal grijs zijn, maar littekens vertonen: krassen, graffiti, vlekken, het merendeel net boven de brits. De hel slaat meestal 's avonds toe, als de fantasie het overneemt, en je vertelt hoe je leven zou zijn geweest, als je dat éne detail net even anders had gedaan. Aantrekkelijk en onbereikbaar tegelijk.
De voorbije uren heb ik gepiekerd over een nieuwe vraag, opgedoken uit het niets. Me eerst geschaamd over de vraag zelf, daarna gevochten met mijn trots, mijn gekrenkte eigenwaarde, of wat daarvan nog over is, en me uiteindelijk gebogen over de afgrond van de consequenties. Wat als *alles* in mijn leven een illusie is geweest?
Was Kevin wel *mijn* zoon?

De vraag is nooit eerder bij me opgekomen. Dertien jaar lang vonden mijn hersenen het idee blijkbaar zó absurd dat ze het systematisch als overbodig aan de kant schoven. Natúúrlijk was Kevin mijn zoon. Renhilde was toch absoluut trouw? Uit alles bleek toch dat het mijn zoon was?
Kevin was niet 'gepland'. Maar waren we niet allebei door het dolle heen met de onverwachte zwangerschap?
Of leek dat alleen maar zo? Werd ik verblind door mijn eigen geluk?
Was het daarom dat Renhilde tijdens de zwangerschap voortdurend sprak over óns kindje? Ons kindje is wakker, óns kindje schopt, óns kindje beweegt... En daarna, óns zoontje huilt, óns zoontje heeft honger, joúw zoon heeft nieuwe pampers nodig.
Het eerste woordje dat hij volgens Renhilde kon uitspreken, was 'papa'.
Toeval? Of indoctrinatie?
Iederéén vond dat baby Kevin sterk op Renhilde leek. Behalve Renhilde zelf. Ik herinner me heroïsche discussies over dat onderwerp, waarbij neuzen werden vergeleken, oren, ogen, de vorm van de lippen, alles. Renhilde capituleerde nooit. Niet één keer. Ze ging zo scherp reageren dat onze gasten uiteindelijk het gespreksonderwerp nadrukkelijk vermeden.
Volgens Renhilde had Kevin alle kenmerken van zijn vader.
Misschien klopte dat ook wel. Was ik alleen maar de naïeve sukkel die geloofde dat ze met 'vader' *mij* bedoelde.
Is dat de verklaring voor Kevins gedrag? Voor de karaktertrekken die ik niet kon thuisbrengen? 'Van wie heeft hij dát in godsnaam?' – die vraag. Essentieel, achteraf gezien. Nu ik terugblik, realiseer ik me pas hoe vaak we die vraag hebben gesteld. Nu ja, hoe vaak IK die vraag heb gesteld – Renhilde lachte ze altijd weg.
Waarom? Omdat ze het antwoord kende?
Vreemde genen? Zit ik nu in de gevangenis omdat ik ándermans kind probeerde te beschermen?
Kevin het koekoeksei?
Is zijn ongelukkige val misschien een godsgeschenk voor Renhilde? Het kind dat ze eigenlijk nooit wilde, wég, de man die ze beu was, wég, financieel op rozen – niemand zal het haar kwalijk nemen dat ze de moordenaar van haar zoon kaal plukt – en alle vrijheid van de wereld om de koffer in te duiken met wie ze maar wil, hoe vaak ze maar wil. En bovenop dat alles door iedereen beschouwd worden als sláchtoffer!
Woorden schieten tekort. Ik kan er maar één bedenken.

Shit.

Zeven uur. Nieuwsuitzending. Ongeveer dit.
"Onderzoeksrechter Cooremans, die het onderzoek naar de moorden op Sofie Ruuckven en Kevin Vercammen leidt, verklaarde aan de pers vanmiddag dat er een nieuw element is opgedoken, dat haar heeft genoopt om het aanhoudingsmandaat van de vader van het oudste slachtoffer met een maand te verlengen. De onderzoeksrechter weigerde in details te treden, maar stelde dat een doorbraak meer dan waarschijnlijk binnenkort mag worden verwacht. Mevrouw Cooremans liet verstaan dat steeds meer elementen wijzen in de richting van de aangehouden verdachte, zonder dat ze dit echter met zoveel woorden wilde bevestigen."
Ik zal moeten wachten om te weten waarover het gaat, tot meester Meyle opnieuw op bezoek komt.
IK wel. Mijn buren blijkbaar niet. Het eerste kwartier na de uitzending was de gang vol van geroep: 'smeerlap', 'klootzak', 'viezerik', 'wacht tot wij je te pakken krijgen'. De rest zal ik maar censureren.
Beangstigend.
Een onbekende cipier bracht het avondeten naar mijn cel. Doen ze blijkbaar alleen als het te riskant is om me in de buurt van andere gevangenen te brengen. Ook niet echt geruststellend.
En dan was er het briefje.
Zat letterlijk verborgen in de puree. Drie centimeter op drie, zoiets. Doordrenkt, maar leesbaar.
'Eerst je ballen eraf. Dan de rest. Tel maar af.'
Ik had plotseling geen honger meer.
Toen ik het wat later aan de cipier gaf, haalde die alleen de schouders op. 'Grapje,' bromde hij. 'Gebeurt wel meer.' En daarmee moest ik het stellen.
Het verschrikkelijkste is het feit dat je niets kunt doén. Je loopt hier maar wat rond, vierkantjes van twee meter, in een onophoudelijk gevecht met jezelf, volledig afhankelijk van anderen als het over je vrijheid gaat, je onschuld, de waarheid.
De grote leugen in al die avonturenromans, al die thrillers: de held mag dan wel beschuldigd worden, hij heeft *altijd* de mogelijkheid om zichzélf uit de penarie te helpen. De realiteit is anders.
De dood is niet erg. Het leven wel.

40. DONDERDAG – CEL A4

Gisteren goed ziek geweest: overgeven, diarree, het hele zootje. Hadden de rotzakken van de keuken iets in mijn eten gedaan? De inkt van het papiertje in de puree? Toeval? Ik vroeg om een dokter, maar tegen de tijd dat men me me ernaartoe bracht, was het ergste alweer voorbij. Het zou me niet verbazen dat men de oorzaak perfect kende. Eén van die kleine pesterijtjes. Zoals de watervoorziening van het toilet in mijn nieuwe cel: functioneert niet. Het stinkt hier. Hebben ze me daarom verkast? Wie zal het zeggen? Aan de ene kant zou het me niet verbazen, aan de andere kant was hun verklaring perfect logisch: ze konden mijn veiligheid niet langer garanderen in de andere gang, zegden ze. Hier zijn maar tien cellen. Overzichtelijker voor de bewakers. Hier zitten ook de 'zware gevallen'. Een promotie die ik niet kan waarderen. Hoe zijn mijn nieuwe buren trouwens op de hoogte geraakt van mijn aanwezigheid? Ze wéten het in elk geval, en ze hebben de boodschap overgebracht. Het taalgebruik wees op een ander kaliber: 'Je lul gaat eraf', 'wij snijden je strot over', 'al eens een vork van dichtbij gezien?'. En dat zijn dan nog de braafste. Leuk allemaal.
Deze voormiddag was meester Meyle opnieuw op bezoek. Een echte advocaat antwoordt nooit rechtstreeks op een vraag. Hij wist wel wat het 'nieuwe feit' was waarover men op tv berichtte.
"Alleen weet ik het niet officieel, meneer Vercammen,' zei hij.
"Maar wat is het dan?"
Hij pulkte nadenkend iets van onder een duimnagel. Veegde de glazen van zijn bril schoon.
"U moet goed beseffen dat we nooit gebruik kunnen maken van deze informatie. Niet zolang ik ze niet officieel heb. Alleen officiële informatie is informatie: al de rest is praat voor de vaak."
Ik moet bekennen dat ik het gevoel kreeg dat hij me doelbewust zat te jennen.
"Kijk, meester, als u het me niet *wil* zeggen, oké. Maar zwijg er dan over."
Hij zuchtte.
"Ik weet het alleen via via – het is best mogelijk dat de tegenpartij er uiteindelijk geen gebruik van zal maken."
"Waarvan?"

"Haar. Uw haar. Men heeft blijkbaar haar gevonden."
Ik schudde het hoofd.
"Ik ben niet mee."
"Het haar op zich is niet zo'n probleem. Wel de plek waar men het heeft gevonden. De combinatie van het feit dat men het dáár heeft gevonden, en dat het om úw haar gaat, kan in een bepaalde richting worden geïnterpreteerd, een richting die voor onze zaak niet zo erg gunstig is."
Ik zweeg. Ofwel zou hij het uiteindelijk wel vertellen, ofwel wilde hij het niet kwijt en speelde hij een spelletje.
Na enkele ogenblikken fronste hij.
"Interesseert het u niet waar men het heeft gevonden?"
Ongewild lachte ik. De eerste keer in weken.
"Maakt dat een verschil? U wilt het blijkbaar toch niet zeggen."
Hij begreep absoluut niet waarom ik dacht dat hij niks kwijt wilde. Hij keek beduusd van zijn papieren naar het plafond naar zijn vingernagels naar mij.
"Men heeft uw haar gevonden bij de opening in de haag achteraan de tuin van de familie Ruuckven. De opening waarlangs de kleine Sofie is meegenomen door haar moordenaar."
"*Mijn* haar?"
Hij knikte bedenkelijk.
"Ja. U begrijpt ongetwijfeld wel op welke manier de tegenpartij hier misbruik van kan maken."
"Natuurlijk."
Mijn haar? Hoe kon mijn haar daar gevonden zijn?
"Bent u er zeker van dat het om *mijn* haar ging?"
Hij knikte.
"DNA-onderzoek. Ondubbelzinnig uw haar." Hij keek me onderzoekend aan, terwijl zijn wijsvinger zijn neusbrug masseerde. "Hebt u er enig idee van hoe uw haar daar is terechtgekomen?"
Ik dacht na. Geen idee. Ik was nooit in Peters tuin geweest. Zo goed hadden we elkaar niet gekend.
"Kan het tot daar gewaaid zijn?"
Zijn gezicht vertrok in een lelijke grimas.
"Te ver. Te toevallig. Als we dat als verantwoording gebruiken, zal dat contraproductief werken, vrees ik."
"En waar exact heeft men het gevonden?"
Hij glimlachte vreugdeloos.

“Nogmaals, het is allemaal officieus. Ik ken iemand bij het lab. Maar mijn contact zal absoluut ontkennen dat hij er met wie dan ook heeft over gesproken. Het is allemaal speculatie, waarbij...”
“Meester! Waar exact?”
“Volgens mijn bron in de haag zelf. Aan de buitenkant, vlakbij de opening.”
En toen wist ik het ineens weer. Natuurlijk had men mijn haar daar gevonden. Ik struikelde over mijn woorden in mijn haast om het hem te vertellen.
“Dat kan, dat kan perfect, weken na de moord toen ik pas begon te vermoeden dat mijn zoon de dader was, ben ik op een bepaald moment zijn sporen gaan nagaan, heb ik dezelfde wandeling gemaakt die hij met Sofie moet hebben gemaakt en heb ik onder andere aan de opening van de haag gezocht naar bewijzen van zijn aanwezigheid daar. Niet verwonderlijk dat ze mijn haar...”
Meyle knikte bedachtzaam. Hij nam zijn bril af, en zoog gedurende enige tijd op de steel.
“Heeft iemand u toen gezien? Bent u toen iemand tegengekomen?”
“Neen.”
“Bent u daar zeker van?”
“Ja. Ik herinner me namelijk nog dat ik er opgelucht over was.”
Hij zette zijn bril weer op, en maakte enkele notities.
“Jammer. Het zou de verklaring geloofwaardiger hebben gemaakt.”
“Het is de waarheid.”
Hij knikte.
“Ongetwijfeld. Maar daar gaat het niet om. Er zijn twee soorten waarheden, meneer Vercammen, net zoals er twee soorten leugens zijn: geloofwaardige en ongeloofwaardige. Een geloofwaardige leugen is gewoonlijk efficiënter dan een ongeloofwaardige waarheid. Zeker als er een jury bij betrokken is. Verlies niet uit het oog dat uw proces al bezig is, al is er geen officiële beschuldiging.”
“Hoezo?”
“Niemand weet op dit ogenblik wie de juryleden zullen zijn. Niemand kán dat weten. Deze onbekenden lezen echter wel dagelijks de krant, kijken dagelijks naar tv. Alles wat de toekomstige juryleden horen en zien over deze zaak, beïnvloedt hun uiteindelijk oordeel – al zal niemand dat toegeven. Elke advocaat weet dat. Elke advocaat gebruikt dat ook. Vandaar dat een ongeloofwaardige waarheid zo goed als onbruikbaar is. De pers lééft namelijk van geloofwaardige leugens.”

Hij had gelijk. Mijn probleem, perfect samengevat: wat er werkelijk was gebeurd, droeg een aureool van ongeloofwaardigheid; het scenario dat de onderzoeksrechter volgde, kwam niet eens in de buurt van de waarheid, maar had wel de geloofwaardige kracht van de eenvoud.
Meyle legde zijn bril op zijn papieren, wreef een moment lang in zijn ogen.
"Dit zorgt voor een probleem, natuurlijk. Iets wat we meteen moeten oplossen. Het probleem van uw zoon."
Ik zweeg.
"U begrijpt wat ik bedoel?"
Ik schudde het hoofd.
"Gaat u ermee akkoord dat we uw verdenkingen tegen uw zoon in verband met de moord op Sofie gebruiken in onze verdediging? Het wordt erg moeilijk om een geloofwaardige verdediging op de bouwen, als we uw overleden zoon buiten schot moeten laten."
"Zal dit niet overkomen als goedkoop en een vader onwaardig, en het omgekeerde effect hebben?"
Hij glimlachte tevreden.
"Ik zie dat u snel leert, meneer Vercammen. Dat risico zit er inderdaad in, maar alleen als we het hanteren als afweer; als we wachten tot we worden aangevallen, vooraleer het te berde te brengen. Dat mogen we vooral niet doen. We moeten het onmiddellijk gebruiken, als wapen. U niet opvoeren als nuchtere volwassene wiens zoon is misgelopen, maar als slachtoffer van vaderlijke emoties. Iemand die zijn zoon zó graag zag dat hij zelfs een moord wilde verdoezelen om het kind te beschermen. Een herkenbare emotie. Het publiek zal er alle begrip kunnen voor opbrengen."
Hij klonk zowaar enthousiast. Als zag hij een mogelijkheid om de zaak te winnen, en vooral, om zijn reputatie nog te doen groeien.
"Maar dan moet u wel bereid zijn om uw zoon... zullen we maar zeggen... los te laten. Als u de reputatie van uw kind ongemoeid wilt laten, is deze denkpiste onmogelijk."
De gedachte die in me opkwam, bracht me zowaar aan het lachen.
"Als ik het dus goed begrijp, meester, wilt u voor mijn verdediging gewoon de waarheid vertellen? Van een spectaculaire, nooit eerder geziene strategie gesproken!"
Hij zag er de ironie niet van in.
"Inderdaad. We zullen ons dan wel moeten concentreren op het geloofwaardig maken van de waarheid. Een hele opgave."

Ik wist niet of ik ertegen opgewassen was. Alles zou in de openbaarheid worden gebracht, Kevin zou worden afgeschilderd als een boefje, of erger, en ik waarschijnlijk als een goedmenende idioot.
Wat ik ook ben, natuurlijk.
"Wat denkt u ervan?"
"Heb ik een keuze?"
Hij zweeg, maar zijn grimas kon niet verkeerd worden begrepen.
Even probeerde ik de consequenties van de beslissing te overzien, maar na enkele ogenblikken gaf ik het op. Ik was moe. Wilde ik wel dat iemand me verdedigde tegen de beschuldigingen?
Meyle voerde de routine met de bril weer op.
"En?"
"Zou u iets voor mij willen doen, meester?"
Hij knikte.
"Ik wil dat het DNA van mijn zoon vergeleken wordt met het mijne."
Hij tuitte nadenkend de lippen. De denksnelheid stond op zijn gezicht te lezen.
"Om te weten of het wel echt uw zoon is?"
"Onder andere."
"Hebt u redenen om daaraan te twijfelen?"
"Doet dat ertoe?"
Hij maakte enkele notities.
"Een interessante piste. Hebt u ooit eerder gedacht dat Kevin misschien níet uw zoon was?"
"Nooit. Maar er zijn wel meer dingen waarover ik nooit eerder heb nagedacht."
Opnicuw gleed zijn pen over het papier. Halverwege echter viel zijn blik op zijn horloge: hij begon meteen in te pakken.
"Ik heb nog een afspraak. Wat dat DNA betreft: dat laat ik nakijken. Kan niet zo moeilijk zijn. En vanavond heb ik ook nog een ontmoeting met een van mijn contacten op de dienst Verkeersveiligheid. Die zou me op de hoogte brengen van de stand van zaken in de zoektocht naar uw auto. *Off the record*, natuurlijk."
Ik knikte alleen maar. Het gevoel dat de situatie misschien toch niet helemáál hopeloos was, beangstigde me. En beangstigt me nog steeds, vreemd genoeg. Ik heb het gevoel dat ik geen enkele emotie meer aankan, tenzij hier in de veilige cocon van de gevangenis. Starende blikken in de supermarkt, gefluis-

ter bij de bakker, vruchteloos solliciteren, onbetaalbare rekeningen, de vragen 'hoe het ermee gaat', de twijfelende blikken, de lege avonden en nachten, de afgrond van de herinneringen, het besef dat alle schoonheid in je leven gezichtsbedrog was, moeten leven met een mislukt leven...
Een schuldige heeft tenminste nog een identiteit. Een vrijgesproken beschuldigde is als rook zonder vuur: vluchtig, en hinderlijk. Ik wil met rust gelaten worden.
Ik wil rust.

Een onbekende cipier is me net komen vragen of ik wilde wandelen. Toen ik naar het waarom van zijn vraag informeerde, antwoordde hij dat ik recht had op een halfuur per dag, en dat hij alleen wilde weten of hij me moest noteren of niet.
Waarom niet? *Who cares?*
Het begrip wandelen alleen al. Voor je het weet, denk je terug aan al die keren dat je met vrouw en kind door een bos liep, eekhoorns aanwees en paddenstoelen bestudeerde. En springen de tranen je in de ogen. 'Wandelen' krijgt hier een andere invulling: zwijgend rondjes lopen op een uit de kluiten gewassen volleybalterrein, tussen hoge muren, met daar nog eens prikkeldraad bovenop. Na enkele dagen heb je nachtmerries vol concentratiekampen.
Wil ik Kevin opofferen?
Kán ik Kevin wel opofferen? Hij is dood. Je kunt een dode niet kwetsen. Je kunt een dode niet doden. De reputatie van een dode kan alleen effect hebben op levenden, niet op de dode zelf. Hoe ik het ook bekijk, het argument dat aan de basis lag van de beslissing om niet naar de politie te stappen – dat hij ondanks alles recht had op een toekomst – geldt niet meer.
Hij zal de rest van mijn leven domineren, wat ik ook doe. Hij was geen slechte jongen. Ergens is er iets misgelopen, maar zelfs als ik zou te weten komen waar, schiet ik daar niks mee op. Zelfs als de waarheid algemeen goed wordt, zal ze snel vergeten zijn.
Zoals ik al eerder zei: *who cares?*

41. VRIJDAG – CEL A4

Vannacht niet geslapen. Gehuild, hoe maak ik me hier van kant, willen roepen maar het nooit gedaan, met Kevin gepraat, mijn vingernagels in mijn arm geplant, op zoek naar pijn, zodanig dat het nu lijkt alsof ik door een wolf gebeten ben, en uiteindelijk een reden gevonden om voor mijn vrijlating te vechten.
Wraak.
Alles dondert met een rotvaart bergaf, ik zal nooit meer normaal kunnen functioneren, maar als ik dan toch moet gaan, zal het niet in stilte zijn. Dan neem ik er een paar mee. En niet zomaar even snel snel. Neen: langzaam, bij volle bewustzijn, bestudeerd. Ja, hoor: wat ik nu voel, zullen zij ook voelen. Honderdmaal.
Gisteravond was Patricia op tv.
Puur toeval dat ik keek. Een praatprogramma. *BV op TV*, zoiets. Gepresenteerd door zo'n jonge, kaalgeschoren hansworst die vooral zichzelf het einde vond.
Ze zag er ongelooflijk uit. Breekbaar, onschuldig, jong, energiek. De ultieme seksicoon. In het programmaboekje had 'niet geschikt voor jonge en gevoelige kijkers' moeten staan.
BV Patricia.
Ik kon het niet helpen. Zodra ze verscheen, vroeg ik me af hoe mijn leven er zou hebben uitgezien, als ik toen die avond wel met haar de koffer was ingedoken. Beter dan nu, ongetwijfeld.
Dacht ik.
Soms is het verstandig om je verstand niet te volgen.
De eerste tien minuten van het programma verliepen zoals verwacht: een futiele babbel over haar carrière, een fragmentje uit een nieuwe soap waarin ze figureerde, een derderangsartiest die zijn nieuwste draak mocht playbacken – het soort uitzending waar zelfs een konijn in het bos niet voor blijft zitten.
Hier zou ongeveer iedereen wel kijken, vermoedde ik. Perfecte benen zijn hier niet elke week te zien.
Ze moesten het eens weten, dacht ik.
Nu ja, ik moet er niet denigrerend over doen. Ik zat ook vooral naar dat lijfje

te staren. Tot de hansworst ineens een ander onderwerp aansneed.
"Klopt het, Patricia, dat je onlangs in de gevangenis bent geweest?"
Het klonk alsof hij haar ermee overviel, en zij reageerde ogenschijnlijk verrast, maar het was overduidelijk ingestudeerd. Voorbereid.
"Hoe weten jullie dat?" vroeg ze. "Hebben jullie me laten volgen door een detective? Ik hoop dat je dan niet álles gaat verklappen wat die heeft gezien," voegde ze er ondeugend aan toe.
Hansworst glimlachte samenzweerderig.
"Je bedoelt de nacht die je hebt doorgebracht in het huis van... Neen, neen, dat hoeven onze kijkers niet te weten."
"Gelukkig." Een brede, onnatuurlijke lach.
"Neen, wat ik bedoel, is dat je op bezoek bent geweest bij een man die verdacht wordt van een dubbele moord. De Ruuckvenzaak."
"Dat is zo, ja."
"Waarom?"
"Waarom ik Bernard heb bezocht? Ik woon in de wijk waar de moorden zijn gepleegd, ik ken hem redelijk goed, al een tijd, via een vriendin, en ik..."
"Wacht even," onderbrak de presentator haar. Hij keek in de richting van iemand die buiten beeld stond. "Kan dat juridisch, dat we zijn naam noemen...? Alleen zijn voornaam? Oké... Alleen zijn voornaam, Patricia, graag."
Zo *fake* als wat. Natuurlijk zat er niemand buiten beeld. Men probeerde het programma gewoon een schijn van realiteit te geven.
"Dus, waarom heb je deze Bernard bezocht?"
Ze vertrok haar gezicht in een ernstige plooi.
"Wel, zoals ik al zei, ik ken de man goed. Ik kon eigenlijk niet geloven wat er gebeurd was. Het idee dat uitgerekend *hij* zoiets... Ik wilde het met mijn eigen ogen zien."
"En heb je het gezien?"
"Ja."
Hansworst knipoogde in de camera. De lul!
"Dan is de volgende vraag natuurlijk: wat is het? Wát heb je gezien, Patricia?"
Ze wachtte even. Net lang genoeg om de indruk te geven dat ze naar de juiste woorden zocht. Even de geloofwaardigheid verhogen. Onwillekeurig moest ik aan meester Meyle denken. Net voor ze antwoordde, keek ze even van Hansworst weg – alsof het haar emotioneel zwaar viel.
"Weet je, Mirko, in mijn beroep moet je openstaan voor alles. Elke ervaring

maakt je per definitie een betere acteur, of het nu een aangename of onaangename ervaring is. Binnenkort beginnen de opnames van 'Cel 312', een familiereeks over het leven in een gevangenis, waarin ik de jongste zus speel, en ik wilde vooral de sfeer proeven."
"Dat had je toch om het even waar kunnen doen? En om het even wanneer?"
Ze schudde het hoofd.
"Er is een verschil. Als je in het kader van research een gevangenis bezoekt, beperk je je per definitie tot het decor, de organisatie, de taal en dergelijke. De emoties blijven een beetje buiten schot. Omdat ik Bernard ken, voelde ik me betrokken van zodra ik de poort binnenkwam. Ik kan me nu veel beter inbeelden hoe iemand zich voelt wanneer hij of zij daar een familielid bezoekt."
Hansworst wierp een blik op een vel papier, dat voor hem op een designtafeltje lag.
"Was je niet bang? Tenslotte hebben we het hier toch over moord. Een dúbbele moord. Op twee kinderen dan nog, waarvan één zelfs een baby."
Ze aarzelde even.
"Bang? Een beetje. Mensen die tot zoiets in staat zijn, zijn per definitie onvoorspelbaar, en dat maakt elk contact riskant. Je weet nooit wat ze zullen doen. Maar je wordt er natuurlijk niet alleen mee gelaten: er is echt wel voldoende personeel in de buurt, voor als er iets zou mislopen."
Mensen die tot zoiets in staat zijn! Tot wát in staat zijn, verdomme?! Een baby te vermoorden? Hun zoon te vermoorden? Was ik volgens haar dan een mens die tot zoiets in staat was?! Was Patricia dan toch... Greep ze de kans aan om zich in de belangstelling te katapulteren? Moedige Patricia, die onvervaard de confrontatie met de sadistische kinderkiller aanging?! *Jesus!*
"Voelde je geen weerzin, Patricia? Ik bedoel, als men *mij* met zo'n type in één kamer zou zetten, ik weet niet..." Hij rilde ostentatief, en gebaarde dat hij waarschijnlijk zou moeten braken.
Ze haalde de schouders op.
"Aangenaam is anders, dat geef ik toe. Je moet er iets voor overhebben."
Ik kreeg het warm en koud tegelijk. *Aangenaam was anders?* En ik die dacht dat deze vrouw...
Hansworst leunde voorover.
"Waarover hebben jullie gepraat? Of moet dat geheim blijven?"
Ze glimlachte.

"Ik denk het niet. Zó speciaal was het trouwens niet: in dergelijke omstandigheden praat je toch al over niet veel meer dan koetjes en kalfjes. Alleen had ik op een bepaald ogenblik het gevoel... Nu ja... Doet er niet toe..."
Van een ideale voorzet gesproken! Perfect gebracht, maar ook perfect gepland: Hansworst reageerde te soepel om niet vooraf te hebben geweten wat ze zou zeggen.
"Welk gevoel had je op een bepaald ogenblik? Kom op, Patricia, laat ons nu niet op onze honger: anders gaan onze kijkers er de hele nacht over piekeren, en dat willen we ze niet aandoen. Of is het persoonlijk?" De zak grijnsde even in de camera. "Dan mag je het zeker niet achterhouden!"
De zaal lachte even.
Patricia antwoordde niet meteen: ze keek Hansworst een tijdlang 'aarzelend' aan, dreef de spanning op, reikte naar een glas water dat op het tafeltje stond, dronk, zette het glas weer neer. Wekte de indruk dat het haar moeite kostte. Allemaal erg professioneel.
"Weet je," zei ze dan. "Als je met zo iemand praat, speelt je geest soms een raar spelletje. Je kijkt naar zijn handen, en plotseling zie je ze rond de hals van een baby; heel even slechts, maar toch... Je kijkt in zijn ogen, en je vraagt je af wat hem heeft bezield. Welke beelden er nu ongetwijfeld in zijn geheugen gebrand zitten. Griezelig. Voor je naar binnen gaat, geloof je ergens dat je zult kunnen zién of hij schuldig is; dat hij het voor jou niet voor honderd procent zal kunnen maskeren, zoiets. Dat er een soort teken zal zijn – alsof je bovennatuurlijke eigenschappen bezit, die niemand anders heeft. Dat is natuurlijk niet zo."
De zak knipoogde opnieuw, en keek haar suggestief aan.
"Toch wel, Patricia: jij bezit wel degelijk bovennatuurlijke eigenschappen. Niet degene waar je op doelde, maar evengoed bovennatuurlijk."
De zaal reageerde gehoorzaam met gegniffel, en Patricia glimlachte meisjesachtig.
"Dank je," meesmuilde ze. "Maar deze eigenschappen..." Ze trok de schouders achteruit, en zette de borsten even in het uitstalraam. "... zijn nátuurlijk, niet bóvennatuurlijk."
"Dat maakt het alleen maar erger," grijnsde Hansworst. "Maar ga verder: op een bepaald ogenblik had je het gevoel..."
"Wel... Dat hij probeerde me iets duidelijk te maken. Dat hij... Nu ja... Eigenlijk had ik het gevoel dat hij wilde bekennen. Ik weet ook niet waarom – zó goed kende ik hem ook weer niet."

Ze had in haar blootje voor me gestaan, zich aangeboden als een goedkope hoer, me daarna buitengegooid omdat ik haar niet onmiddellijk als een bronstige stier had willen neuken – en wat zei ze nu? 'Dat ze me niet zó goed kende.' Ik voelde me misselijk worden. De voorbije dagen was ik ervan overtuigd geweest dat zij de enige was die nog iets om me gaf, had ik gedroomd dat ik met haar zou kunnen samenleven, had ik me aan het idee vastgeklampt als een drenkeling aan wrakhout. Nu bleek zelfs het wrakhout inbeelding. Niks had ik geleerd. Zelfs deze nachtmerrie had me niet wijzer gemaakt.
"En?"
Ze zuchtte, en beroerde voorzichtig een wenkbrauw.
"Ik heb het hem uiteindelijk recht op de man af gevraagd. Of hij de moorden gepleegd had."
"En hoe reageerde hij? Werd hij kwaad? Was hij beledigd?"
Ze schudde het hoofd.
"Niets van dat alles. Hij bleef kalm. Glimlachte zelfs. De rust in persoon. Vroeg alleen waarom ik dat wilde weten."
"Hij gaf dus met andere woorden geen antwoord?"
"Neen. Ik zei dat ik gewoon uit zijn mond wilde horen of hij schuldig was of niet, en dat ik wist dat hij niet kon liegen. Hij antwoordde niet."
Hansworst keek 'geschokt' naar de zaal.
"Wow! Denken jullie ook wat ik denk?"
In de zaal werd gemompeld, en de cameraman toonde twee oudere dames die nadrukkelijk knikten.
"Patricia: heeft hij het gedaan, volgens jou?"
Weer keek ze even van hem weg. Dan leunde ze met gekruiste benen achterover in de geel-en-zwart-geblokte sofa.
"Heel goed geprobeerd, Mirko," grinnikte ze. "Maar je beseft natuurlijk zelf ook wel dat ik daarop niet mág antwoorden. Het onderzoek is nog in volle gang, en ik ben geen deskundige of zo. Ik ben maar een actrice. Weliswaar met een koppel natuurlijke eigenschappen..." De zaal lachte, en Hansworst gebaarde dat de stand één nul was. "... Het gerecht moet zijn gang gaan, zoveel is duidelijk. Ik weet alleen dat ik Bernard gekend heb als een man die nooit loog; en dat diezelfde Bernard nu weigerde om te antwoorden op de vraag of hij de moorden had gepleegd."
"Om niet te moeten liegen?"
"Dat zijn jouw woorden, niet de mijne."
Hansworst knikte.

“Je hebt gelijk. De kijkers zijn meer dan verstandig genoeg om zelf de conclusies te trekken.” Blik in de camera, inzoomen. “En terwijl jullie dat doen, is hier de nieuwste sensatie uit West-Vlaanderen: The Beerbellies met hun hit ‘Klopt erop, moeke’.”
De zaal applaudisseerde.
Ik zette de tv af. Enkele ogenblikken later hoorde ik gekletter op de gang, gevolgd door geroep.
“Hey, klootzak, w’nneer g’n *wij* ‘s wandele?!”
Ik reageerde er niet op. Er werd wel vaker geroepen in de gang. Ik was eraan gewend geraakt. Als het binnen de minuut niet stopte, kwamen de cipiers in actie.
Ik werd overvallen door iets dat me veertig jaar eerder al eens had overweldigd, liggend op een gelijksoortige brits, in een even vijandige omgeving, temidden van onbetrouwbare bullebakken en angstige wezels.
Eenzaamheid.

Meyle is net vertrokken. Had het interview met Patricia gisteren ook gezien, en was erover in de wolken. Het stuurde de publieke opinie wel in de verkeerde richting, vond hij, maar het bezorgde ons een pak juridische munitie voor tijdens het eigenlijke proces. Toen ik hem vertelde dat ik haar wel degelijk had geantwoord op de vraag, namelijk met ‘neen, ik heb het niet gedaan,’ en dat daar toen een cipier bij aanwezig was, fleurde hij helemaal op.
“Manipulatie,” zei hij. “De mensen laten zich tegenwoordig elke dag met plezier manipuleren, maar willen dat absoluut niet geweten hebben. Als er dan toch eens een manipulator ontmaskerd wordt, zouden ze hem nog het liefst van al lynchen, als in de goede oude tijd. De luchtbel mag niet worden doorprikt. Als je dan toch bellen blaast, mag je je niet laten betrappen: de grootste fout die je kunt maken in onze moderne, westerse beschaving, is je laten betrappen. Dit geeft ons heel wat mogelijkheden.”
Ik haalde alleen maar de schouders op. Het kon me eigenlijk niets meer schelen. Niet na gisteravond. Wraak koesteren, allemaal goed en wel, maar waarom? Wat veranderde het? Niks.
Meyle had echter nog ander ‘goed’ nieuws. Misschien was het daarom dat hij niet reageerde op mijn onverschilligheid.
“Ik heb gisteren mijn contact bij Verkeersveiligheid gesproken,” zei hij op een wat plechtige toon. Hij tikte met zijn vingertoppen tegen elkaar, en wachtte.

Ik wist alleen maar dat er daarbuiten na gisteravond niémand meer was. Ik besefte plotseling dat er nog iets ergers is dan sterven: als enige overleven.
"Een leuke avond gehad, hoop ik."
Meyle is niet het type dat dit soort reacties begrijpt. Hij is dan altijd enkele ogenblikken lang van zijn stuk gebracht.
"Dat viel nogal mee, ja..." zei hij aarzelend. Hij herstelde zich echter snel. "Uiteraard is het nog officieus." Hij klonk enthousiast. "Mijn contact is gebonden aan het beroepsgeheim, zolang er dus geen officieel rapport is, *zijn* er eenvoudigweg geen feiten. Dat weet u ondertussen al. Hij wist me te vertellen dat ze waarschijnlijk uw wagen hebben getraceerd op één van de video's."
Hij keek me zo verwachtingsvol aan dat ik het niet kon opbrengen mijn ware gevoelens te tonen.
"Inderdaad, goed nieuws," mompelde ik.
Hij bestudeerde me een enkel moment, en dacht waarschijnlijk dat ik nog van de schok moest bekomen.
"Ze zitten in het voorlaatste stadium van de controleprocedure die ze in een dergelijke situatie moeten volgen, maar het zag er goed uit, zei mijn contact. Over een dag of drie zou de procedure kunnen afgerond zijn. Dat betekent dat u eind volgende week als een vrij man de gevangenis zou kunnen verlaten. Als alles goed gaat, tenminste. Wat denkt u daarvan?"
"Wilt u dat echt weten?"
Opnieuw was hij even van slag. Een gevangene die de boodschap krijgt dat hij binnenkort zal vrijkomen, hoort dol van vreugde te zijn. Misschien niet de allereerste minuut, maar daarna dan toch wel.
Natuurlijk wilde hij het echt weten.
"Ik zal het geloven, meester, als ik het zie. En niet eerder. Zoals u zelf al zei. een officieus bericht is evenveel waard als géén bericht."
"Mijn bron is zéér betrouwbaar, meneer Vercammen." Hij klonk een beetje verontwaardigd. "Dit is niet de eerste keer dat ik beroep doe op dit contact, en de via deze weg verkregen informatie is nog nooit verkeerd geweest."
"Dat betwist ik niet, meester, integendeel. Ik geloof u wel." Ik haalde de schouders op. "Ach, misschien kan ik het gewoon nog niet vatten..."

42. WOENSDAG – KANTOOR COOREMANS

Van:*j.vanhouttem@gov.be.net*
Kopie:
Onderwerp: *de Ruuckvenzaak – PERSOONLIJK!*
ENCRYPTED ATTACHMENT

Beste collega,

Na ons gezamenlijk, officieus overleg van vorige week met de gevangenisdirectie, de juridische diensten van het departement, de departementshoofden van justitie en verkeer, en advocaat Mr. Meyle, heeft de vertegenwoordiger van de minister zich akkoord verklaard met volgende redenering:
- in overweging nemende dat de gevangenisdirectie de dag na de dood van Bernard V. al publiekelijk suggereerde dat het om zelfmoord ging;
- in overweging nemende dat deze suggestie dankzij de onafgebroken aandacht in de pers de voorbije drie weken is uitgegroeid tot een vaststaand feit;
- in overweging nemende dat het nu nog onthullen van de moord op een onschuldige gevangene de publieke opinie zou schokken, en het toch al wankele vertrouwen in onze justitie verder zou ondermijnen;
- in overweging nemende dat het bekend raken van deze onveilige toestand – de moord van een gevangene op een medegevangene – zou kunnen leiden tot onrust en onlusten in andere penitentiaire instellingen;
- in overweging nemende dat het voor de rechtbank brengen van een tot vier keer levenslang veroordeelde crimineel omwille van de moord op een medegevangene – die door de publieke opinie toch al werd beschouwd als een kindermoordenaar – geen enkel opbouwend effect kan hebben voor onze maatschappij, en slechts een onverantwoorde verspilling van publieke fondsen zou zijn;
- in overweging nemende dat meester Meyle verklaarde deze redenering niet te zullen aanvechten, of op enige andere wijze te ondermijnen (in overweging nemende dat er binnenkort een vacature vrijkomt in de Nationale Raad van de Magistratuur);
- in overweging nemende dat alle werknemers op de dienst Verkeersveiligheid

gebonden zijn aan het beroepsgeheim;
- in overweging nemende dat de vernoemde videoband door ons contact ter plaatse is hersteld in zijn oorspronkelijke staat;
- in overweging nemende dat de pers de 'zelfmoord' van Bernard V. herhaaldelijk als een bekentenis heeft geïnterpreteerd, zodat deze verklaring van de 'wanhoopsdaad' nu algemeen is aanvaard;
- in overweging nemende dat de ouders van Sofie Ruuckven, het jongste slachtoffer, verklaard hebben dat deze onrechtstreekse 'bekentenis' van de 'moordenaar' hen eindelijk de kans geeft de draad van hun leven opnieuw op te nemen, een gegeven dat door een populair deel van de pers uitvoerig in de verf is gezet;
- in overweging nemende dat de voormalige echtgenote van Bernard V. al een echtscheidingsprocedure had aangespannen, enkele weken voor het drama in de instelling;
- in overweging nemende dat de eerder vermelde persoon via haar advocaat in een officiële verklaring meedeelde dat ze op geen enkele wijze wenste te worden geassocieerd met haar 'voormalige' echtgenoot;
- in overweging nemende dat, samengevat, het niet alleen in het financiële en sociale belang is van onze maatschappij, maar tevens in het belang van alle betrokken burgers, om de afgeronde versie van de feiten, zoals ze nu in de pers is verschenen en door de publieke opinie is geabsorbeerd, ongemoeid te laten;

hebben onze hiërarchische oversten besloten om de zaak Ruuckven als afgerond te beschouwen. Mag ik u dan ook vragen de nodige stappen te ondernemen om dit besluit tot uitvoering te brengen. Het lijkt onze oversten van essentieel belang te vermijden dat een surrealistische versie van de feiten door een ongelukkige samenloop van omstandigheden alsnog de realistische zou vervangen.

Met collegiale groeten,

Jacques

P.S.: Bijgevoegd vindt U een kopie van de notities, die in de cel van de betrokkene, Bernard V., zijn teruggevonden. Gelieve deze, na lectuur, te vernietigen.